L'ombre des taliban

Autrement**Frontières**

Collection dirigée par Henry Dougier

www.autrement.com

Première publication en langue anglaise par I.B. Tauris & Co Ltd, Londres, sous le titre *Taliban : Islam, Oil and the New Great Game in Central Asia*, © 2000 Ahmed Rashid. ISBN : 1-86064-417-1.

Couverture : © Steve McCurry/Magnum (1re de couverture) ; © Stéphane Gladieu/*L'Express* (4e de couverture).

Cartes : © Philippe Rekacewicz/*Le Monde diplomatique*.

© Éditions Autrement, 2001 pour la présente traduction. Dépôt légal : 4e trimestre 2001. ISBN : 2-7467-0173-1

Achevé d'imprimer en octobre 2001 par l'imprimerie Corlet à Condé-sur-Noireau (Calvados) - N° 3450 pour le compte des Éditions Autrement, 17, rue du Louvre, 75001 Paris Tél. : 01.40.26.06.06 - Fax : 01.40.26.00.26.

AHMED RASHID

L'OMBRE DES TALIBAN

Traduit de l'anglais par Geneviève Brzustowski
et Laurent Bury
Postface et relecture scientifique d'Olivier Roy

Éditions Autrement**Frontières**

INTRODUCTION : 25 septembre 2001

Depuis 1989, les États-Unis et l'Occident ignorent la guerre civile inin-terrompue qui a lieu en Afghanistan. Mais le 11 septembre 2001, le monde a changé lorsque l'Afghanistan s'est imposé à son attention de manière tragique et brutale. Les dix-neuf terroristes-kamikazes qui ont détourné quatre avions pour les lancer sur les tours jumelles du World Trade Center, à New York, et sur le Pentagone, à Washington, appartenaient à l'organisation dirigée par Oussama ben Laden, Al Qaida, basée dans l'État gouverné par les taliban. Leur cible était le cœur du monde de l'après-guerre froide, le centre nerveux de la mondialisation et des efforts internationaux censés préparer un monde meilleur et plus sûr.

Quelques heures après cette attaque, le Président George W. Bush annonçait que l'Amérique entrait en guerre contre le terrorisme international. « Ceux qui font la guerre aux États-Unis ont choisi leur propre destruction », affirmait-il le 15 septembre, après avoir déclaré l'état d'urgence. Selon lui, la réaction américaine serait « un affrontement sans champ de bataille ni débarquement », un « long affrontement ». Il s'est engagé à construire une alliance internationale en s'appuyant sur l'OTAN et d'autres alliés pour punir Al Qaida et les taliban.

Les membre du commando-suicide, qui avaient suivi une formation de pilote aux États-Unis et en Allemagne, étaient issus d'une nouvelle génération de militants islamistes. Ils étaient instruits, appartenaient à la bourgeoisie, ils avaient un emploi, une famille, des petites amies. Pourtant, ils étaient animés par une colère implacable, qu'ils nourrissaient en secret depuis des années, qui leur a permis de tuer sans scrupule quelque 7 000 personnes, dont de nombreux musulmans américains. L'un des buts de ce livre est de comprendre cette colère et de mieux connaître l'organisation qui les a formés et les a inspirés.

Pourtant, Al Qaida n'aurait pu consacrer plusieurs années à concevoir et à mettre au point ces attaques sans une base où tout lui serait fourni - entraînement, financement, communications, inspiration. Pendant de longues années, les États-Unis et l'Occident ont laissé les taliban faire de l'Afghanistan un sanctuaire qui héberge les groupes extrémistes d'une trentaine de pays. Avec ses 2 500 à 3 000 combattants venus d'au moins 13 pays arabes et un réseau mondial présent dans 34 pays, Al Qaida n'est que la partie émergée d'un immense iceberg. Les taliban abritent également des groupes extrémistes islamistes venus de Russie, du Pakistan, de Chine, de Birmanie, d'Iran, d'Asie centrale et de plusieurs pays d'Extrême-Orient, qui luttent tous pour les taliban tout en poursuivant leurs propres objectifs domestiques. L'Afghanistan est devenu le pivot d'un réseau terroriste mondial, ce dont le peuple afghan, frappé par la misère, confronté à la sécheresse, à la famine, à la guerre civile et à de terribles privations du fait de la guerre entre les taliban et les forces anti-taliban du Front uni, n'est en rien responsable.

L'assassinat du leader du FU, Ahmad Shah Massoud, survenu deux jours auparavant, a été le prélude à l'attentat du 11 septembre. Deux jeunes Marocains se faisant passer pour des journalistes et munis de passeports belges étaient partis de Bruxelles pour Kaboul, via Londres et Islamabad ; ils avaient caché une bombe dans une caméra vidéo. Quand a commencé leur interview de Massoud, à l'extrême nord du pays, ils se sont fait sauter en même temps que leur interlocuteur. La tête et le corps criblés d'éclats de métal, Massoud n'a survécu que quelques heures. Il ne fait guère de doute que cet assassinat a été organisé par Al Qaida afin de cimenter son étroite alliance avec le gouvernement taliban et pour priver le FU de son dirigeant le plus talentueux, au moment précis où elle préparait une opération terroriste plus vaste encore, qui allait attirer en Afghanistan les forces américaines avides de représailles. Ben Laden et le dirigeant des taliban, Mohammed Omar, sont apparemment certains de pouvoir anéantir l'envahisseur américain, tout comme les moudjahidin afghans ont détruit l'armée soviétique au terme de dix années de guerre.

La colère des taliban contre l'Occident avait déjà atteint un nouveau palier au début de l'année. Le 19 janvier, la résolution 1333 du Conseil de sécurité de l'ONU imposait des sanctions aux taliban, qui impliquaient l'interdiction totale de leur fournir des armes, le gel de leurs avoirs hors d'Afghanistan et l'arrêt total des activités de leur compagnie aérienne nationale, Ariana. Le Conseil de sécurité affirmait que l'Afghanistan, contrôlé par les taliban, était le centre mondial du terrorisme international et demandait l'extradition de Ben Laden. Les taliban ont réagi violemment en déclarant qu'ils n'expulseraient jamais Ben Laden. Ce qui a encore plus attisé leur fureur, c'est qu'aucune mesure n'interdisait de fournir des armes au FU, qui continuait à recevoir l'aide militaire de la Russie, de l'Iran, de l'Inde et des républiques d'Asie centrale.

Le Pakistan, principal fournisseur d'armes et de carburant des taliban, se trouvait désormais dans une position délicate, mais s'engagea à respecter les sanctions de l'ONU. Pourtant, le 30 avril, le rapport annuel sur le terrorisme mondial publié par le ministère des Affaires étrangères américain affirmait que le Pakistan continuait à soutenir les taliban en leur fournissant « carburant, fonds, assistance technique et conseillers militaires ». Au même moment, l'association Human Rights Watch, basée à New York, publiait un rapport dévastateur : le Pakistan violait les sanctions de l'ONU et continuait d'alimenter les taliban en armement et en hommes. La suspicion internationale croissant à propos des activités du Pakistan, le Conseil de sécurité de l'ONU adoptait le 31 juillet la résolution 1363 et envoyait aux frontières de l'Afghanistan une mission chargée de veiller au respect de l'embargo sur les armes. Les taliban et les partis islamistes pakistanais réagirent en déclarant qu'ils tueraient tout envoyé des Nations unies présent sur la frontière pakistano-afghane.

En outre, durant les premiers mois de 2001, divers événements laissaient présager qu'une offensive terroriste était imminente. Le 5 février s'ouvrait à New York le procès de quatre complices arabes de Ben Laden, accusés des attentats perpétrés dans deux ambassades américaines en Afrique en 1998. Le 29 mai, les quatre hommes furent jugés coupables des 302 accusations de terrorisme qui pesaient sur eux, et furent condamnés à de lourdes peines de prison. En avril, un Algérien, Ahmed Ressam, était condamné pour avoir introduit aux États-Unis des explosifs en provenance du Canada ; il avait prévu de faire exploser l'aéroport de Los Angeles en 2000. Entre janvier et août, l'Italie, l'Allemagne, l'Espagne et la Grande-Bretagne ont arrêté vingt Algériens soupçonnés de préparer plusieurs attaques terroristes en Europe. Ils avaient des liens étroits avec Ben Laden et avaient été formés en Afghanistan. Le 23 juin, les forces américaines présentes dans le golfe Arabique furent mises en état d'alerte maximale quant à une possible offensive terroriste. Les ambassades des États-Unis furent fermées dans plusieurs États africains, et les pays du Golfe, tout comme Washington, firent savoir aux taliban qu'ils seraient considérés comme responsables si Ben Laden organisait un quelconque attentat.

À la suite des sanctions de l'ONU, le gouvernement des taliban s'est trouvé isolé au niveau international, mais ceux-ci n'en ont pas moins continué à défier la pression occidentale, malgré la sécheresse qui se prolongeait, la guerre civile et l'effondrement de l'agriculture, qui ont entraîné un aggravation de la crise humanitaire et l'exode, à l'intérieur et à l'extérieur du pays, d'un million de nouveaux réfugiés. Des combats intensifs se sont déroulés en janvier, opposant les taliban et le FU pour le contrôle de la région du Hazarajat, dans le centre de l'Afghanistan, peuplée par les Hazara, ethnie d'obédience chiite et donc détestés par les taliban sunnites. Les taliban ont repris Yakowlang le 8 janvier, et les groupes de défense des droits de l'homme ont révélé plus tard qu'ils avaient massacré 210 civils dans la ville et ses environs. Le FU a reconquis la ville de Bamiyan le 13 février, mais elle devait bientôt retomber entre les mains des taliban.

Le 26 février, en représailles et pour intimider les Hazara, le leader taliban Mohammed Omar ordonnait à ses troupes de détruire les deux statues géantes de Bouddha, vieilles de mille huit cents ans, qui dominaient la vallée de Bamiyan. Quand les taliban rassemblèrent leurs explosifs et leurs tanks à Bamiyan, la condamnation internationale fut quasi unanime : de nombreux pays, dont le Japon, le Sri Lanka et l'Égypte, envoyèrent une délégation pour demander aux taliban de suspendre la destruction des statues. Dans plusieurs capitales, il y eut des manifestations antitaliban rassemblant bouddhistes, Afghans et amateurs d'art, mais les taliban ne se laissèrent pas fléchir et, le 10 mars, les statues furent anéanties par la dynamite et les tirs des chars d'assaut. Les taliban ont aussi détruit une quarantaine de statues du musée de Kaboul et un énorme et très ancien bouddha couché à Ghazni. Ils accusaient le monde de les avoir isolés et de négliger là population affamée en faveur des statues, bien qu'eux-mêmes soient les derniers à se soucier des conditions de vie du peuple afghan.

La destruction des bouddhas a tiré quelques pays de leur torpeur, quant aux dangers que représentaient les taliban. Le leader du FU, Ahmad Shah Massoud, se rendit en Europe pour la première fois en avril. Il s'adressa au Parlement européen à Strasbourg et fut reçu à Bruxelles par la Communauté européenne puis à Paris par le ministre français des Affaires étrangères. Le FU a été renforcé par le retour au pays du général Rachid Dostam, qui, avec l'aide de la Turquie, a installé un camp dans le nord de l'Afghanistan pour rassembler les combattants ouzbeks opposés aux taliban, et d'Ismaël Khan, ex-gouverneur de la région Ouest, qui a créé une nouvelle base de résistance contre les taliban, avec le soutien de l'Iran, dans la province de Ghor. Au cours de l'été, le FU a pu ainsi ouvrir deux nouveaux fronts, obligeant les forces des taliban à se disperser.

Le chef de la *shura* (conseil des ministres) des taliban à Kaboul, numéro deux du mouvement, le mollah Mohammed Rabbani, est mort d'un cancer dans un hôpital de Karachi le 16 avril. Rabbani était considéré comme un modéré, avocat du dialogue avec Massoud. Sa mort a marqué la fin de toute opposition aux durs du régime, décidés à affronter l'Occident afin de créer ce qu'ils prétendent être l'État islamique le plus pur au monde.

Le combat des taliban est passé par l'escalade de l'affrontement avec les Nations unies et d'autres organismes humanitaires internationaux travaillant en Afghanistan, ainsi que l'adoption de nouvelles lois qui violaient gravement les droits de l'homme et suscitèrent la colère de nombreux Afghans. Le 19 mai, les taliban ont fermé un hôpital italien à Kaboul, et obligé les médecins européens à fuir en les accusant de coucher avec des Afghanes. Deux jours plus tard, les taliban refusaient de coopérer à une campagne de vaccination des enfants contre la poliomyélite menée par l'ONU. Le 22 mai, ils déclaraient que tous les hindouistes présents dans le pays devraient porter des insignes jaunes afin d'être identifiés, provoquant ainsi une nouvelle condamnation internationale qui dura pendant plusieurs semaines, jusqu'à ce qu'ils reviennent sur leur décision et se contentent d'imposer aux hindouistes le port de documents d'identité. On estime à 1 700 personnes les populations hindouiste et sikh en Afghanistan. Le 31 mai, les taliban interdisaient aux étrangères de conduire des voitures.

Le principal conflit entre les taliban et la communauté humanitaire fut provoqué par leur décision d'interdire au WFP (World Food Program, Programme alimentaire) de l'ONU, qui nourrit quelque 3 millions d'Afghans, de mener une enquête sur les bénéficiaires des distributions de pain subventionné dans les boulangeries du WFP à Kaboul. Après des mois de vaines négociations, le WFP menaça, le 15 juin, de fermer ses 157 boulangeries. Les taliban cherchèrent l'aide d'organismes de secours arabes et musulmans, mais sans grand succès. Le WFP ferma ses boulangeries et les taliban durent accepter une solution de compromis deux jours plus tard. Le 13 juillet, les taliban interdisaient l'utilisation d'Internet. Une semaine après, ils publiaient un nouveau décret empêchant l'importation de trente produits, dont les jeux, les cassettes de musique et le rouge à lèvres. Le conflit avec les ONG atteignit son·comble le 5 août, lorsque les taliban arrêtèrent huit étrangers et seize Afghans appartenant à l'organisation Shelter Now International, accusés de promouvoir le christianisme, crime passible de mort. Le procès des huit étrangers (dont quatre Allemands), conduit selon la charia, la loi islamique, a commencé le 4 septembre à la Cour suprême de Kaboul.

Les taliban ont lancé leur habituelle offensive estivale le 1er juin, en envoyant 25 000 hommes, dont quelque 10 000 non-Afghans (Arabes, Pakistanais et originaires d'Asie centrale), attaquer les lignes du FU à l'extérieur de Kaboul, dans la province de Takhar, au nord-est du pays, et dans le Hazarajat. Le FU a été incapable de conquérir du terrain, mais il a réussi à maintenir ses positions contre les taliban, et les nouveaux fronts au nord et à l'ouest ont bien rempli leur rôle : déconcentrer les forces des taliban. En août, dans un rapport adressé au Conseil de sécurité, le secrétaire général de l'ONU, Kofi Annan, souhaitait une nouvelle « approche globale » pour tenter de restaurer la paix en Afghanistan, après les « tentatives infructueuses » du passé, et soulignait le besoin d'une stratégie d'encouragement et de dissuasion ainsi que d'un plan de reconstruction pour le pays. Annan signalait aussi la présence d'islamistes radicaux étrangers luttant aux côtés des taliban, dans des proportion jamais atteintes auparavant.

Tout au long de cette crise politique, les souffrances du peuple afghan se sont accrues inexorablement, l'Afghanistan devenant en 2001 la pire zone de désastre humanitaire. Les Afghans constituent la plus importante population de réfugiés au monde, soit 3,6 millions à l'extérieur des frontières, dont 2,2 millions au Pakistan et 1,2 million en Iran. En septembre, s'y ajoutaient 1 million de nouvelles victimes : 800 000 Afghans déplacés à l'intérieur du pays, 200 000 réfugiés supplémentaires au Pakistan et 100 000 autres en Iran. La sécheresse prolongée a poussé des millions d'Afghans à quitter les campagnes pour se diriger vers les villes, où les associations humanitaires étaient débordées du fait du manque de ressources et du harcèlement des taliban. En janvier, une centaine d'Afghans, dont de nombreux enfants, sont morts de froid dans six camps de réfugiés à Hérat, où étaient rassemblées 80 000 personnes. Dans le nord de l'Afghanistan, où l'on compte quelque 200 000 personnes déplacées, la population était réduite à manger de l'herbe, du fourrage et des rongeurs ; les filles étaient vendues contre un peu d'argent pour acheter de quoi manger.

L'ONU est désemparée face à la crise agricole. Selon une enquête menée en avril par le WFP dans les 24 provinces, il y aurait en 2001 une diminution de 50 % des terres cultivées, à cause de la sécheresse et de la pénurie de semences, alors que 70 % du bétail du pays a disparu à cause du manque d'eau et de pâturages. En juin, l'ONU a signalé un risque de famine massive si la communauté internationale ne réagissait pas. Cependant, le harcèlement des organismes humanitaires par les taliban a suscité la réticence de beaucoup de pays occidentaux. Le WFP a annoncé qu'il faudrait nourrir 5,5 millions de personnes durant l'hiver 2001-2002 (il y en avait eu 3,8 millions en 2000). Fin août, la situation des Afghans est devenue un problème d'ordre international, lorsque l'Australie a refusé de donner asile à 438 réfugiés, principalement afghans, arrivés à bord d'un navire porte-conteneurs norvégien qui les avait recueillis sur un bateau indonésien en train de sombrer. Les Afghans forment aujourd'hui la majorité des immigrants clandestins entrant en Europe.

Ironiquement, la crise économique a également été aggravée par l'unique concession aux exigences internationales faite par les taliban : l'interdiction de cultiver le pavot. C'est à partir de la fleur de pavot que sont fabriqués l'opium et l'héroïne, principale source de financement de toutes les factions armées afghanes. Le mollah Omar a interdit la culture du pavot en juillet 2000, et cette interdiction a été appliquée rigoureusement. En mars 2001, l'ONU et les États-Unis ont reconnu que les taliban avaient empêché toute culture du pavot et plusieurs pays ont promis une aide immédiate à des milliers d'agriculteurs ruinés parce qu'ils n'avaient ni semences ni engrais pour commencer d'autres cultures. Parmi les nouveaux réfugiés, beaucoup étaient des agriculteurs désormais privés de leurs moyens d'existence. Néanmoins, les stocks d'opium accumulés au cours des années précédentes continuent à être introduits en contrebande dans les pays voisins comme le Tadjikistan et l'Iran, avant d'être acheminés en Russie et en Europe ; le prix de l'opium afghan a été multiplié par 10 par rapport à l'année 2000.

Avant le 11 septembre, tout indiquait que l'Afghanistan était devenu une menace capitale pour la stabilité internationale et régionale. La sécheresse, la guerre civile, les migrations de masse, le trafic de drogue, l'intransigeance des chefs taliban et la multiplication du nombre de groupes terroristes présents dans le pays, tout cela aurait dû faire pressentir aux Occidentaux qu'une crise allait éclater. Le monde a enfin compris l'importance de l'Afghanistan lorsque, par un matin ensoleillé, les New-Yorkais horrifiés ont vu deux avions s'écraser contre les tours jumelles du World Trade Center. Aujourd'hui, tandis que les États-Unis et leurs alliés occidentaux préparent une terrible campagne militaire contre les taliban et Al Qaida, on ne peut espérer qu'une chose : qu'elle s'accompagne d'une stratégie politique et économique qui permette l'arrivée d'un nouveau gouvernement en Afghanistan et le traitement de la crise économique qui n'a fait que renforcer l'extrémisme et le terrorisme.

NOTE AU LECTEUR

J'ai mis vingt et un ans à écrire ce livre - c'est à peu près le temps que j'ai passé à couvrir l'Afghanistan en ma qualité de journaliste. La guerre en Afghanistan a occupé une bonne partie de ma vie, même si mon propre pays, le Pakistan - sans parler de l'Asie centrale et de l'effondrement de l'Union soviétique - fournissait suffisamment d'événements à rapporter.

Pourquoi l'Afghanistan ? Quiconque a été en contact avec un Afghan ou a visité l'Afghanistan, en paix ou en guerre, me comprendra si je dis que ce pays et les gens qui y vivent sont parmi les plus extraordinaires au monde. En outre, les Afghans ont souffert de l'une des plus grandes tragédies de ce siècle - la plus longue guerre civile de la région, avec son cortège de malheurs inouïs.

Leur histoire et leur caractère recèlent d'énormes contradictions. Braves, magnifiques, fiers, généreux, hospitaliers, aimables, séduisants, les hommes et les femmes d'Afghanistan peuvent également être sournois, méchants et sanguinaires.

Au fil des siècles, tenter de comprendre les Afghans et leur pays est devenu un art subtil autant qu'un jeu de pouvoir politique pour les Perses, les Mongols, les Britanniques, les Soviétiques et, plus récemment, pour les Pakistanais. Mais nul étranger ne les a jamais conquis ni n'a gagné leur âme. Seuls les Afghans étaient capables de garder à distance deux empires tels que l'Union soviétique et la Grande-Bretagne au cours de ce siècle. Cependant, ils ont payé un prix terrible durant ces vingt et une années de conflit - plus de 1,5 million de morts et la destruction totale de leur pays.

Le hasard a également joué un rôle dans mes relations avec l'Afghanistan. Souvent, je me suis simplement trouvé au bon endroit au bon moment. J'ai regardé les chars s'engouffrer dans le palais du président Mohammed Daoud en 1978 lors du coup d'État qui devait amorcer la désintégration de l'Afghanistan. Un an plus tard, je prenais le thé dans le bazar de Kandahar lorsque les premiers chars soviétiques sont arrivés. Alors que je couvrais la guerre entre l'Union soviétique et les moudjahidin, ma famille me poussa à écrire un livre, comme tant de journalistes le faisaient à l'époque. Je me suis abstenu. J'avais trop de choses à dire et je ne savais pas par où commencer.

J'étais décidé à écrire un livre après plusieurs mois passés à Genève pour suivre les pénibles négociations organisées par les Nations unies en 1988, qui s'achevèrent par les accords de Genève et le retrait des troupes soviétiques d'Afghanistan. Enfermé avec deux cents autres journalistes, j'eus la chance d'être le témoin privilégié de nombreuses discussions tenues en privé par les diplomates des Nations unies, des États-Unis, de l'Union soviétique, du Pakistan, de l'Iran et de l'Afghanistan. Ce livre ne fut jamais écrit puisque le peuple afghan, mon premier amour, se jeta aussitôt dans une guerre civile sanguinaire et insensée qui continue aujourd'hui.

Au lieu de cela, je me rendis en Asie centrale voir les ancêtres des Afghans et témoigner de l'effondrement de l'Union soviétique, sur lequel j'écrivis un livre où j'adoptais la perspective des nouveaux États indépendants d'Asie centrale. Mais l'Afghanistan m'attirait toujours à lui.

J'aurais dû écrire un autre livre en 1992, lorsque je passai un mois à Kaboul à me faufiler entre les balles tandis que le régime du président Najibullah s'écroulait et que la ville tombait aux mains des moudjahidin. Mais la saga des Afghans m'avait déjà entraîné à Moscou, Washington, Rome, Djedda, Paris, Londres, Ashkhabad, Tachkent et Douchanbe. En dernier ressort, c'est la nature unique des taliban et l'absence d'écrits consacrés à leur ascension fulgurante qui me persuadèrent d'écrire leur histoire, dans le droit fil des vingt et une dernières années de l'histoire de l'Afghanistan, et de la mienne.

Pendant des années, j'ai été le seul journaliste pakistanais à couvrir sérieusement l'Afghanistan, alors que la guerre se déroulait à nos portes et que l'Afghanistan soutenait la politique étrangère du Pakistan ainsi que le régime militaire du général Zia ul-Haq. Si j'éprouvais un intérêt aussi constant, c'était aussi parce que j'étais convaincu depuis 1982 que la politique afghane d'Islamabad non seulement jouerait à l'avenir un rôle déterminant pour la sécurité nationale et la politique intérieure du Pakistan, mais qu'elle susciterait également un retour du boomerang fondamentaliste islamique dans le pays. Aujourd'hui, alors que le Pakistan vacille au bord d'un abîme politique, économique et social, pendant qu'une culture de la drogue, des armes, de la corruption et de la violence envahit le pays, les événements qui se déroulent en Afghanistan sont devenus encore plus cruciaux pour lui.

Les artisans de la politique pakistanaise n'ont pas toujours approuvé ce que j'écrivais. Il n'était pas facile d'exprimer un désaccord avec Zia. En 1985, j'ai été interrogé plusieurs heures durant par ses services de renseignement et on a exigé que je cesse d'écrire pendant six mois. J'ai continué à écrire sous des pseudonymes. Mon téléphone était constamment sous écoute et mes moindres mouvements surveillés.

L'Afghanistan, comme les Afghans eux-mêmes, est tissé de contradictions dont n'importe quel journaliste peut faire continuellement l'expérience. Gulbuddin Hekmetyar, l'extrémiste chef des moudjahidin, me condamna à mort pour sympathies communistes - ainsi que George Arney, de la BBC - et mon nom figura pendant un an dans le journal de son parti comme celui d'un homme à abattre. Plus tard, à Kaboul, une foule me pourchassa pour me mettre à mort lorsque j'arrivai juste après l'explosion d'une roquette tirée par Hekmetyar, qui avait tué deux petits garçons dans le quartier de Microyan. Les Afghans pensaient que j'étais un agent de Hekmetyar venu constater les dégâts.

En 1981, alors que Najibullah dirigeait le tristement célèbre Khad, les services secrets communistes afghans, calqués sur le KGB, il m'interrogea personnellement après mon arrestation par des officiers de ses services, survenue à la poste centrale de Kaboul où je lisais un exemplaire interdit du magazine *Time*. Plus tard, devenu Président et après que je l'eus interviewé à plusieurs reprises, il lui vint l'idée que je pouvais transmettre de sa part un message de bonne volonté à la Première ministre du Pakistan, Benazir Bhutto. Je lui dis qu'elle ne m'écouterait pas, et c'est bien ce qui arriva.

J'ai souvent été pris entre des feux croisés, entre les troupes communistes afghanes et les moudjahidin, entre les chefs de guerre moudjahidin rivaux et entre les taliban et les canonniers des chars d'Ahmad Shah Massoud. Je n'ai jamais été du genre belliqueux, et j'ai tâché de m'esquiver la plupart du temps.

Mon intérêt pour l'Afghanistan n'aurait jamais pu se sustenter sans l'aide de nombreuses personnes, en particulier des Afghans. Aux mollahs des taliban, aux commandants antitaliban, aux chefs de guerre qui se battirent avant eux, aux combattants sur les champs de bataille et aux chauffeurs de taxis, aux intellectuels, aux volontaires des organisations humanitaires et aux paysans - ils sont trop nombreux et il serait délicat de citer leurs noms - vont tous mes remerciements.

Outre celle des Afghans, j'ai reçu l'aide précieuse des ministres, diplomates, généraux, bureaucrates et officiers de renseignement pakistanais, de ceux qui voulaient s'en prendre à moi comme de ceux qui éprouvaient une sympathie réelle pour mes opinions. Beaucoup sont devenus des amis sincères.

Au fil des ans, les organismes des Nations unies et les organisations non gouvernementales m'ont hébergé dans tout l'Afghanistan et m'ont donné des idées, des informations et accordé leur soutien.

Ahmed Rashid
Lahore

LES MOINES GUERRIERS DE L'AFGHANISTAN

Par un bel après-midi de printemps, les commerçants de la ville de Kandahar, au sud de l'Afghanistan, baissaient les rideaux de fer de leurs boutiques en prévision du week-end. Des Pachtounes trapus, arborant longue barbe et turban noué autour de la tête, se dirigeaient vers le stade de football municipal par les allées étroites et poussiéreuses qui traversent le grand bazar. Des enfants, orphelins en guenilles pour la plupart, couraient en tous sens avec de grands gestes et des cris de joie à la perspective du spectacle auquel ils allaient assister.

Nous étions en mars 1997. Kandahar était depuis deux ans et demi la capitale des farouches guerriers islamiques taliban qui avaient conquis les deux tiers de l'Afghanistan et se battaient désormais pour s'emparer du reste du pays. Seuls quelques taliban avaient pris part à la lutte contre l'Armée rouge soviétique au cours des années 1980 ; ils s'étaient opposés en plus grand nombre au régime du président Najibullah, fermement cramponné au pouvoir pendant les quatre années qui avaient suivi le retrait des troupes soviétiques d'Afghanistan, en 1989. Cependant, la grande majorité des taliban n'avait jamais combattu les communistes ; il s'agissait essentiellement de jeunes étudiants formés dans les madrasas, ou écoles religieuses coraniques, installées par centaines dans les camps de réfugiés afghans du Pakistan.

Depuis leur soudaine et spectaculaire apparition, fin 1994, les taliban avaient apporté une paix et une sécurité relatives à Kandahar et aux provinces voisines. Les groupes tribaux qui s'affrontaient avaient été écrasés, leurs chefs pendus, la population désarmée et les routes rouvertes afin de faciliter la lucrative contrebande entre le Pakistan, l'Afghanistan, l'Iran et l'Asie centrale, qui était devenue le pilier de l'économie.

Les taliban, issus du groupe pachtoune, majoritaire - il représente quelque 40 % des 20 millions d'habitants de l'Afghanistan -, avaient également galvanisé le nationalisme des Pachtounes. Ceux-ci avaient en effet dirigé l'Afghanistan pendant trois cents ans avant de céder le pouvoir à d'autres groupes moins importants. Les victoires des taliban ravivaient l'espoir de voir à nouveau les Pachtounes à la tête du pays.

Mais les taliban appliquaient aussi une interprétation extrémiste de la charia, la loi islamique, qui inquiétait beaucoup d'Afghans, sans parler du monde musulman. Ils avaient fermé toutes les écoles pour filles et n'autorisaient que rarement les femmes à sortir de chez elles, même pour faire des courses. Ils avaient interdit tous les divertissements possibles, de la musique à la télévision en passant par les cassettes vidéo, les cartes, le cerf-volant et la plupart des sports et des jeux. Le fondamentalisme islamique des taliban était tellement poussé à l'extrême qu'il semblait nier le message de paix et de tolérance de l'islam, et la capacité des musulmans à vivre parmi d'autres groupes ethniques et religieux. Les taliban devaient inspirer au Pakistan et en Asie centrale une nouvelle forme de fondamentalisme extrémiste caractérisé par un refus du compromis avec les valeurs islamiques traditionnelles, les structures sociales ou les systèmes de gouvernement existants.

Quelques semaines plus tôt, les taliban de Kandahar avaient levé l'interdiction qui pesait depuis longtemps sur le football. Les agences humanitaires des Nations unies - saisissant cette occasion rarissime de distraire la population - s'empressèrent de reconstruire les tribunes et les gradins du stade de football endommagé par les bombardements. Pourtant, en ce doux après-midi de jeudi - le début du week-end pour les musulmans - aucun de ces étrangers n'avait été invité à l'inauguration du stade. D'ailleurs, il n'y aurait pas de match de football. Les spectateurs allaient assister à une exécution publique, et la victime serait abattue entre les poteaux des buts.

Des volontaires étrangers, aussi déprimés qu'embarrassés, m'apprirent à mi-voix la nouvelle de l'exécution, alors que je descendais tout juste d'un avion des Nations unies en provenance du Pakistan. « Cela ne va pas exactement encourager la communauté internationale à allouer plus de fonds aux projets d'aide à l'Afghanistan. Comment allons-nous expliquer la façon dont les taliban utilisent le stade que nous avons rénové ? » déclara l'un des Occidentaux.

Ceux-ci jetaient par ailleurs des coups d'œil nerveux en direction de ma collègue Gretchen Peters, une journaliste américaine. Grande et blonde, un peu dégingandée, le visage large aux traits énergiques, elle portait un shalwar kamiz - le vêtement local composé de pantalons bouffants en coton, d'une longue tunique arrivant en dessous du genou et d'un foulard recouvrant la tête - trop petit, qui ne dissimulait ni sa haute taille ni son aspect typiquement américain, véritable menace pour tous les concepts chers aux taliban - les femmes doivent se soustraire aux regards et rester muettes, car elles éloignent les hommes du chemin prescrit par l'islam pour les jeter sur les voies débridées de la tentation. Que ce soit par peur des femmes ou dégoût de la féminité, les chefs taliban ont souvent refusé d'accorder des interviews aux femmes journalistes.

Je couvrais le phénomène taliban depuis l'hiver 1994, lorsque ces combattants mystérieux se manifestèrent pour la première fois, enlevant Kandahar avant de se lancer au nord sur Kaboul, conquise en septembre 1996 ; j'avais déjà fait plus d'une dizaine de séjours dans les bastions taliban de Kandahar, Hérat et Kaboul. Plus que jamais, j'essayais de comprendre qui ils étaient, ce qui les motivait, qui les soutenait et comment ils étaient parvenus à cette interprétation extrême et violente de l'islam.

Ils nous réservaient une nouvelle surprise, à la fois cauchemar et occasion rêvée pour n'importe quel journaliste - un événement horrible qui me faisait trembler de peur et frémir d'impatience. J'avais été le témoin de nombreuses morts pendant les années de guerre, sans que cela me prépare pour autant à regarder en spectateur à l'exécution d'un être humain. Et assister à ce spectacle comme à un divertissement partagé avec des milliers de gens, et comme une expression de la justice islamique et du pouvoir des taliban ne rendait pas la chose plus facile.

Au stade, les taliban tentèrent d'abord de s'opposer à notre entrée, puis me permirent de passer si je restais tranquillement sur la ligne de touche en promettant de n'adresser la parole à personne. Gretchen Peters essaya de se faufiler à l'intérieur, mais elle fut rapidement expulsée par un détachement de gardes taliban pris de panique, qui la poussèrent dans le dos avec leurs kalachnikovs.

Vers le milieu de l'après-midi, le stade était plein ; plus de 10 000 hommes et enfants se pressaient sur les gradins, débordant sur le terrain sablonneux. Les enfants couraient sur le terrain et s'amusaient à défier les gardes qui les repoussaient avec colère derrière la ligne de touche. On aurait dit que toute la population masculine de la ville s'était rassemblée là. Les femmes n'avaient pas le droit d'assister aux événements publics.

La rumeur de la foule se calma soudain lorsqu'une vingtaine de taliban armés, chaussés de sandales en plastique, coiffés de turbans noirs et vêtus de la version masculine du shalwar kamiz, entrèrent sur le terrain au pas de course. Ils longèrent la ligne de touche, repoussant du fusil les enfants espiègles sur les gradins et hurlant à la foule de se taire. Le silence se fit rapidement, troublé par le seul claquement de leurs sandales.

Alors, comme à un signal, plusieurs camionnettes Datsun - un modèle à deux portes, découvert, qui est le moyen de transport favori des taliban - s'avancèrent sur le terrain. L'une d'elles était équipée d'un haut-parleur à la résonance métallique - pareil aux milliers d'autres qui ornent les mosquées au Pakistan et en Afghanistan. Un vieil homme à la barbe blanche debout à l'arrière du véhicule se mit à haranguer la foule. Le qâzi Khalilullah Ferozi, juge à la Cour suprême des taliban de Kandahar, parla pendant plus d'une heure, exaltant les vertus du mouvement des taliban et les bienfaits du châtiment islamique et exposant en détail les éléments de l'affaire.

Abdullah Afghan, un jeune homme de vingt ans à peine, était accusé d'avoir volé des médicaments à Abdul Wali, un fermier de son village, près de Kandahar. Il avait tué Wali, qui faisait mine de résister. Après plusieurs semaines de recherches, la famille de Wali avait retrouvé Abdullah ; arrêté, il avait été déféré devant les taliban. La Haute Cour islamique de Kandahar, puis la Cour suprême des taliban, en appel, l'avaient jugé et condamné à mort. Dans ce genre de procès, l'accusé est présumé coupable et doit se défendre lui-même, sans l'aide d'un avocat.

D'après l'interprétation que font les taliban de la charia, c'est à la famille de la victime que revient l'exécution de l'assassin, après qu'à la dernière minute le juge l'a exhortée à épargner celui-ci. Si elle y consent, la famille de la victime reçoit une compensation financière appelée le prix du sang. Quant à savoir ce qui, dans cette interprétation de la loi islamique, appartient à la charia et ce qui provient du code de conduite tribal des Pachtounes, ou Pachtounwali, c'est une question discutée par beaucoup de théologiens musulmans, en Afghanistan et ailleurs.

Le qâzi se tourna vers les vingt hommes, parents de la victime, qui étaient entrés sur le terrain. Levant les bras au ciel, il les implora d'épargner la vie d'Abdullah en échange du prix du sang. « Vous irez dix fois à La Mecque si vous épargnez cet homme. Nos chefs ont promis de vous payer une forte somme du Baïtul Mal [fonds islamique] si vous lui pardonnez. » Tous secouèrent la tête en signe de dénégation ; les gardes taliban pointèrent leurs fusils vers la foule, menaçant de tirer sur quiconque ferait un mouvement. Le silence régnait dans les gradins.

Abdullah descendit alors de la camionnette où il était resté assis sous la surveillance de taliban armés. Il portait une calotte jaune clair et des vêtements neufs ; les pieds lourdement enchaînés, les mains attachées derrière le dos, il reçut l'ordre de marcher vers les buts, à une extrémité du stade. Flageolant de peur, il traversa le terrain en traînant les pieds, tandis que ses chaînes cliquetaient et étincelaient au soleil. Une fois dans les buts, il dut s'agenouiller dos à la foule. Un garde lui enjoignit en chuchotant de dire sa dernière prière.

Un garde tendit un kalachnikov à un parent de la victime assassinée. Celui-ci fit quelques pas rapides vers Abdullah, arma la détente et lui tira trois balles dans le dos. Abdullah tomba à la renverse et son bourreau se rapprocha du corps qui tressautait sur le sol ; il lui tira trois balles supplémentaires dans la poitrine, à bout portant. Il ne fallut que quelques secondes pour jeter le cadavre à l'arrière d'une camionnette qui s'éloigna aussitôt. La foule se dispersa vite, silencieuse. En retournant en ville, nous aperçûmes les minces volutes de fumée qui s'élevaient du bazar, où s'allumaient pour le soir les stands de thé et de kebabs.

Un mélange de peur, de résignation, d'épuisement total et de dévastation s'est abattu sur les Afghans après des années de guerre et plus d'un demi-million de morts, qui les force à accepter les procédés judiciaires des taliban. Le lendemain, dans un village proche de Kaboul, une femme était lapidée à mort par une foule assoiffée de vengeance, après avoir été condamnée pour avoir tenté de fuir l'Afghanistan en compagnie d'un homme qui n'appartenait pas à sa famille. L'amputation de la main ou du pied, ou des deux à la fois, est une punition courante pour les voleurs. Au moment de la prise de Kaboul, en septembre 1996, les habitants de la ville accueillirent les taliban comme des libérateurs avant de s'en détourner avec répulsion, comme le reste du monde, lorsqu'ils torturèrent et pendirent publiquement l'ancien président Najibullah, l'ex-homme fort du régime communiste, qui vivait depuis quatre ans dans les locaux et sous la protection des Nations unies.

Depuis la fin de la guerre froide, aucun autre mouvement politique du monde islamique n'a autant attiré l'attention que les taliban en Afghanistan. Certains Afghans espéraient qu'un mouvement mené par de simples étudiants islamiques décidés à ramener la paix dans le pays réussirait à le débarrasser des seigneurs de la guerre rivaux qui ruinaient la vie de la population depuis le renversement du régime communiste en avril 1992. D'autres craignaient que les taliban ne se transforment rapidement en faction supplémentaire déterminée à imposer sa règle despotique au malheureux peuple afghan.

Les taliban pachtounes ont également mis en évidence un certain nombre de problèmes : par exemple, celui des relations intercommunautaires dans un État multiethnique, ou celui du rôle de l'islam, par opposition au clan, aux structures tribales et féodales ainsi que celui de la modernisation et du développement économique d'une société islamique conservatrice. Il est d'autant plus difficile de comprendre le phénomène des taliban qu'ils entourent leurs structures politiques et leur État-major, de même que leurs organes de décision au sein du mouvement, d'un secret absolu. Ils ne publient aucun communiqué, ne font pas de déclarations de politique générale et ne tiennent pas de conférences de presse régulières. Comme ils interdisent télévision et photographies, personne ne sait à quoi ressemblent leurs dirigeants. Le mollah Mohammed Omar, le chef taliban borgne, reste un personnage mystérieux et impénétrable. Après les Khmers rouges du Cambodge, les taliban constituent le mouvement politique le plus secret du monde contemporain.

Il n'en reste pas moins que les taliban ont, même involontairement, donné le ton à un radicalisme islamique nouveau qui a déferlé comme une vague de fond sur la région et les États voisins de l'Afghanistan. Comme on pouvait s'y attendre, l'Iran, la Turquie, l'Inde, la Russie et quatre des républiques d'Asie centrale - l'Ouzbékistan, le Kazakhstan, le Kirghizistan et le Tadjikistan - ont appuyé la coalition du Nord en lui fournissant armes et argent afin d'enrayer l'avance des taliban. Inversement, ceux-ci avaient le soutien du Pakistan et de l'Arabie saoudite. À notre époque d'après-guerre froide, ce phénomène a créé une polarisation inédite autour de la région. Les victoires remportées par les taliban dans le Nord à l'été 1998 et leur mainmise sur plus de 90 % du pays ont exacerbé les tensions dans la région, l'Iran ayant menacé d'envahir l'Afghanistan et accusé le Pakistan de soutenir les taliban.

La bataille pour les immenses gisements de pétrole et de gaz de l'intérieur de l'Asie centrale - dernières réserves d'énergie de la planète encore inexploitées - est au cœur de ces dissensions. La compétition féroce qui oppose les États de la région et les compagnies pétrolières occidentales pour la construction des très rentables pipelines nécessaires à l'acheminement de cette énergie vers les marchés d'Europe et d'Asie joue un rôle d'une importance au moins égale. Cette rivalité est devenue un nouveau « Grand Jeu », rappel du Grand Jeu qui vit au XIXe siècle la Russie et la Grande-Bretagne se disputer le contrôle et la domination de l'Asie centrale et de l'Afghanistan.

Washington patronne depuis 1995 la compagnie américaine Unocal qui désire construire un pipeline à travers l'Afghanistan pour acheminer le gaz naturel du Turkménistan vers le Pakistan. Mais voici qu'entrait en scène un autre joueur tout à fait inattendu. Le lendemain de l'exécution, je me rendis à la demeure du mollah Mohammed Hassan, gouverneur de Kandahar, qui devait m'accorder une interview. Je me figeais soudain sur place, alors que je remontais l'allée en passant devant les gardes taliban lourdement armés. Un homme d'affaires élégant, cheveux gris et impeccable blazer bleu orné de boutons dorés, cravate de soie jaune et mocassins italiens, sortait du bureau du gouverneur. Il était accompagné de deux confrères, tout aussi distingués, qui portaient des attachés-cases rebondis. Ils avaient davantage l'air de sortir de Wall Street après la signature d'un accord que d'une réunion de négociation avec une bande de guérilleros islamiques dans les ruelles poussiéreuses de Kandahar.

L'homme qui marchait en tête était Carlos Bulgheroni, président de la Bridas Corporation, une compagnie pétrolière argentine qui négociait en secret la construction du même pipeline à travers l'Afghanistan depuis 1994, à la fois avec les taliban et avec la coalition du Nord. Bridas était en compétition avec Unocal et accusait même la compagnie américaine, dans une plainte déposée en Californie, de lui avoir volé son idée.

J'essayais depuis un an de découvrir quel intérêt poussait une compagnie argentine inconnue dans cette partie du monde à investir dans un endroit à risque comme l'Afghanistan. Mais Bridas et Unocal gardaient le silence. Bulgheroni n'avait évidemment aucune envie qu'un journaliste le voie sortir du bureau de l'un des chefs des taliban. Il s'excusa en déclarant que l'avion de sa compagnie l'attendait pour l'emmener à Mazar e-Charif, la capitale de la coalition du Nord.

À mesure que s'intensifie la lutte pour les pipelines d'Asie centrale, le monde islamique et l'Occident se demandent avec inquiétude si les taliban représentent le nouvel avenir du fondamentalisme islamique - agressif, expansionniste et catégorique dans son exigence puriste d'imposer le retour de la société afghane à un modèle imaginaire d'Arabie du VIIe siècle, l'époque du prophète Mahomet. L'Occident craint également les répercussions du trafic de drogue, en constante augmentation, à partir de l'Afghanistan, où les taliban offrent par ailleurs un refuge aux terroristes internationaux tels que l'extrémiste saoudien Oussama ben Laden, dont le groupe Al Qaida a perpétré les attentats dévastateurs contre les ambassades américaines du Kenya et de Tanzanie en août 1998.

En outre, les experts se demandent si l'idéal islamique de « retour aux valeurs de base » prêché par les taliban ne justifie pas le catastrophisme de certains intellectuels américains, qui prédisent l'émergence d'un nouveau militantisme islamique opposé à l'Occident, facteur d'une version moderne de la guerre froide et d'un nouveau choc de civilisations.

Il n'est guère étonnant de trouver l'Afghanistan au centre d'un tel conflit. Les taliban d'aujourd'hui ne sont que les derniers représentants de la longue lignée de conquérants, seigneurs de la guerre, prophètes, saints et philosophes qui se sont engouffrés dans le couloir afghan, détruisant vieilles civilisations ou religions pour les remplacer par d'autres. Les rois du monde antique croyaient que la région de l'Afghanistan occupait le centre du monde, et cette opinion a persisté jusqu'à l'époque actuelle. Le célèbre poète indien Mohammed Iqbal décrivait l'Afghanistan comme le « cœur de l'Asie », tandis que lord Curzon, vice-roi des Indes britanniques au début du siècle, l'appelait l'« arène de l'Asie ».

De fait, il est rare que la géographie détermine à ce point l'histoire et la politique d'un pays, et jusqu'à la nature de son peuple. La position géostratégique de l'Afghanistan, au carrefour de l'Iran, de la mer d'Oman, de l'Inde et de l'Asie centrale et méridionale confère une importance particulière à son territoire et ses défilés montagneux depuis les premières invasions aryennes, il y a six mille ans. Ses terres arides, rudes, accidentées et désertes ont produit quelques-uns des meilleurs guerriers que le monde ait connus, tandis que le spectacle magnifique de ses montagnes austères et de ses vallées luxuriantes aux arbres chargés de fruits a inspiré les poètes.

Un vieux et sage moudjahid afghan m'a raconté il y longtemps le mythe de la création de l'Afghanistan. « Lorsque Allah eut créé le reste du monde, il vit qu'il restait encore une grande quantité de rebut, de morceaux dépareillés qui n'allaient nulle part. Alors il les ramassa et les jeta sur la terre. Ils devinrent l'Afghanistan. »

L'Afghanistan moderne a une superficie de 650 000 kilomètres carrés. Le pays est séparé selon un axe nord-sud par l'imposante chaîne de l'Hindou Kouch. Malgré les nombreux mélanges de populations qui ont eu lieu au XXe siècle, on peut approximativement définir deux régions de peuplement : au sud de l'Hindou Kouch vivent la majorité pachtoune et certains groupes de langue persane, au nord les minorités d'origine persane et turque. L'Hindou Kouch à proprement parler est peuplé de Hazara et de Tadjiks, de langue persane. À l'extrême nord-est du pays, le massif du Pamir, que Marco Polo appelait « le Toit du monde », touche le Tadjikistan, la Chine et le Pakistan. Ces montagnes quasi inaccessibles expliquent la rareté des communications entre la myriade de groupes ethniques à la fois exotiques et différents qui vivent dans les hautes vallées enneigées.

Kaboul est située sur le piémont méridional de l'Hindou Kouch ; les vallées avoisinantes forment la région agricole la plus productive du pays. L'ouest et le sud de l'Afghanistan marquent l'extrémité orientale du plateau iranien - plate, aride et désertique, quasiment vide de population. Les Afghans qui y vivent appellent la plus grande partie de cette région « registan », ou désert. La seule exception est la ville de Hérat, au cœur d'une oasis qui constitue un foyer de civilisation depuis plus de trois mille ans.

Au nord de l'Hindou Kouch commence l'immensité de la steppe désertique d'Asie centrale, qui s'étend sur des milliers de kilomètres vers la Sibérie, au nord. Les peuplades turques du Nord qui vivent sous ces latitudes et ces climats extrêmes abritent les hommes les plus rudes et les guerriers les plus farouches au monde. On trouve des chaînes de montagnes moins élevées à l'est, notamment les monts Sulayman, qui enjambent la frontière avec le Pakistan et dont les deux versants sont peuplés de tribus pachtounes. Les défilés qui permettent de traverser ces montagnes, comme la fameuse passe de Khyber, ont au fil des siècles ouvert aux conquérants l'accès aux fertiles plaines indiennes.

Seules 10 à 12 % des terres sont cultivables et il faut d'extraordinaires quantités de travail pour rendre productives la plupart des fermes, qui s'accrochent parfois aux pentes des montagnes. Le nomadisme - lié à l'élevage de chèvres et de moutons afghans à grosse queue - était jusqu'aux années 1970 une source importante de revenus et les nomades kouchis à la recherche de pâtures parcouraient chaque année des milliers de kilomètres au Pakistan, en Iran et en Afghanistan. Bien que la guerre contre les Soviétiques ait détruit la culture et la source de revenus des Kouchis au cours des années 1980, l'élevage reste vital pour la subsistance des fermiers appauvris. Les nomades d'hier sont devenus les marchands et les routiers d'aujourd'hui, soutien essentiel des taliban, auxquels ils assurent les revenus provenant de la contrebande grâce à aux camions qui sillonnent tout le pays.

Routes et chemins sont le pivot de l'Afghanistan depuis l'aube des temps. Ce territoire enclavé au carrefour de l'Asie a vu se rencontrer et s'affronter deux grandes vagues de civilisation, à l'ouest les empires perses et leur raffinement, au nord les empires turcs nomades d'Asie centrale. L'Afghanistan possède en conséquence d'immenses richesses archéologiques.

Le contrôle de l'Afghanistan était indispensable à la survie de ces deux civilisations antiques dont la fortune oscillait entre grandeur et conquête, au gré de l'histoire. L'Afghanistan servait tantôt de tampon permettant de tenir les deux empires à distance, tantôt de couloir pour les armées qui marchaient du nord au sud ou d'ouest en est lorsqu'ils souhaitaient envahir l'Inde. Sur cette terre s'épanouirent les premières religions antiques, zoroastrisme, manichéisme et bouddhisme. Balkh, dont les ruines sont toujours visibles à quelques kilomètres de Mazar e-Charif, est considérée par l'UNESCO comme l'une des plus anciennes cités du monde ; dans ce centre fleurirent le bouddhisme, les arts perses et turcs, et l'architecture.

C'est en passant par l'Afghanistan que les pèlerins et les commerçants qui empruntaient la Route de la soie amenèrent le bouddhisme en Chine et au Japon. Les conquérants se succédèrent dans la région comme autant d'étoiles filantes. En 329 av. J.-C., les Grecs de Macédoine menés par Alexandre le Grand s'emparaient de l'Afghanistan et de l'Asie centrale avant de continuer leur route vers l'Inde. Ils laissèrent dans les montagnes de l'Hindou Kouch un royaume nouveau caractérisé par une dynamique civilisation gréco-bouddhiste - seul exemple connu de fusion historique entre cultures européenne et asiatique.

Vers 654, les armées arabes déferlant sur l'Afghanistan atteignaient l'Oxus, à la frontière de l'Asie centrale. Elles amenaient l'islam, nouvelle religion de justice et d'égalité, qui pénétra rapidement toute la région. Sous la dynastie perse des Samanides, qui régna de 874 à 999, l'Afghanistan participa à la renaissance des arts et des lettres perses. La dynastie ghaznévide qui lui succéda, de 977 à 1186, conquit le Pendjab, au nord-ouest de l'Inde, et certaines parties de l'est de l'Iran.

En 1219, Gengis Khan et ses hordes mongoles balayaient l'Afghanistan, ravageant les villes de Balkh et Hérat, accumulant sur leur passage des monceaux de cadavres. Ils apportèrent néanmoins leur contribution : la peuplade Hazara, résultat des unions entre Mongols et tribus locales, qui existe encore de nos jours.

Au siècle suivant vint le tour de Timour, le Tamerlan des Occidentaux ; ce descendant de Gengis Khan fonda un nouvel et vaste empire, à cheval sur la Perse et la Russie, qu'il dirigeait depuis sa capitale Samarkand, aujourd'hui en Ouzbékistan. Timour conquit Hérat en 1381 et son fils Shah Rukh y installa la capitale de l'empire des Timourides en 1405. Ce peuple d'origine turque rapprocha la culture nomade de l'Asie centrale de la civilisation perse, faisant de Hérat l'une des villes les plus cultivées et les plus raffinées du monde. Cette fusion des cultures d'Asie centrale et de Perse s'avéra un héritage majeur pour l'avenir de l'Afghanistan. L'empereur Babur, un descendant de Timur qui visita Hérat un siècle plus tard, put ainsi écrire : « Le monde habitable en son entier ne possède pas de ville semblable à Hérat. »

Pendant les trois siècles qui suivirent, les tribus afghanes de l'est envahirent l'Inde à plusieurs reprises, prirent Delhi et créèrent de vastes empires indo-afghans. La dynastie afghane des Lodhi régna à Delhi de 1451 à 1526. En 1500, Babour fut chassé de sa vallée de Ferghana, en Ouzbékistan. Il partit à la conquête de Kaboul, en 1504, puis de Delhi, et établit la dynastie moghole, qui devait régner sur l'Inde jusqu'à l'arrivée des Britanniques. Dans le même temps, la puissance perse déclinait à l'ouest et Hérat fut conquise par les khans ouzbeks Shaybani. La région retomba dans le giron perse au XVIᵉ siècle, sous la dynastie des Safavides.

Cette série d'invasions aboutit à un mélange ethnique, culturel et religieux d'une grande complexité, qui devait rendre extrêmement difficile la construction de la nation afghane. L'ouest de l'Afghanistan était dominé par des peuplades de langue perse, ou dari, nom donné au dialecte afghan d'origine perse. Au centre de l'Afghanistan, les Hazara convertis au chiisme par les Perses devenaient le plus important groupe chiite en territoire sunnite ; ils parlaient le dari, à l'instar des Tadjiks de l'ouest, dépositaires de la culture perse antique. Au nord de l'Afghanistan, Ouzbeks, Turcomans et Kirghizes entre autres parlaient les langues turques de l'Asie centrale. Au sud et à l'est, enfin, les tribus pachtounes parlaient leur propre langue, le pachto, un amalgame de langues indo-perses.

Ces Pachtounes du Sud devaient fonder l'État afghan moderne au moment où s'amorçait le déclin simultané de la dynastie perse des Safavides à l'ouest, des Moghols en Inde et des Janides ouzbeks, au XVIIIᵉ siècle. Les Pachtounes étaient divisés en deux tribus principales, les Ghilzai et les Adbali, plus tard appelés Dourrani, souvent en lutte l'une contre l'autre.

Les Pachtounes font remonter leurs origines à Qais, un compagnon du prophète Mahomet. Ils se considèrent donc comme un peuple sémitique, même si les anthropologues les définissent comme des indo-européens ayant assimilé de nombreux groupes ethniques différents au cours de leur histoire. Les Dourrani affirment descendre de Sarbanar, fils aîné de Qais, et les Ghilzai de son fils cadet. Quant au troisième fils de Qais, il serait l'ancêtre de diverses tribus pachtouns, dont les Kakars dans la région de Kandahar et les Safis dans celle de Peshawar. Au VIᵉ siècle, des sources chinoises et indiennes mentionnent l'existence d'Afghans, ou Pachtounes, à l'est de Ghazni. Ces tribus entamèrent au XVᵉ siècle une migration vers Kandahar, Kaboul et Hérat. Un siècle plus tard, Ghilzai et Dourrani se disputaient déjà les territoires qui entourent Kandahar. Aujourd'hui, les Ghilzai occupent le sud de la rivière Kaboul, entre les monts Safed-Koh et Sulayman à l'est, le Hazarajat à l'ouest et Kandahar au sud.

Mir Waïs, chef de la tribu Hotaki dépendant des Pachtounes Ghilzai, se rebella contre le shah safavide en 1709, dans la région de Kandahar. Sa révolte résultait en partie des tentatives que faisait le shah pour convertir au chiisme les fervents sunnites Pachtounes - animosité historique qui devait resurgir trois siècles plus tard à travers l'hostilité des taliban envers les chiites iraniens et afghans.

Le fils de Mir Waïs triompha des Safavides et conquit l'Iran quelques années plus tard. Mais les Afghans furent chassés d'Iran en 1729. L'affaiblissement du pouvoir des Ghilzai encouragea leurs rivaux traditionnels du Kandahar, les Abdali, à former une confédération ; après neuf jours de Loy Djirga, ou assemblée des chefs de tribus, ils prirent pour roi Ahmad Shah Abdali. Les chefs de tribus nouèrent autour de la tête du roi un turban dans lequel ils glissèrent des brins d'herbe en signe de loyauté. L'assemblée du Loy Djirga devint ensuite l'instrument légal traditionnel de légitimation des nouveaux dirigeants, ce qui permettait d'éviter la monarchie héréditaire. Les rois eux-mêmes pouvaient en effet se prévaloir de leur élection par les tribus qui y étaient représentées. Ahmad Shah changea le nom de la confédération Abdali en Dourrani et toutes les tribus pachtouns se lancèrent dans une série de conquêtes d'envergure et s'emparèrent rapidement d'une grande partie du Pakistan actuel.

En 1761, Ahmad Shah Dourrani décimait les Marhattes hindous et s'emparait du trône de Delhi et du Cachemire pour créer le premier empire afghan. Considéré comme le père de la nation afghane, il fut enterré à Kandahar, sa capitale, dans un somptueux mausolée où les Afghans viennent toujours prier. Beaucoup lui ont conféré une sorte de sainteté. Son fils Timur Shah déplaça la nouvelle capitale de l'empire de Kandahar à Kaboul en 1772, afin de faciliter le contrôle des territoires récemment conquis au nord de la chaîne de l'Hindou Kouch et à l'est de l'Indus. En 1780, les Dourrani concluaient avec l'émir de Boukhara, le principal monarque d'Asie centrale, un traité qui désigna l'Oxus, ou Amou-Daria, comme frontière entre l'Asie centrale et le nouvel État pachtoune d'Afghanistan. Ce premier tracé de frontière fixa la limite nord du nouvel Afghanistan.

Au XIXᵉ siècle, les Dourrani, affaiblis par des luttes intestines, perdirent leurs territoires à l'est de l'Indus. Toutefois, l'Afghanistan resta sous la coupe des Dourrani pendant plus de deux cents ans, jusqu'à ce qu'en 1973 le roi Zahir Shah soit déposé par son cousin Mohammed Daoud Khan, et la république d'Afghanistan proclamée. L'âpre rivalité entre Pachtounes Ghilzai et Dourrani n'en continua pas moins, gagnant même en intensité après l'invasion soviétique et l'émergence des taliban.

Pris dans les querelles qui minaient leur pouvoir, les rois Dourrani allaient devoir contenir deux nouveaux empires, britannique à l'est et russe au nord. Au XIXᵉ siècle, les Britanniques, qu'inquiétaient l'expansion continue de l'Empire russe en Asie centrale et ses vues éventuelles sur l'Afghanistan, dans la perspective d'une offensive contre leur empire des Indes, tentèrent par trois fois de conquérir et de garder l'Afghanistan avant de comprendre que les irréductibles Afghans étaient plus faciles à acheter qu'à combattre. Ils offrirent donc des subsides en monnaie sonnante et trébuchante, manipulèrent les chefs de tribus et parvinrent à faire de l'Afghanistan un de leurs satellites. Suivit alors le « Grand Jeu » entre Russie et Grande-Bretagne, une guerre larvée faite de manœuvres et de pots-de-vin, ou, à l'occasion, de pression militaire, livrée par deux puissances qui, campées à distance respectable, utilisaient l'Afghanistan comme État-tampon. Les querelles qui déchiraient la dynastie régnante des Dourrani étaient attisées par les agents de renseignement britanniques ; elles garantissaient la faiblesse des rois afghans, dépendants des largesses de la Couronne, qui compensaient leur incapacité à trouver des revenus. Les ethnies non pachtounes, au nord, commencèrent en conséquence à prendre une autonomie croissante vis-à-vis du pouvoir central de Kaboul. Les Pachtounes se voyaient également diminués par la conquête britannique du nord-ouest de l'Inde, qui sépara pour la première fois les tribus pachtounes de l'Inde britannique et de l'Afghanistan. Cette partition fut officialisée par la ligne Durand, une frontière établie par la Grande-Bretagne en 1893.

Après la deuxième guerre anglo-afghane, les Britanniques soutinrent les prétentions au trône d'Abdul Rahman. Parvenu au pouvoir, l'« Émir de fer » (1880-1901) bénéficia de leur soutien pour centraliser et renforcer l'État afghan, utilisant les fonds et les armes britanniques pour créer une administration efficace et une armée permanente. Il soumit les tribus pachtounes rebelles avant d'imposer par la terreur un terme à l'autonomie des Hazara et des Ouzbeks au nord. Utilisant des méthodes que les taliban devaient reprendre à leur compte près d'un siècle plus tard, il se livra à une version dix-neuvième siècle du nettoyage ethnique, massacra les opposants non pachtounes et transféra dans le nord du pays des Pachtounes chargés d'y établir des fermes et de former au sein des minorités une population loyale au régime.

Abdul Rahman écrasa plus de quarante révoltes des populations non pachtounes au cours de son règne et créa la première police secrète afghane, dont la brutalité annonçait les méthodes du Khad communiste des années 1980. Ces évolutions ont certes impliqué des Afghans issus de tous les groupes ethniques et contribué à renforcer l'État afghan ; mais la plupart des tensions ethniques qui s'en sont suivi dans le nord de l'Afghanistan et les massacres interethniques qui ont eu lieu après 1997 découlent de la politique de l'Émir de fer. Elle a eu d'autres conséquences, qui ont indirectement influencé les taliban : l'isolement de l'Afghanistan, coupé des influences occidentales et de la modernisation, notamment en matière d'éducation, le poids de l'islam renforcé par le pouvoir accordé aux mollahs pachtounes et la notion de droit divin, supplantant le système traditionnel de l'élection par la Loya Djirga.

Les successeurs de l'Émir de fer qui régnèrent au début du XXe siècle étaient en règle générale des modernisateurs ; ils déclarèrent l'indépendance totale de l'Afghanistan en 1919, promulguèrent la première constitution et entreprirent de créer une petite élite instruite dans les villes. L'assassinat de deux rois afghans et les révoltes tribales endémiques illustrent cependant la difficulté de transformer une société ethnique et tribale en un État moderne.

La fin de la dynastie Dourrani fut précipitée par le coup d'État de Sardar Mohammed Daoud, cousin et beau-frère du roi Zahir Shah, qui régnait depuis 1933. Le roi déposé fut envoyé en exil à Rome. L'Afghanistan devint une république, dirigée par le Président Daoud. Les officiers progressistes de l'armée et le petit parti Parcham de Babrak Karmal, essentiellement présent dans les villes, aidèrent Daoud à écraser un mouvement fondamentaliste islamique naissant. En 1978, les chefs de ce parti s'enfuirent à Peshawar, où ils bénéficièrent de l'appui du Premier ministre pakistanais Zulfiqar Ali Bhutto pour continuer de lutter contre Daoud. Ce sont ces hommes, Gulbuddin Hekmatyar, Burhanuddin Rabbani et Ahmad Shah Massoud, qui prirent par la suite la tête des moudjahidin.

Daoud demanda l'aide de l'Union soviétique pour moderniser la structure de l'État. De 1956 à 1978, l'URSS accorda à l'Afghanistan un total de 1,26 milliard de dollars d'aide économique et 1,25 milliard d'aide militaire, attirant ainsi le pays dans sa sphère d'influence au plus fort de la guerre froide. Au cours de la même période, en particulier dans les années 1950, les États-Unis déboursèrent 533 millions de dollars, puis cessèrent de s'intéresser à l'Afghanistan. Lorsque Daoud s'empara du pouvoir, le pays était un État rentier, dont 40 % des revenus publics venaient de l'étranger. Pourtant, pas plus que ses royaux prédécesseurs, Daoud ne réussit à bâtir des institutions. Une vague bureaucratie administrée par le pouvoir central fut plaquée sur la société existante, avec un semblant de représentation populaire limitée à la Loya Djirga, désormais majoritairement nommée, et non plus élue.

Cinq ans plus tard, en avril 1978, des sympathisants marxistes au sein de l'armée, formés en Union soviétique, qui pour certains avaient participé au coup d'État de Daoud, le renversèrent lors d'un putsch meurtrier. Daoud, sa famille et la garde présidentielle furent tous massacrés. Cependant les communistes étaient déchirés entre deux factions rivales, le Khalq (« les Masses ») et le Parcham (« le Drapeau »), qui méconnaissaient totalement la complexité de la société tribale afghane et durent affronter des révoltes paysannes généralisées. Mollahs et khans lancèrent la guerre sainte, ou djihad, contre les infidèles communistes, eux-mêmes piégés par un engrenage de violence intestine. Nour Mohammed Taraki, le premier président communiste du Khalq, fut assassiné, et son successeur Hafizullah Amin abattu en décembre 1979, lors de l'invasion de l'Afghanistan par les Soviétiques, qui installèrent à sa place le chef du Parcham, Babrak Karmal.

En l'espace de quelques mois dramatiques, l'Afghanistan fut catapulté au centre d'une guerre froide exacerbée entre les États-Unis et l'Union soviétique. Les moudjahidin afghans représentaient désormais des troupes de choc antisoviétiques soutenues par les Américains. Pour les Afghans, l'invasion soviétique n'était qu'une tentative étrangère de plus pour les soumettre et remplacer leur religion et leur société traditionnelles par une idéologie et un système social qu'ils rejetaient. Le djihad prit un nouvel élan, alimenté par des fonds et des armes venus des États-Unis, de Chine et des Émirats arabes. C'est de ce conflit, qui coûta 1,5 million de vies afghanes et ne s'acheva que lors du retrait des troupes soviétiques en 1989, qu'allait émerger une seconde génération de moudjahidin qui se baptisèrent eux-mêmes taliban (étudiants en religion).

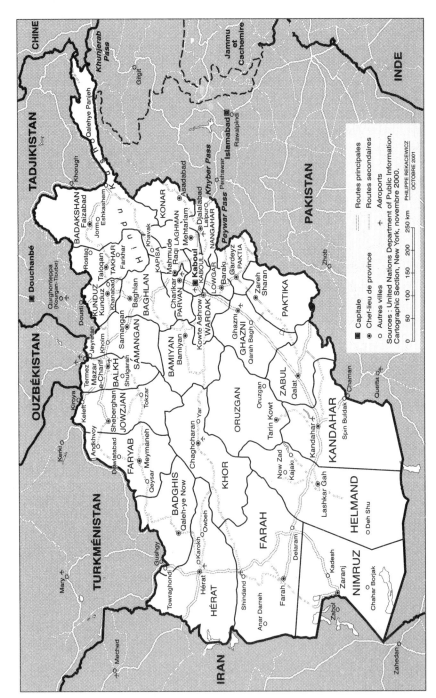

L'Afghanistan administratif

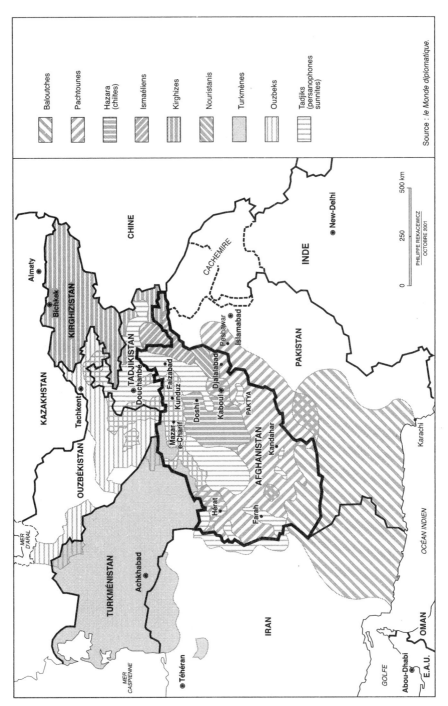

Baloutches

Pachtounes

Hazara
(chiites)

Ismaéliens

Kirghizes

Nouristanis

Turkmènes

Ouzbeks

Tadjiks
(persanophones
sunnites)

KAZAKHSTAN

Almaty

Bichkek

KIRGHIZISTAN

CHINE

Tachkent

OUZBÉKISTAN

TADJIKISTAN

Douchanbé

Faizabad

Kunduz

Mazar-
e-Charif

Doshi

Peshawar

Islamabad

Kaboul

Djalalabad

PAKTYA

CACHEMIRE

INDE

New-Delhi

PAKISTAN

MER
D'ARAL

AFGHANISTAN

Kandahar

Hérat

Farah

Karachi

TURKMÉNISTAN

Achkhabad

OCÉAN INDIEN

MER
CASPIENNE

IRAN

Téhéran

GOLFE

Abou-Dhabi

OMAN

E.A.U.

0   250   500 km

PHILIPPE REKACEWICZ
OCTOBRE 2001

Un enchevêtrement d'ethnies

Première partie
Histoire du mouvement des taliban

Chapitre 1
KANDAHAR, 1994 : LES ORIGINES DES TALIBAN

Le mollah Mohammed Hassan Rehmani, gouverneur taliban de Kandahar, a l'habitude plutôt déconcertante de pousser de son unique jambe valide la table qui se trouve devant lui. Lorsqu'il met fin à un entretien, la table en bois a eu le temps de faire le tour de sa chaise une bonne douzaine de fois. Ce tic nerveux traduit peut-être un besoin psychologique de sentir qu'il lui reste une jambe, à moins qu'il ne s'agisse que d'un simple exercice destiné à garder sa jambe valide en mouvement.

L'autre jambe de Hassan est une jambe de bois qui ressemble à celle de Long John Silver, le pirate de *L'Île au trésor* de Robert Louis Stevenson. C'est un vieux bout de bois. Le vernis s'est écaillé il y a longtemps, il est couvert d'entailles et d'encoches là où de petits morceaux ont été arrachés - sans doute à cause du terrain rocailleux qui entoure son bureau. Hassan est, à quarante ans, l'un des chefs taliban les plus âgés, l'un des rares à avoir réellement combattu les troupes soviétiques ; ce membre fondateur des taliban est considéré comme le numéro deux du mouvement, après son vieil ami le mollah Omar.

Hassan a perdu sa jambe en 1989 sur le front de Kandahar, juste avant le début du retrait des troupes soviétiques. Alors que les agences humanitaires internationales fournissent des prothèses modernes aux millions d'amputés que compte le pays, Hassan affirme qu'il préfère sa vieille jambe de bois. Il lui manque également la dernière phalange d'un doigt, résultat d'une autre blessure causée par un éclat d'obus. Les taliban peuvent se targuer d'avoir la direction la plus invalide du monde actuel, et le visiteur ne sait jamais comment réagir, s'il doit en rire ou en pleurer. Le mollah Omar a perdu son œil droit en 1989 lors de l'explosion d'une roquette. Nurrudin Turabi et Mohammed Ghaus, respectivement ministre de la Justice et ancien ministre des Affaires étrangères, sont également borgnes. Le maire de Kaboul, Abdul Majid, a perdu une jambe et deux doigts. D'autres dirigeants, y compris dans l'armée, sont marqués par le même genre d'infirmités.

Les blessures des taliban sont un rappel constant des vingt années de guerre qui ont tué plus de 1,5 million de personnes et dévasté le pays. Pour soumettre les moudjahidin, l'Union soviétique a déversé quelque 5 milliards de dollars par an sur l'Afghanistan, soit un total de 45 milliards - ce qui ne l'a pas empêchée de perdre la guerre. Les États-Unis ont consacré de 4 à 5 milliards de dollars d'aide aux moudjahidin entre 1980 et 1992. Aux fonds américains s'ajoutaient ceux de l'Arabie saoudite et d'autres pays européens ou islamiques ; autrement dit, les moudjahidin ont touché un total de plus de 10 milliards de dollars. La plus grande partie de cette aide consistait en armements ultramodernes, distribué à un peuple de simples paysans qui en firent un usage dévastateur.

Les blessures de guerre des chefs taliban reflètent aussi le caractère brutal et sanguinaire de la guerre qui se déroula dans la ville et les environs de Kandahar au cours des années 1980. Les Pachtounes Dourrani du Sud et de la région de Kandahar reçurent une part moindre de la manne fournie par la CIA et l'Occident - qui armaient et finançaient les moudjahidin et leur fournissaient des équipements médicaux - que les Pachtounes Ghilzai de l'est du pays et de la région de Kaboul. L'aide était en effet distribuée par les services secrets pakistanais l'ISI (Inter-Services Intelligence), qui considéraient Kandahar comme un théâtre d'opérations secondaire et se méfiaient des Dourrani. Pour un moudjahidin blessé à Kandahar, les plus proches installations sanitaires se trouvaient à Quetta, de l'autre côté de la frontière pakistanaise, au bout d'un harassant voyage de deux jours à dos de chameau. Même aujourd'hui, les premiers secours sont rares chez les taliban, le nombre de médecins est insuffisant, et il n'y a aucun chirurgien sur le front. En Afghanistan, les seuls praticiens se trouvent en fait dans les hôpitaux du Comité international de la Croix-Rouge (CICR).

J'étais par hasard à Kandahar en décembre 1979, et j'ai vu les premiers chars soviétiques arriver. Des soldats soviétiques à peine adultes étaient entrés à Hérat après deux jours de trajet depuis la république du Turkménistan, en Asie centrale, puis à Kandahar en suivant une route empierrée construite par les Soviétiques eux-mêmes dans les années 1960. Beaucoup de ces soldats étaient originaires d'Asie centrale. Ils sortirent de leurs chars, époussetèrent leurs uniformes et se dirigèrent sans hâte vers l'étal le plus proche pour boire une tasse de thé vert sans sucre - boisson universellement répandue en Afghanistan et en Asie centrale. Dans le bazar, les Afghans regardaient, immobiles. Le 27 décembre, les forces spéciales soviétiques - les Spetsnatz - prenaient d'assaut le palais présidentiel à Kaboul, tuaient le président Hafizullah Amin, occupaient la capitale et installaient Babrak Karmal au pouvoir.

La résistance qui se forma autour de Kandahar se fondait sur le réseau tribal des Dourrani. La lutte contre les Soviétiques était un djihad tribal mené par des chefs de clan et des oulémas (docteurs de la loi) plutôt qu'une guerre idéologique dirigée par des islamistes. Il y avait à Peshawar sept partis moudjahidin reconnus par le Pakistan et aidés par la CIA. De manière significative, aucun n'était dirigé par des Pachtounes Dourrani. Tous avaient des partisans à Kandahar, mais au sud les partis les plus populaires reposaient sur les liens tribaux ; ainsi le Harakat e-Inqilab e-Islami (Mouvement de la révolution islamique) dirigé par Mawlawi Mohammad Nabi et un autre Hezb e-Islami (Parti de l'Islam) dirigé par Mawlawi Younis Khalis. Ces deux chefs étaient bien connus avant la guerre dans la ceinture pachtoune, où ils avaient établi leurs propres madrasas, ou écoles religieuses.

Pour les hommes qui se battaient dans le Sud, la loyauté envers un parti dépendait de qui, à Peshawar, leur fournirait argent et armes. Le mollah Omar rejoignit le Hezb e-Islami de Khalis tandis que le mollah Hassan choisissait le Harakat. « Je connaissais très bien Omar, mais nous nous battions sur des fronts et dans des groupes différents, même si nous combattions parfois ensemble », a déclaré Hassan. Le Front national islamique du Pir Sayed Ahmad Gaylani, qui demandait le retour de l'ancien roi Zahir Shah pour le placer à la tête de la résistance afghane - solution à laquelle Pakistan et États-Unis se montraient également hostiles - restait populaire. L'ex-roi, exilé à Rome, était un personnage apprécié des gens de Kandahar qui espéraient que son retour rétablirait les tribus Dourrani dans leur rôle dirigeant.

Des contradictions à l'intérieur de la direction pachtoune des moudjahidin allaient affaiblir les Pachtounes à mesure que la guerre progressait. Les oulémas respectaient les idéaux classiques des débuts de l'histoire de l'Islam et mettaient rarement en question les structures tribales traditionnelles telles que la djirga. Ils montraient beaucoup plus de tolérance à l'égard des minorités ethniques. Les islamistes dénigraient l'organisation tribale et prônaient une idéologie politique radicale, dans le but de déclencher une révolution islamique en Afghanistan. Ils éveillaient la méfiance des minorités par leur penchant pour l'exclusion.

Le Harakat n'était donc qu'une alliance assez vague, sans structure de parti cohérente, entre chefs militaires et tribaux dont beaucoup n'avait reçu qu'une éducation rudimentaire à la madrasa. À l'inverse, le Hezb e-Islami de Gulbuddin Hekmatyar disposait d'une organisation politique secrète extrêmement centralisée dont les cadres provenaient des milieux urbains instruits pachtounes. Avant la guerre, les islamistes n'avaient qu'une base réduite en Afghanistan ; l'argent et les armes fournis par la CIA et le soutien du Pakistan leur permirent d'en bâtir une et de gagner une influence remarquable. Traditionalistes et islamistes s'affrontèrent sans pitié, si bien que les chefs traditionnels furent pratiquement éliminés dès 1994, pour laisser le champ libre à une nouvelle vague d'islamistes plus extrémistes encore - les taliban.

Les conditions particulières de la bataille de Kandahar furent déterminées par l'histoire de la ville. Kandahar, dont la population atteignait 250 000 habitants avant la guerre, et à peu près le double aujourd'hui, est la deuxième ville d'Afghanistan. La vieille cité existe depuis 500 av. J.-C., mais à une cinquantaine de kilomètres se trouve un village fondé vers 3 000 av. J.-C. ; Mundigak, occupé dès l'âge du bronze, appartenait à la civilisation de la vallée de l'Indus. Les habitants de Kandahar ont toujours été des marchands - la ville est construite à l'intersection d'anciennes routes commerciales - vers l'est, par le passage de Bolan qui permet d'atteindre, à l'est, Sind, la mer d'Oman et l'Inde, et à l'ouest, Hérat et l'Iran. La ville était le carrefour principal du commerce, de l'artisanat et des arts entre l'Iran et l'Inde, et ses nombreux bazars sont célèbres depuis des siècles.

La nouvelle ville a peu changé depuis les aménagements grandioses décidés en 1761 par Ahmad shah Dourrani, le fondateur de la dynastie éponyme. Le fait que les Dourrani de Kandahar aient fondé et dirigé l'État afghan pendant trois cents ans confère aux habitants de la ville un statut particulier parmi les Pachtounes. Les rois de Kaboul les avaient ainsi dispensés de service militaire. Des milliers d'Afghans viennent encore prier et honorer le mausolée d'Ahmad Shah, fondateur de la nation, qui domine le grand bazar.

À côté de la tombe se trouve le sanctuaire du Manteau du prophète Mahomet - l'un des lieux de prière les plus sacrés d'Afghanistan. Le Manteau n'est montré qu'en de rares occasions - lorsque le roi Amanullah tenta de rallier toutes les tribus en 1929 ou lors de l'épidémie de choléra qui frappa la ville en 1935. Mais en 1996, afin de légitimiser son rôle de chef oint par Dieu pour mener le peuple afghan, le mollah Omar sortit le manteau et le montra à une large foule de taliban qui le proclamèrent Amir al-Mominin, c'est-à-dire « Commandeur des croyants ».

Mais la célébrité régionale de Kandahar lui vient surtout de ses vergers. Kandahar est une oasis où la chaleur de l'été est épouvantable, mais la ville est entourée de champs verdoyants et de vergers ombragés qui produisent raisins, melons, mûres, figues, pêches, et des grenades réputées jusqu'en Inde et en Iran. Les grenades de Kandahar servent de motifs à des manuscrits perses datant de plus de mille ans, et le gouverneur général britannique des Indes à Delhi en servait à sa table au siècle dernier. Les camionneurs de la ville, qui devaient accorder un soutien financier décisif aux taliban à l'époque où ils tentaient de conquérir le pays, fondèrent leur négoce au XIXe siècle en transportant les fruits de Kandahar jusqu'à Delhi et Calcutta.

Les vergers étaient irrigués grâce à un système complexe et bien entretenu ; lorsque la guerre éclata, Soviétiques et moudjahidin truffèrent les champs de mines, si bien que la population rurale s'enfuit au Pakistan, abandonnant les vergers. La ville de Kandahar est encore aujourd'hui l'une des zones les plus minées au monde. Dans ce paysage par ailleurs plat, vergers et canaux d'irrigation offraient une couverture aux moudjahidin, qui prirent rapidement le contrôle des campagnes, isolant la garnison soviétique de la ville. Cette dernière répliqua en abattant plusieurs milliers d'arbres et en sabotant le système d'irrigation. Lorsque les réfugiés retournèrent dans leurs vergers dévastés après 1990, ils se lancèrent pour survivre dans la culture du pavot et créèrent ainsi une source de revenus essentielle pour les taliban.

Le retrait soviétique de 1989 fut suivi d'une lutte prolongée contre le régime du président Najibullah, qui s'acheva par le coup d'État de 1992 et la prise de Kaboul. La guerre civile qui suivit fut en grande partie déterminée par le fait que Kaboul tomba non aux mains des factions pachtounes basées à Peshawar, bien armées mais rivales, mais entre celles des factions tadjiks de Burhanuddin Rabbani et de son chef militaire Ahmad Shah Massoud, alliées aux forces des Ouzbeks du nord du général Rachid Dostom. Ce fut un coup psychologiquement dévastateur pour les Pachtounes, qui perdaient, pour la première fois depuis trois cents ans, le contrôle de la capitale. La guerre civile éclata presque immédiatement ; Hekmatyar tenta de rallier les Pachtounes et assiégea Kaboul, qu'il bombarda impitoyablement.

L'Afghanistan était près de se désintégrer avant l'arrivée des taliban, fin 1994. Le pays était divisé en fiefs dépendant de seigneurs de la guerre qui avaient tous combattu, puis changé de camp avant de combattre encore, le tout dans un tourbillon d'alliances, de trahisons et de sang versé. Le gouvernement à majorité tadjik du président Burhanuddin Rabbani contrôlait Kaboul, ses environs et le nord-est du pays ; à l'ouest, Ismaël Khan tenait trois provinces centrées autour de Hérat. À l'est, sur la frontière pakistanaise, trois provinces pachtounes étaient gouvernées par des conseils indépendants, des shura, formés par des chefs moudjahidin basés à Djalalabad. Au sud et à l'est de Kaboul, une petite région dépendait de Gulbuddin Hekmatyar.

Au nord, la milice du général ouzbek Rachid Dostom tenait six provinces ; en janvier 1994, Dostom dénonçait son alliance avec le gouvernement Rabbani pour se joindre à Hekmatyar et attaquer Kaboul. Au centre de l'Afghanistan, les Hazara contrôlaient la province de Bamiyan. Le sud du pays et la région de Kandahar étaient divisés entre plusieurs dizaines de petits seigneurs de la guerre, ex-moudjahidin et authentiques bandits qui rançonnaient à loisir la population. Les structures tribales et l'économie étaient en pièces, les Pachtounes ne pouvaient parvenir à un consensus pour désigner leurs dirigeants et le Pakistan, qui soutenait Hekmatyar, refusait d'accorder une aide militaire aux Dourrani ; les Pachtounes du Sud étaient donc en guerre les uns contre les autres.

Les organisations humanitaires internationales craignaient de travailler à Kandahar, livrée aux factions rivales. Les chefs de guerre vendaient aux Pakistanais tout ce qui pouvait rapporter de l'argent, arrachant fils et poteaux téléphoniques, abattant les arbres, démontant les usines, les machines et même les rouleaux compresseurs, vendus à la ferraille. Les seigneurs de la guerre confisquaient maisons et fermes et en expulsaient les habitants pour y loger leurs partisans. Les commandants commettaient de multiples abus contre la population, enlevaient jeunes gens et jeunes filles pour satisfaire leurs besoins sexuels, volaient les marchands du bazar et déclenchaient des rixes dans les rues. Les réfugiés ne revenaient pas du Pakistan ; au contraire, une nouvelle vague de réfugiés quitta Kandahar pour Quetta.

La puissante mafia des transporteurs routiers, basée à Quetta et à Kandahar, considérait la situation comme intolérable pour les affaires. En 1993, je fis le court trajet de 200 kilomètres qui sépare Quetta de Kandahar ; nous fûmes arrêtés par au moins vingt groupes différents, qui avaient tendu des chaînes en travers de la route et exigeaient un droit de passage. La mafia, qui tâchait d'ouvrir des routes pour les marchandises de contrebande, reliant Quetta, l'Iran et le nouvel État indépendant du Turkménistan, ne pouvait travailler dans de telles conditions.

Les moudjahidin qui avaient combattu le régime de Najibullah avant de rentrer chez eux ou de reprendre leurs études dans une madrasa de Quetta ou de Kandahar trouvaient la situation particulièrement insupportable. « Nous nous connaissions tous - les mollahs Omar, Ghaus, Mohammed Rabbani (sans parenté avec le président Rabbani) et moi - parce que nous étions tous originaires de la province de l'Urozgan et que nous avions lutté ensemble », m'expliqua le mollah Hassan. « Je me déplaçais sans arrêt à partir de Quetta, et j'étudiais dans des madrasas là-bas, mais à chacune de nos rencontres nous parlions du terrible fléau que ces bandits représentaient pour notre peuple. Nous avions les mêmes opinions et nous nous entendions bien, il nous a donc été facile de nous décider à agir », ajouta-t-il.

Le mollah Mohammed Ghaus, le ministre des Affaires étrangères borgne des taliban, me dit à peu près la même chose : « Nous passions de longues heures assis à discuter pour savoir comment changer la situation. Avant de commencer, nous n'avions qu'une vague idée et nous pensions que nous allions échouer, mais nous étions sûrs de travailler avec Allah, car nous étions Ses élèves. C'est parce que Allah nous a aidés que nous sommes allés aussi loin. »

Au sud, d'autres groupes de moudjahidin discutaient des mêmes problèmes. « Beaucoup de gens cherchaient une solution. Je venais de Kalat, dans la province de Zaboul (à 120 kilomètres au nord de Kaboul) et je fréquentais une madrasa, mais la situation était telle que nous passions tout notre temps à discuter de ce que nous devrions et non à étudier, expliquait ainsi le mollah Mohammed Abbas, nommé par la suite ministre de la Santé publique à Kaboul. Les vieux chefs moudjahidin n'avaient pas réussi à apporter la paix. Je suis allé à Hérat avec un groupe d'amis pour assister à la shura convoquée par Ismaël Khan, mais elle n'a abouti à aucun résultat. La situation empirait. Alors, nous sommes allés à Kandahar parler au mollah Omar, et nous sommes restés avec lui. »

Après maintes discussions, ces groupes divergents, bien qu'unis par la même inquiétude, rédigèrent un programme qui reste officiellement celui des taliban - ramener la paix, désarmer la population, appliquer la charia et défendre l'intégrité et le caractère islamique de l'Afghanistan. Comme la plupart étudiaient dans une madrasa, à temps plein ou partiel, le nom qu'ils se choisirent leur vint tout naturellement. Un talib est un étudiant en religion, qui cherche la connaissance que le mollah dispense. En choisissant le nom de « taliban » (pluriel de talib), ils se distanciaient de la politique de parti des moudjahidin et se présentaient comme un mouvement désireux de nettoyer la société, et non comme un parti avide de pouvoir.

Tous ceux qui se rassemblèrent autour d'Omar étaient les enfants du djihad, cruellement déçus par le luttes de factions et les activités criminelles des chefs moudjahidin qu'ils avaient idéalisés. Ils se considéraient comme les purificateurs d'une guérilla dévoyée, d'un système social failli et d'un mode de vie islamique menacé par la corruption et l'excès. Beaucoup, nés dans les camps de réfugiés du Pakistan, avaient étudié dans des madrasas pakistanaises et appris l'art du combat auprès de groupes moudjahidin basés au Pakistan. Les jeunes taliban connaissaient à peine leur histoire et leur propre pays, mais les madrasas leur avaient rendu familière la société islamique idéale créée par le prophète Mahomet il y a mille quatre cents ans, celle qu'ils voulaient imiter.

Certains taliban disent qu'Omar a été choisi non pour ses capacités politiques ou militaires, mais pour sa piété et sa foi inébranlable. D'autres disent qu'il a été choisi par Dieu. « Nous avons choisi le mollah Omar pour diriger ce mouvement. Il était le premier parmi ses pairs, et nous lui avons donné le pouvoir de nous diriger, et il nous a donné l'autorité pour régler tous les problèmes », m'a affirmé le mollah Hassan. Quant à Omar, il a donné une explication très simple au journaliste pakistanais Rahimullah Yousufzai. « Nous avons pris les armes pour accomplir le dessein du djihad afghan et épargner à notre peuple les souffrances supplémentaires que leur causaient les soi-disant moudjahidin. Nous avions une foi totale en Dieu Tout-puissant. Nous n'avons jamais oublié cela. Il peut nous accorder la victoire ou nous précipiter dans la défaite. »

Aucun dirigeant du monde actuel ne s'entoure d'autant de secret et de mystère que le mollah Mohammed Omar. À 39 ans, il n'a jamais été photographié et n'a jamais rencontré de diplomates ou de journalistes occidentaux. Sa première rencontre avec un représentant des Nations unies a eu lieu en 1998, quatre ans après l'apparition des taliban ; il a accepté de recevoir Lakhdar Brahimi, envoyé spécial des Nations unies, au moment où les taliban craignaient une attaque dévastatrice de l'Iran. Omar vit à Kandahar et ne s'est rendu que deux fois à Kaboul, pour de courts séjours. La plupart des Afghans et des diplomates étrangers passent le plus clair de leur temps à essayer de reconstituer les diverses étapes de sa vie.

Omar est né, sans doute en 1959, dans le village de Nodeh, près de Kandahar, d'une famille de paysans pauvres de la tribu Hotak, la branche Ghilzai des Pachtounes. Mir Waïs, chef des Hotak, conquit la ville iranienne d'Ispahan en 1721 et fonda le premier empire ghilzai afghan en Iran avant de céder la place à Ahmad Shah Dourrani. Il est impossible de préciser le statut tribal et social d'Omar, et les notables de Kandahar affirment n'avoir jamais entendu parler de sa famille. Celle-ci a d'ailleurs déménagé pendant le djihad des années 1980, pour s'installer à Tarinkot, dans la province d'Urozgan - l'une des régions les plus reculées et les plus inaccessibles du pays, où les troupes soviétiques ne s'aventuraient que rarement. Son père mourut alors qu'il était encore un jeune homme, et il dut subvenir aux besoins de sa mère et de sa grande famille.

En cherchant du travail, il arriva à Sangesar, dans le district de Mewand de la province de Kandahar ; il devint le mollah du village et ouvrit une petite madrasa. Ses propres études dans les madrasas de Kandahar furent interrompues à deux reprises, d'abord par l'invasion soviétique, puis par la création des taliban. Omar rejoignit le Hezb e-Islami de Khalis et se battit contre le régime de Najibullah de 1989 à 1992, sous le commandement de Nik Mohammed. Il fut blessé quatre fois, notamment à l'œil droit, devenu aveugle.

Malgré le succès des taliban, Sangesar ressemble à tous les villages pachtounes. Les maisons en briques de terre recouvertes d'un mélange de boue et de paille sont construites derrière de hauts murs d'enceinte - protection traditionnelle des habitations pachtounes. Le village est sillonné de chemins étroits et poussiéreux qui se transforment en bourbier à la première pluie. La madrasa d'Omar fonctionne toujours - c'est une petite hutte de boue, au sol de terre battue sur lequel sont jetés des matelas pour les jeunes élèves. Les trois femmes d'Omar, voilées des pieds à la tête, vivent encore dans le village. La première et la troisième épouse sont originaires d'Urozgan tandis que Guljana, la deuxième, est une adolescente de Sangesar, qu'il a épousée en 1995. Omar a cinq enfants, qui étudient dans sa madrasa.

Grand et bel homme, arborant barbe et turban noirs, Omar est doté d'un sens de l'humour caustique et d'un esprit sarcastique. Il évite autant que possible les inconnus, surtout étrangers, mais reste ouvert aux taliban. Au début du mouvement, il disait les prières à la grande mosquée de Kandahar et se mêlait volontiers aux croyants, mais il vit désormais comme un reclus et sort rarement du bâtiment administratif qui lui sert de résidence. Il ne vient pas souvent dans son village ; lorsqu'il se déplace, c'est accompagné par plusieurs dizaines de gardes du corps, formant un convoi de gros véhicules tout-terrain japonais aux vitres teintées.

Omar ne parle que fort peu dans les réunions de la shura, préférant écouter le point de vue des autres. Sa timidité en fait un piètre orateur ; le personnage, en dépit de la mythologie qui s'est développée autour de lui, n'a guère de charisme. Il passe ses journées à traiter les affaires depuis son petit bureau. Au début, il s'asseyait sur le sol de ciment à côté des taliban qu'il recevait ; il s'installe désormais sur un lit tandis que ses visiteurs restent assis sur le sol - changement qui souligne son statut de dirigeant. Il a de nombreux secrétaires qui transcrivent ses conversations avec les officiers, soldats ordinaires, oulémas et plaignants, au milieu du crépitement continu des radiotélégraphes qui transmettent les communications des chef militaires du pays.

Ses activités consistent en interminables débats, débouchant sur la rédaction de « notes », des bouts de papier qui autoriseront tel chef militaire à lancer une attaque, ou tel gouverneur taliban à aider un plaignant, ou porteront un message destiné aux médiateurs des Nations unies. Les communications officielles avec les ambassades étrangères d'Islamabad ont souvent été dictées par des conseillers pakistanais.

Dans les premiers temps du mouvement, j'ai ramassé de nombreuses notes griffonnées sur des paquets de cigarettes ou du papier d'emballage, qui m'ont permis de voyager de ville en ville. Les taliban utilisent désormais de vrais carnets. À côté d'Omar se trouve une malle métallique d'où il extrait des liasses de billets afghans pour ses commandants ou des plaignants dans le besoin. Avec le succès est arrivée une deuxième malle - pleine de dollars américains. Ces deux malles renferment le trésor du mouvement taliban.

Le mollah Wakil Ahmad, homme de confiance et porte-parole d'Omar, se tient généralement à ses côtés lors des réunions importantes. Wakil est un jeune étudiant issu de la tribu des Kakar, qui a rencontré Omar à la madrasa ; il occupe désormais auprès de lui les fonctions de compagnon, chauffeur, goûteur, traducteur et secrétaire. Il a rapidement gravi les échelons et s'occupe à présent des communications avec les diplomates étrangers et les délégués des organisations humanitaires ; assure les liaisons avec les commandants taliban et rencontre les autorités pakistanaises. En tant que porte-parole d'Omar, il représente le principal contact des taliban avec la presse étrangère, qu'il fustige à l'occasion quand il pense qu'elle les critique trop durement. Wakil, non content d'être les yeux et les oreilles d'Omar, garde aussi sa porte. Aucun Afghan important ne peut arriver à Omar sans passer par lui.

On raconte aujourd'hui un nombre incalculable de légendes sur la façon dont Omar a mobilisé un petit groupe de taliban contre la rapacité des chefs de guerre de Kandahar. Voici l'histoire la plus crédible, répétée à l'envi : au printemps 1994, les voisins d'Omar à Sangesar vinrent lui apprendre qu'un commandant avait enlevé deux adolescentes, leur avait fait raser la tête et les avait livrées à un camp militaire où elles avaient été violées. Omar rassembla une trentaine d'étudiants qui, armés de seize fusils seulement, attaquèrent la base, libérèrent les jeunes filles et pendirent le commandant au canon d'un char. Ils s'emparèrent de grandes quantités d'armes et de munitions. « Nous nous battions contre des musulmans égarés. Comment rester passifs devant tous ces crimes commis contre les femmes et les pauvres » déclara Omar par la suite.

Quelques mois plus tard, deux commandants se battirent à Kandahar pour s'arracher un jeune garçon. Des civils furent tués. Le groupe d'Omar libéra le garçon, et les gans commencèrent à se tourner vers les taliban pour régler les différends locaux. Omar était devenu une sorte de Robin des Bois, qui prenait le parti des pauvres contre les rapaces chefs de guerre. Son prestige grandit d'autant plus qu'il n'exigeait ni récompense ni gratitude de ceux qu'il aidait, mais leur demandait seulement de le suivre pour instaurer un système islamique juste.

Dans le même temps, les émissaires d'Omar évaluaient l'état d'esprit des autres commandants. Ses pairs se rendirent à Hérat pour y rencontrer Ismaël Khan ; le mollah Mohammed Rabbani, membre fondateur des taliban, se rendit à Kaboul en septembre pour une série d'entretiens avec le président Rabbani. Le gouvernement de Kaboul, isolé, se déclara prêt à aider toute nouvelle force pachtoune qui s'opposerait à Hekmatyar, lequel bombardait toujours la capitale, et Rabbani promit des fonds aux taliban s'ils se dressaient contre lui.

Cependant, les taliban étaient plus étroitement liés au Pakistan, pays dans lequel beaucoup d'entre eux avaient grandi et étudié, notamment dans les madrasas dirigées par le versatile maulana Fazlur Rehman et son Jamiat e-Ulema Islami (JUI), un parti fondamentaliste jouissant d'une audience considérable chez les Pachtounes du Baloutchistan et de la Province de la frontière du nord-ouest. De plus, le maulana était devenu l'allié politique de la Première ministre pakistanaise Benazir Bhutto, ce qui lui donnait accès au gouvernement, à l'armée et à l'ISI, auquel il décrivit la naissance de cette nouvelle force.

La politique étrangère du Pakistan en Afghanistan était dans l'impasse. Depuis l'effondrement de l'Union soviétique en 1991, les gouvernements pakistanais successifs cherchaient désespérément à ouvrir des voies terrestres directes pour commercer avec les Républiques d'Asie centrale. Le principal obstacle était la guerre civile qui s'éternisait en Afghanistan, passage obligatoire de toute route. Les politiciens pakistanais devaient faire face à un dilemme stratégique. Soit le Pakistan continuait à soutenir Hekmatyar et à parier sur l'arrivée au pouvoir à Kaboul d'un groupe pachtoune favorable au Pakistan, soit il changeait de cap et poussait à un accord de partage du pouvoir entre toutes les factions afghanes, sans tenir compte du prix à payer par les Pachtounes, de façon à ce qu'un gouvernement stable rouvre les routes de l'Asie centrale.

L'armée pakistanaise, convaincue que les autres groupes ethniques ne tiendraient pas parole, continuait à soutenir Hekmatyar. Les Pachtounes du Pakistan représentent environ 20 % de ses effectifs ; les groupes de pression pachtounes et fondamentalistes à l'intérieur de l'armée et de l'ISI étaient plus que jamais déterminés à assurer la victoire des Pachtounes en Afghanistan. En 1994, cependant, il était clair que Hekmatyar avait échoué ; son armée perdait du terrain tandis que son extrémisme divisait les Pachtounes, dont beaucoup le rejetaient. Le Pakistan, las de soutenir un perdant, cherchait d'autres intermédiaires pachtounes.

Benazir Bhutto, élue Premier ministre en 1993, tenait à ouvrir rapidement la route de l'Asie centrale. L'itinéraire le plus court allait de Peshawar à Kaboul en passant par la chaîne de l'Hindou Kouch et Mazar e-Charif, puis par Termez et Tachkent en Ouzbékistan, mais il était rendu impraticable par les combats qui se déroulaient autour de Kaboul. Surgit alors une nouvelle proposition, fortement encouragée par le JUII, par les autorités politiques et militaires pachtounes, et par la mafia pakistanaise des transports et de la contrebande, frustrée par l'inaction. Au lieu de prendre la route du nord, on pouvait se frayer un passage de Quetta à Kandahar et Hérat jusqu'à Achkhabad, la capitale du Turkménistan. Il n'y avait pas de combats dans le Sud, juste quelques dizaines de commandants qu'il faudrait payer grassement pour qu'ils ouvrent leurs barrages.

En septembre 1994, géomètres et agents pakistanais de l'ISI empruntèrent la route qui va de Chaman, à la frontière du Pakistan, à Hérat, afin d'établir un état des lieux. Le ministre de l'Intérieur Nasirullah Babar, d'origine pachtoune, se rendit à Chaman au cours de cette période. Les chefs de guerre de la région de Kandahar se méfiaient du plan des Pakistanais, qu'ils soupçonnaient de préparer une intervention militaire pour les écraser. L'émir Lalai, un des commandants, lança un avertissement direct à Babar : « Le Pakistan offre de reconstruire nos routes, mais je pense que ce n'est pas en réparant les routes que la paix suivra automatiquement. Aussi longtemps que les pays voisins continueront à s'immiscer dans nos affaires domestiques, nous ne devons pas nous attendre à la paix. »

Les Pakistanais n'en commencèrent pas moins à négocier le passage des convois vers le Turkménistan avec les seigneurs de guerre de la région de Kandahar, et avec Ismaël Khan à Hérat. Le 20 octobre 1994, Babar emmena à Kandahar et à Hérat un groupe de six ambassadeurs occidentaux, sans même en informer le gouvernement de Kaboul. La délégation comprenait des dirigeants de l'administration des chemins de fer, de l'équipement, des téléphones et de l'électricité. Babar déclara qu'il voulait se procurer 300 millions de dollars d'aide internationale pour reconstruire la route de Quetta à Hérat. Le 28 octobre, Benazir Bhutto rencontra Ismaël Khan et le général Rachid Dostom à Achkhabad et les pria instamment d'ouvrir une route au sud, sur laquelle les camions n'acquitteraient que quelques péages en échange de leur sécurité.

Cependant, un événement décisif avait déjà ébranlé les chefs de guerre de la région de Kandahar. Le 12 octobre 1994, quelque 200 taliban des madrasas locales et pakistanaises étaient arrivés au petit poste-frontière afghan de Spin Baldak, situé en face de Chaman sur la frontière entre Pakistan et Afghanistan. Ce trou crasseux en plein milieu du désert, étape importante pour les camions de la mafia des transports, se trouvait aux mains des hommes de Hekmatyar. Les camions afghans y chargeaient les marchandises transportées par les camions pakistanais qui n'avaient pas le droit d'entrer en Afghanistan ; on s'y procurait aussi illégalement le carburant qui alimentait les armées des chefs de guerre. Le contrôle de la ville était vital pour la mafia, qui avait déjà donné plusieurs centaines de milliers de roupies pakistanaises au mollah Omar et promit aux taliban une contribution mensuelle s'ils débarrassaient les routes des chaînes et des bandits et garantissaient la sécurité des convois de marchandises.

Les taliban se séparèrent en trois groupes et attaquèrent la garnison de Hekmatyar. Cette dernière prit la fuite après une bataille aussi brève que féroce, laissant sept morts et de nombreux blessés. Les taliban n'avaient perdu qu'un seul homme. Le Pakistan les aida ensuite en les laissant s'emparer d'un important dépôt d'armes situé à l'extérieur de Spin Baldak et gardé par les hommes de Hekmatyar. Ce dépôt se trouvait auparavant au Pakistan ; il avait été déplacé en Afghanistan en 1990 pour obéir aux accords de Genève qui interdisaient à Islamabad de détenir sur le territoire pakistanais des armes destinées à l'Afghanistan. Les taliban y saisirent quelque 18 000 kalachnikovs, plusieurs douzaines de pièces d'artillerie, de grandes quantités de munitions et de nombreux véhicules.

La prise de Spin Baldak inquiéta les chefs de guerre de la région de Kandahar, qui dénoncèrent le soutien apporté aux taliban par les Pakistanais, tout en continuant à se quereller au lieu de s'unir pour faire face à cette nouvelle menace. Babar s'impatientait ; il ordonna le passage vers Achkhabad d'un convoi d'essai composé de 30 camions chargés de médicaments. « J'ai dit à Babar que nous devrions attendre deux mois, parce que nous n'avions aucun accord avec les commandants de Kandahar, mais il a insisté pour faire passer le convoi. Les commandants soupçonnaient les camions de transporter des armes destinées à une future force pakistanais, m'expliqua plus tard un représentant pakistanais en poste à Kandahar. »

Le 29 octobre 1994, le convoi conduit par 80 anciens chauffeurs de l'armée pakistanaise partait de Quetta ; les camions provenaient de la Cellule logistique nationale de l'armée mise sur pied par l'ISI dans les années 1980 pour faire passer des armes aux moudjahidin. Le colonel Imam, principal officier de l'ISI opérant sur le terrain dans le Sud, et le consul général du Pakistan à Hérat étaient du voyage. Ce dernier était accompagné par deux jeunes commandants taliban, les mollahs Borjan et Turabi. (Ces deux hommes devaient mener le premier assaut des taliban sur Kaboul, au cours duquel le mollah Borjan trouva la mort.) Vingt kilomètres après la sortie de Kandahar, dans la localité de Takht i-Pul, située à la périphérie de l'aéroport, le convoi fut arrêté par un groupe de commandants où figuraient l'émir Lalai, Mansour Achakzai, qui contrôlait l'aéroport, et Usted Halim. Ils lui donnèrent l'ordre de se garer dans un village proche, au pied de montagnes peu élevées. M'étant rendu sur ces lieux quelques mois plus tard, j'ai trouvé les traces évidentes de feux de camps et des boîtes de rations abandonnées.

Les commandants demandèrent de l'argent, une partie des marchandises et exigèrent que le Pakistan cesse de soutenir les taliban. Pendant qu'ils négociaient avec le colonel Imam, Islamabad imposait à la presse un blackout de trois jours, lui interdisant de mentionner le détournement du convoi. « Nous avions peur que Mansour ne charge des armes dans le convoi et n'accuse ensuite le Pakistan. Nous avons alors étudié toutes les options militaires pour venir en aide au convoi, comme un raid des services spéciaux (les commandos de l'armée pakistanaise) ou un parachutage. Cela semblait trop dangereux ; nous avons alors demandé aux taliban de libérer le convoi », déclara un représentant des autorités pakistanaises. Le 3 novembre 1994, les taliban passèrent à l'attaque contre ceux qui détenaient le convoi. Les commandants, croyant à un raid de l'armée pakistanaise, s'enfuirent. Les taliban pourchassèrent Mansour dans le désert, le capturèrent et le fusillèrent avec dix de ses gardes du corps. Son cadavre fut accroché au canon d'un char pour que tous puissent le voir.

Au soir de la même journée, les taliban lançaient un assaut sur Kandahar où ils mirent en déroute les forces des commandants, après deux jours de combats sporadiques. Le mollah Naquib, qui était avec ses 2 500 hommes le principal chef à l'intérieur de la ville, n'opposa aucune résistance. Certains de ses subalternes affirmèrent ensuite qu'il avait accepté un pot-de-vin substantiel de l'ISI pour se rendre, en échange de la promesse qu'il conserverait son commandement. Les taliban enrôlèrent ses hommes et le mirent à l'écart dans son village proche de Kandahar. Ils s'emparèrent de dizaines de chars, blindés et autres véhicules militaires, d'armes et surtout de six chasseurs Mig-21 et de six hélicoptères de transport, héritage de l'occupation soviétique.

En l'espace de quelques semaines, une force inconnue avait donc conquis la deuxième ville d'Afghanistan en ne perdant qu'une dizaine d'hommes. À Islamabad, aucun diplomate ou analyste étranger ne doutait qu'ils eussent reçu un soutien considérable du Pakistan. Le gouvernement pakistanais et le JUI célébrèrent la chute de Kandahar. Babar s'attribua le succès des taliban, affirmant en privé aux journalistes qu'ils étaient « nos garçons ». Les taliban manifestèrent néanmoins leur indépendance en précisant qu'ils n'étaient les marionnettes de personne. Le 16 novembre 1994, le mollah Ghaus déclara que le Pakistan ne devait plus ni envoyer de convois sans passer par les taliban, ni négocier d'accords avec les chefs de guerre. Il ajouta que les taliban ne permettraient pas aux marchandises destinées à l'Afghanistan de circuler dans des camions pakistanais - exigence centrale de la mafia des transports.

Les taliban ôtèrent les chaînes qui barraient les routes, installèrent à Spin Baldak un système à péage unique pour tous les camions qui pénétraient en Afghanistan et patrouillèrent sur la route à partir du Pakistan. La mafia des transports exultait ; en décembre, le premier convoi pakistanais, 50 camions chargés de coton brut, venant du Turkménistan, arrivait à Quetta, après avoir acquitté 200 000 roupies (5 000 dollars) de péage aux taliban. Pendant ce temps, des milliers de jeunes Pachtounes afghans qui faisaient leurs études au Baloutchistan et dans la Province de la frontière nord-ouest se précipitaient à Kandahar pour se joindre aux taliban. Ils furent bientôt suivis par des volontaires pakistanais des madrasas du JUI, inspirés par le nouveau mouvement islamique afghan. En décembre 1994, 12 000 étudiants afghans et pakistanais avaient déjà rallié les taliban à Kandahar.

De fortes pressions domestiques et internationales sommaient le Pakistan d'expliquer sa position. En février 1995, Benazir Bhutto démentit officiellement, pour la première fois, toute implication de son pays aux côtés des taliban. « Nous n'avons pas de protégés en Afghanistan et nous n'intervenons pas en Afghanistan », déclara-t-elle lors d'un voyage à Manille. Elle ajouta ensuite que le Pakistan ne pouvait empêcher les nouvelles recrues de traverser la frontière pour se joindre aux taliban. « Je ne peux livrer la guerre de M. Rabbani [le Président] à sa place. Si les Afghans veulent traverser la frontière, je ne les en empêche pas. Je peux les empêcher de revenir, mais la plupart d'entre eux ont leur famille ici. »

Les taliban mirent immédiatement en application l'interprétation la plus stricte de la charia jamais vue dans le monde musulman. Ils fermèrent les écoles pour filles et interdirent aux femmes de travailler à l'extérieur, détruisirent les postes de télévision, mirent hors la loi toute une gamme de sports et de divertissements et ordonnèrent à tous les hommes de se laisser pousser la barbe. Au cours des trois mois suivants, les taliban de douze des trente et une provinces du pays, ouvraient les routes et désarmaient la population. Ils marchaient vers le nord, leur progression scandée par la fuite ou la reddition, drapeau blanc à l'appui, des seigneurs de la guerre locaux. Le mollah Omar et son armée d'étudiants avançaient inexorablement à travers l'Afghanistan.

Chapitre 2
HÉRAT, 1995 : LES INVINCIBLES SOLDATS DE DIEU

En mars 1995, sur la frange nord du Dasht-i-Margo - le « désert de la Mort » - des nuages de fine poussière blanche s'élevaient au-dessus de l'étroit ruban de route défoncée qui relie Kandahar à Hérat, à près de 500 kilomètres de là. La route, construite par les Russes dans les années 1950, longe les broussailles et les sables d'un des déserts les plus chauds et les plus arides de la planète. Après toutes ces années de guerre, elle est sillonnée d'ornières laissées par les chars, de cratères de bombes et de ponts détruits qui limitent la circulation à 30 kilomètres à l'heure.

Une file de voitures, de celles que les taliban utilisent pour partir en guerre - des camionnettes japonaises à deux portes, dont l'arrière reste ouvert aux quatre vents - progressait vers Hérat, chargées de jeunes hommes lourdement armés, déterminés à prendre la ville. Un flot continu de véhicules roulant en direction inverse ramenait les taliban blessés, allongés et attachés sur des lits de cordes, ainsi que les prisonniers faits parmi les hommes d'Ismaël Khan qui tenaient Hérat.

Au cours des trois premiers mois suivant la prise de Kandahar, les taliban imprimaient un tournant à la guerre civile qui s'enlisait en s'emparant de douze des trente et une provinces de l'Afghanistan ; ils avaient atteint les faubourgs de Kaboul, au nord, et de Hérat, à l'ouest. Les soldats taliban hésitaient à parler devant leurs chefs à Kandahar, et le seul moyen d'apprendre quelque chose sur eux était de parcourir cette route en faisant du stop dans un sens puis dans l'autre. Dans l'espace restreint des camionnettes où s'entassaient une bonne dizaine de combattants serrés entre caisses de munitions, roquettes, lance-grenades et sacs de blé, ils partageaient volontiers l'histoire de leur vie.

Ils m'apprirent que 20 000 Afghans environ et plusieurs centaines de Pakistanais, tous étudiants des madrasas, avaient quitté les camps de réfugiés du Pakistan pour rejoindre le mollah Omar. Des milliers de Pachtounes afghans s'étaient également joints à eux au cours de leur marche vers le nord. La plupart étaient incroyablement jeunes - entre 14 et 24 ans - et beaucoup ne s'étaient jamais battus, même s'ils savaient, comme tous les Pachtounes, manier une arme.

En majorité, ils avaient toujours vécu dans les camps de réfugiés du Baloutchistan et de la province de la frontière nord-ouest du Pakistan, hormis quelques séjours dans les dizaines de madrasas tenues par des mollahs afghans ou les partis fondamentalistes pakistanais, qui avaient poussé comme des champignons le long de la frontière. Ils y étudiaient le Coran, les paroles du prophète Mahomet et des rudiments de loi islamique que leur enseignaient des maîtres sachant à peine lire et écrire. Élèves et professeurs ne possédaient aucune notion de mathématiques, de sciences, d'histoire ou de géographie. La plupart de ces jeunes guerriers ne connaissaient pas plus l'histoire de leur propre pays que celle du djihad contre les Soviétiques.

Ces gamins étaient à mille lieux des moudjahidin que j'avais côtoyés dans les années 1980 - des hommes capables de réciter par cœur la lignée tribale dont ils étaient issus, qui se souvenaient avec nostalgie de leurs fermes abandonnées et savaient raconter des légendes et des récits tirés de l'histoire afghane. Ces jeunes appartenaient à une génération qui n'avait jamais connu la paix - pour qui l'Afghanistan était depuis toujours en guerre contre lui-même et ses envahisseurs. Ils n'avaient aucun souvenir de leur tribu, de leurs anciens, de leurs voisins ou du complexe mélange ethnique qui formait souvent la trame de leurs villages et de leur pays natal. Ils étaient ballottés par la guerre comme des fétus de paille que l'océan rejette sur la grève de l'histoire.

Sans mémoire, sans projets d'avenir, ils ne vivaient que pour le présent. Ces orphelins de la guerre, sans racines ni point d'attache, sans travail, constituaient une classe de laissés-pour-compte qui n'avaient guère la possibilité d'exercer leur jugement. Ils admiraient la guerre parce que c'était la seule profession à laquelle ils pouvaient s'adapter. Leur foi simpliste en un islam messianique et puritain leur avait été enfoncée dans le crâne par de modestes mollahs de village ; elle était leur seul soutien, elle seule donnait sens à leur vie. Privés de toute formation, ignorants des métiers traditionnels de leurs ancêtres, comme l'agriculture, l'élevage ou l'artisanat, ils étaient ceux que Karl Marx aurait appelés le « sous-prolétariat » de l'Afghanistan.

Ils s'étaient volontairement ralliés à la confrérie exclusivement masculine prônée par les taliban parce qu'ils ne connaissaient rien d'autre. Beaucoup étaient des orphelins qui avaient grandi sans la présence de femmes - sans mère, sœurs ou cousines. D'autres avaient étudié dans des madrasas ou vécu dans le cadre strict des camps de réfugiés où hommes et femmes sont séparés et la libre circulation des femmes réduite. Par rapport aux normes pourtant conservatrices de la société tribale pachtoune, où la communauté soudée des villages et des campements nomades n'empêche pas les hommes d'entretenir des relations avec les femmes de leur sang, ces garçons avaient eu une existence particulièrement rude. Ils n'avaient tout simplement jamais connu la compagnie des femmes.

Les mollahs qui les avaient instruits affirmaient que les femmes étaient une tentation, une distraction superflue qui détourne du service d'Allah. Lorsque les taliban entrèrent à Kandahar et confinèrent les femmes chez elles, leur interdisant de travailler, d'aller à l'école et même de faire les courses, la majorité de ces élèves des madrasas n'y virent rien d'inhabituel. Ils se sentaient menacés par cette moitié de l'humanité dont ils ne savaient rien ; il était plus facile de l'enfermer à l'écart, en particulier si de telles mesures étaient ordonnées par des mollahs - invoquant des prescriptions originelles islamiques primitives qui n'ont en fait aucun fondement dans la loi islamique. L'asservissement des femmes devenait une mission pour le vrai croyant, ce qui différenciait fondamentalement les taliban des anciens moudjahidin.

Cette fraternité exclusivement masculine n'offrait pas uniquement à ces jeunes gens une cause pour laquelle se battre, mais un mode de vie dont l'adoption sans réserves donnait un sens à leur existence. De manière assez ironique, les taliban font figure de nouvel avatar des ordres religieux et militaires qui apparurent dans la chrétienté à l'époque des croisades contre l'islam - disciplinés, motivés et impitoyables dans la poursuite de leurs buts. Les victoires écrasantes remportées au cours des premiers mois ont fait naître toute une mythologie autour d'une invincibilité qui ne pouvait être accordée qu'aux seuls soldats de Dieu. Dans la griserie des débuts, chaque victoire venait renforcer la certitude qu'ils étaient dans le vrai, Dieu était à leurs côtés et leur interprétation de l'islam était la seule possible.

Grâce au renfort de leurs nouvelles recrues, les taliban poussèrent au nord vers les provinces d'Urozgan et de Zaboul qui tombèrent sans un seul coup de feu. Les commandants pachtounes en maraude, peu désireux de mettre à l'épreuve la loyauté douteuse de leurs partisans, hissèrent le drapeau blanc et rendirent les armes en signe de soumission.

Dans le Sud, ils passèrent à l'offensive contre les forces de Ghaffur Akhundzada, dont le clan contrôlait la province de Helmand et ses lucratifs champs de pavot depuis les années 1980. Ils réussirent à s'emparer de la province en janvier 1995, malgré la résistance farouche à laquelle ils se heurtèrent, en montant contre Akhundzada les petits chefs de guerre qui vivaient de ce trafic et en achetant les autres. Continuant leur progression vers l'ouest, ils atteignirent bientôt Dilaram, sur la route Kandahar-Hérat, et la limite des trois provinces toujours aux mains d'Ismaël Khan. Ils avançaient simultanément vers Kaboul, pénétrant facilement dans la ceinture pachtoune où ils rencontrèrent plus de capitulations en masse que de résistance.

Le Sud pachtoune livré au chaos et à l'anarchie, tenu par une horde de commandants sans réelle importance, était tombé sans coup férir au pouvoir des taliban, qui devaient désormais affronter les principaux chefs en même temps que les complexités politiques et ethniques qui étouffaient le reste du pays. En janvier 1995, tous les mouvements d'opposition s'unirent pour attaquer le gouvernement du président Rabbani à Kaboul. Ainsi Hekmatyar s'allia au chef de guerre ouzbek Rachid Dostom au nord et aux Hazara du centre de l'Afghanistan, qui tenaient une partie de Kaboul. Cette alliance se négocia par l'intermédiaire du Pakistan, qui misait clairement sur Hekmatyar et lui avait fait parvenir, au début de l'année, de grandes quantités de roquettes pour bombarder la capitale. Pourtant, la rapidité de l'avance des taliban surprit même Islamabad. Si le gouvernement Bhutto leur apportait son soutien déclaré, l'ISI pour sa part continuait à douter de leurs capacités, estimant qu'ils resteraient une force utile bien que secondaire dans le Sud.

Hekmatyar s'inquiétait visiblement de cette force pachtoune rivale qui arrivait du sud en balayant tout sur son passage ; il tenta d'arrêter les taliban en soumettant Kaboul à des tirs de roquette massifs, qui tuèrent plusieurs centaines de civils et détruisirent des quartiers entiers. Le 2 février 1995, les taliban s'emparaient de Wardak, à 50 kilomètres à peine au sud de Kaboul ; les bases de Hekmatyar autour de la capitale se trouvèrent menacées pour la première fois. Les taliban continuaient à avancer à la vitesse de l'éclair ; ils prenaient Maidan Shahr le 10 février 1995, après de durs combats qui firent 200 morts, puis Mohammed Agha le lendemain. Hekmatyar se retrouvait pris en tenailles entre les forces gouvernementales au Nord et les taliban au Sud ; le moral de ses troupes dégringola.

Le 14 février 1995, les taliban s'emparaient du quartier général de Hekmatyar à Charasiab ; ses troupes, prises de panique, s'enfuirent à l'est vers Djalalabad. Celles du président Rabbani, commandées par Ahmad Shah Massoud, son bras droit, reculèrent à l'intérieur de la ville de Kaboul. Les taliban ouvrirent alors toutes les routes, autorisant les convois de vivres à rejoindre Kaboul après des mois de blocus imposé par Hekmatyar. Cette mesure populaire répondait à une revendication essentielle de la mafia des transports, qui soutenait les taliban et accrut leur prestige aux yeux des citoyens sceptiques de Kaboul. Le représentant spécial des Nations unies pour l'Afghanistan, le diplomate tunisien Mahmoud Mestiri, lança de vains appels au cessez-le-feu ; Massoud et les taliban se trouvaient désormais face à face.

Massoud avait un autre problème, plus urgent encore. Malgré la fuite de Hekmatyar, il devait affronter les forces des chiites hazara, commandées par le parti Hezb i-Wahdat, qui contrôlaient toujours les faubourgs sud de la capitale. Massoud, pour gagner du temps, rencontra à deux reprises les commandants taliban, les mollahs Rabbani, Borjan et Ghaus, à Charasiab. C'était la première fois que les taliban rencontraient celui qui allait devenir leur plus grand rival, celui qui s'entêterait à les punir pendant les quatre années suivantes. Les taliban exigèrent la démission du président Rabbani et la capitulation de Massoud - position catégorique qui ne risquait pas d'emporter son adhésion. Ils commencèrent parallèlement à négocier avec les Hazara.

Lors d'une rencontre avec Mahmoud Mestiri, le médiateur des Nations unies, les taliban posèrent trois conditions à toute participation à un processus de paix négocié sous l'égide de l'ONU : les troupes des Nations unies devaient former à Kaboul une « force neutre » ; seuls de « bons musulmans » pourraient participer à la constitution d'une administration provisoire ; eux-mêmes devaient bénéficier d'une représentation dans chacune des trois provinces du pays. L'intransigeance des taliban, qui exigeaient le contrôle exclusif de tout nouveau gouvernement installé à Kaboul, provoqua le rejet des Nations unies et du gouvernement Rabbani.

Massoud décida d'affronter ses ennemis l'un après l'autre. Le 6 mars 1995, il lança une guerre-éclair contre les Hazara ; ses chars entrèrent dans les faubourgs sud de Kaboul, écrasèrent les Hazara et les expulsèrent de la ville. Ceux-ci, au désespoir, conclurent un marché avec les taliban, auxquels ils laissèrent leur armement lourd et positions. Dans la confusion qui suivit, le chef Hazara Abdul Ali Mazari fut tué alors qu'il était sous la garde des taliban. Les Hazara affirmèrent ensuite que les taliban l'avaient précipité à bas de l'hélicoptère qui l'emmenait à Kandahar parce qu'il essayait de se saisir d'un fusil.

La mort de Mazari, accidentelle ou délibérée, devait condamner à jamais les taliban aux yeux des chiites afghans et de l'Iran, leur principal protecteur. Les Hazara ne leur pardonnèrent pas non plus cette mort ; ils se vengèrent deux ans plus tard en massacrant plusieurs milliers de taliban dans le nord du pays. Les meurtrières divisions ethniques et sectaires entre Pachtounes et Hazara, sunnites et chiites, qui couvaient sous la surface, éclataient désormais au grand jour.

Quant à Massoud, il n'entendait pas laisser les taliban prendre la place des Hazara au sud de Kaboul. Le 11 mars 1995, il lançait un autre assaut punitif et repoussait les taliban hors de la ville, après de sanglants combats de rue qui firent des centaines de morts. C'était la première bataille importante que perdaient les taliban. La faiblesse de leur structure militaire et leur infériorité tactique donnèrent la victoire aux combattants plus expérimentés de Massoud.

Les taliban avaient triomphé dans le Sud pachtoune parce que la population épuisée par la guerre les considérait, sinon comme une force potentiellement capable de restaurer la puissance pachtoune humiliée par les Tadjiks et les Ouzbeks, du moins comme des sauveurs et des pacificateurs. De nombreuses redditions avaient été facilitées par l'argent employé pour faire changer de camp les commandants - les taliban devaient par la suite user avec un art consommé de cette tactique, financée par les revenus liés au trafic de drogue, aux transports routiers et par l'aide du Pakistan et de l'Arabie saoudite. Ils avaient également, au cours de leur avance, mis la main sur des quantités considérables d'armes légères, de chars et même d'hélicoptères qui leur permettaient de déployer plus de troupes. Dans les zones passées sous leur contrôle, ils désarmaient la population, faisaient respecter la loi et l'ordre, imposaient la charia de manière très stricte et ouvraient les routes à la circulation, ce qui provoqua une baisse immédiate des prix de l'alimentation. La population accueillit très favorablement ces mesures qui venaient enfin soulager ses souffrances. La défaite de Kaboul, perçue comme un revers majeur pour les taliban, n'entama cependant pas leur détermination.

Les taliban se tournèrent alors vers l'ouest, où ils comptaient s'emparer de Hérat. Fin février 1995, à l'issue de durs combats, ils prenaient les deux provinces de Nimroz et Farah, tenues par Ismaël Khan, et progressaient vers l'ancienne base aérienne soviétique de Shindand, au sud de Hérat. Le régime de Kaboul s'inquiétait manifestement de l'avance des taliban et de l'incapacité d'Ismaël Khan à la contenir. L'aviation de Massoud commença à bombarder les lignes des taliban tandis que 2 000 de ses combattants tadjiks aguerris arrivaient de Kaboul pour aider à défendre Shindand et Hérat. Les taliban, qui ne disposaient d'aucun appui aérien et d'un soutien logistique très insuffisant depuis leurs bases de Kandahar, commencèrent à essuyer de lourdes pertes contre les forces gouvernementales aux environs de Shindand.

Fin mars 1995, les taliban étaient repoussés hors de Shindand. Ils se retirèrent, perdant la plupart des territoires conquis auparavant et au moins

3 000 hommes. Des centaines de blessés furent abandonnés à leur sort dans le désert, du fait de l'absence d'installations médicales sur le front et du soutien logistique qui aurait permis de procurer aux troupes eau et nourriture. « Nous n'avons jamais connu un environnement aussi hostile. On nous bombarde dix à quinze fois par jour. Il n'y a ni eau ni nourriture et mes amis sont morts de soif. Nous avons perdu le contact avec nos commandants et nous ne savons pas où sont nos autres troupes. Nous nous sommes retrouvés à court de munitions. C'était une grande tristesse. » C'est ainsi que Saleh Mohammed, un taliban blessé rencontré pendant son transfert vers Kandahar, me décrivit la situation.

Le gouvernement venait d'infliger aux taliban une défaite décisive sur deux fronts ; leur direction politique et militaire était en plein désarroi. Leur image de pacificateurs potentiels se trouvait également mise à rude épreuve, car beaucoup d'Afghans les considéraient désormais comme une simple faction guerrière parmi les autres. Le président Rabbani avait provisoirement renforcé sa position politique et militaire autour de Kaboul et de Hérat. En mai 1995, les forces gouvernementales contrôlaient directement six provinces dans les régions de Kaboul et du Nord, tandis qu'Ismaël Khan se maintenait dans les trois provinces de l'ouest. Les taliban, qui contrôlaient douze provinces avant leur série de défaites, voyaient ce nombre réduit à huit. Hérat restait néanmoins un objectif tentant, non seulement pour les taliban mais également pour la mafia pachtoune des transports et de la drogue, qui désirait ardemment ouvrir à ses trafics les routes de l'Iran et de l'Asie centrale.

Peu de commandants moudjahidin jouissaient d'autant de prestige qu'Ismaël Khan, et peu d'Afghans avaient consenti autant de sacrifices pendant la guerre contre les Soviétiques que les habitants de Hérat. Ismaël Khan, officier dans l'armée afghane lors de l'invasion soviétique, avait des penchants nettement islamiques et nationalistes. Quand les Soviétiques occupèrent Hérat, ils voyaient en ses habitants, de langue perse, une population docile, pacifique et la plus cultivée du pays. La dernière manifestation de résistance armée des Hérati remontait à l'invasion perse de 1837. Pensant n'avoir rien à craindre de ce côté, les Soviétiques installèrent donc à Shindand la plus importante base aérienne d'Afghanistan et autorisèrent les familles de leurs officiers à résider à Hérat. Cependant, la population de la ville se dressa contre les Soviétiques le 15 mars 1979, lors d'un soulèvement urbain sans précédent. Elle s'attaqua aux officiers et conseillers soviétiques ainsi qu'à leurs familles pendant qu'Ismaël Khan prenait d'assaut la garnison de la ville, tuant officiers soviétiques et communistes afghans et distribuant des armes à la population. Plusieurs centaines de Russes périrent. Moscou, craignant des soulèvements identiques dans d'autres villes afghanes, dépêcha 300 chars du Turkménistan soviétique afin de mater la révolte et commença à bombarder sans discrimination l'une des plus anciennes cités du monde. Quinze ans plus tard, des quartiers entiers de la ville ressemblent toujours à un paysage lunaire jonché de décombres à perte de vue. Plus de 20 000 Hérati moururent lors des bombardements. Ismaël Khan s'enfuit dans les campagnes avec sa nouvelle armée de guérilleros et plusieurs dizaines de milliers de civils se réfugièrent en Iran. Au cours des dix années qui suivirent, Ismaël Khan se battit farouchement contre les Soviétiques et créa dans les campagnes une administration efficace, ce qui lui valut le respect de la population. Ce prestige s'avéra fort précieux lorsqu'il reprit possession de la ville après le départ des troupes soviétiques.

Hérat est le berceau de l'histoire et de la civilisation afghanes. La ville, construite dans une oasis, a été fondée il y a cinq mille ans. Ses 300 kilomètres carrés de terres fertiles et irriguées, dans une vallée sertie de montagnes, ont la réputation d'être les plus riches d'Asie centrale. Hérodote décrivait Hérat comme le grenier à blé de l'Asie centrale. « Le monde habitable en son entier ne possède pas de ville semblable à Hérat », écrivit l'empereur Babur dans ses mémoires. Les Britanniques comparaient sa beauté à celle des comtés proches de Londres. « L'espace entre les collines est une magnifique étendue parsemée de petits villages fortifiés, de jardins, de vignobles et de champs de maïs, scène dont la richesse est encore rehaussée par les nombreux et clairs ruisseaux qui coupent la plaine en tous sens », écrivait en 1831 le capitaine Connolly, aventurier et espion britannique.

La ville, dont la population se convertit très tôt à l'islam, occupe depuis des siècles une position de carrefour entre les Empires turc et perse rivaux. La plus grande mosquée de la ville date du VIIe siècle et fut reconstruite par la dynastie des Ghurides en 1200. Au Moyen Âge, Hérat était un centre religieux à la fois pour la chrétienté, sous l'Église nestorienne, et surtout pour le soufisme - qui privilégie l'aspect mystique et spirituel de l'islam. Des disciples des confréries soufistes Naqchabandiyya et Chichtiyya accédèrent aux postes de ministres et Premiers ministres. Le saint patron de Hérat est Khawaja Abdullah Ansari, poète et philosophe soufiste renommé, mort en 1088, encore très vénéré de nos jours en Afghanistan. Gengis Khan s'empara de Hérat en 1222, n'épargnant que 40 de ses 160 000 habitants. Moins de deux siècles plus tard, cependant, la ville atteignait son apogée en 1405, lorsque Shah Rukh, fils de Timur, et son épouse la reine Gowhar Shad déplacèrent la capitale de l'empire des Timourides de Samarkand à Hérat.

Les Timourides furent les premiers à réussir l'amalgame de la culture nomade des Turcs de la steppe et des raffinements de la Perse sédentaire ; ils firent venir à Hérat des artisans de Perse, d'Inde et d'Asie centrale qui bâtirent de somptueux monuments. Shah Rukh et son épouse transformèrent Hérat en un gigantesque chantier, faisant ériger mosquées, madrasas, bains publics, bibliothèques et palais. Les bazars de Hérat produisaient tapis, bijoux, armes, armures et carreaux d'une finesse extrême. Behzad, qui passe pour le meilleur miniaturiste perse de tous les temps, peignait à la cour. « Si vous tendez les jambes à Hérat, vous pouvez être sûr de toucher du pied un poète », disait Ali Sher Nawaï, Premier ministre de Shah Rukh, lui-même artiste, poète et écrivain. Nawaï, poète national de l'Ouzbékistan actuel et père de la langue turque littéraire qu'il utilisa le premier, de préférence au perse, pour écrire ses poèmes, est enterré à Hérat. Le poète perse Jami, qui composait également à la cour, y a lui aussi son tombeau. Quant au fils de Shah Rukh, Ulugh Beg, c'était un astronome. Son calendrier et ses tables stellaires, issus des observations menées dans son observatoire de Samarkand, furent publiés en 1665 par l'université d'Oxford ; ils sont encore d'une précision extraordinaire. Gowhar Shad, à l'origine de la construction de plusieurs dizaines de mosquées, fit achever en 1417 la construction, aux abords de la ville, d'un complexe magnifique comprenant une mosquée, une madrasa et son propre tombeau. Ce dernier, aux murs couverts de faïence perse bleue parsemée de motifs floraux, surmonté d'une coupole bleue à nervures ornée d'inscriptions d'une blancheur éblouissante tirées du Coran, est toujours considéré comme l'un des fleurons de l'architecture islamique. Lorsqu'il le visita en 1937, Robert Byron le décrivit comme « le plus bel exemple, par ses couleurs et son architecture, jamais conçu par l'homme à la gloire de Dieu et de lui-même ». Lorsque Gowhar Shad mourut, à l'âge de 80 ans, après avoir fait construire plus de trois cents monuments en Afghanistan, en Perse et en Asie centrale, on grava simplement sur sa tombe l'inscription suivante : « La Bilkis de notre temps. » Bilkis signifie « reine de Saba ». La plus grande partie de ce complexe fut détruite par les Britanniques en 1885 ; les Soviétiques minèrent ensuite toute la zone pour en écarter les moudjahidin.

Lorsqu'ils bombardèrent Hérat en 1979, les Soviétiques infligèrent à la ville plus de dommages que les hordes des Mongols. « Hérat est aujourd'hui la ville la plus détruite et la plus minée du monde, et pourtant personne ne nous vient en aide », me disait Ismaël Khan en 1993. Il avait, malgré ces ravages, désarmé la population et établi une administration efficace qui assurait dans les trois provinces le bon fonctionnement des écoles et des services de santé.

Ce petit homme rusé arborait un sourire angélique qui le faisait paraître beaucoup plus jeune que ses 47 ans ; sous son contrôle, en 1993, 45 000 enfants fréquentaient les écoles de Hérat, dont la moitié de filles - il y avait 75 000 élèves en tout dans les trois provinces. Cette année-là, il m'emmena visiter l'école de Atun Hervi, où 1 500 filles étudiaient en deux roulements, assises en plein air, car il n'y avait ni salles de classe, ni pupitres, ni livres, ni papier ni encre - seulement le désir d'apprendre qui ne faisait que refléter la longue tradition de Hérat en la matière. Les taliban, en revanche, ordonnèrent la fermeture de 42 des 45 écoles existantes lorsqu'ils s'emparèrent de Kandahar. Après la prise de Hérat, ils firent fermer toutes les écoles de la ville et interdirent l'étude aux filles, même à la maison.

En 1995, Ismaël Khan devait affronter d'énormes problèmes. Il avait désarmé la population et levé une impopulaire armée de conscrits. Il lui fallait, pour lutter contre les taliban, réarmer la population alors que ses troupes, manquant de ressources et le moral au plus bas, s'enfonçaient dans la corruption. La ville était en butte à la corruption et au mépris des autorités ; ainsi, la douane rançonnait les camionneurs qui traversaient Hérat, contraints d'acquitter la somme exorbitante de 10 000 roupies pakistanaises (300 dollars américains), ce qui était le moyen le plus sûr de s'aliéner la mafia des transports. Les taliban étaient parfaitement au courant de ces problèmes. « Ismaël est faible, ses soldats ne se battront pas, parce qu'ils n'ont pas été payés, et il est discrédité aux yeux de son propre peuple à cause de son administration corrompue. Il est seul et il a besoin du soutien de Massoud », me dit le mollah Wakil Ahmad.

Ismaël Khan fit également une grossière erreur militaire. Persuadé que les taliban se trouvaient au bord de la désintégration après leur défaite, il lança contre eux une offensive inopportune et mal préparée. Appuyé par d'importantes unités mobiles, il s'empara de Dilaram le 23 août 1995 et d'une partie de la région de Helmand une semaine plus tard, menaçant Kandahar. Mais ses troupes s'étaient trop dispersées dans un environnement hostile alors que les taliban avaient passé l'été à se renforcer grâce aux armes, aux munitions et aux véhicules fournis par le Pakistan et l'Arabie saoudite ; ils s'étaient également dotés, avec l'aide des conseillers de l'isi, d'une nouvelle structure de commandement. L'isi avait en outre favorisé la conclusion d'un accord secret entre les taliban et le général Rachid Dostom. Ce dernier envoya ses techniciens ouzbeks réparer les chasseurs Mig et les hélicoptères pris à Kandahar l'année précédente, ce qui donna aux taliban leur première force aérienne. Quant à l'aviation de Dostom, elle lançait dans le même temps une campagne de bombardements sur Hérat.

Pour faire face à l'offensive d'Ismaël Khan, les taliban mobilisèrent rapidement quelque 25 000 hommes, souvent fraîchement arrivés du Pakistan. Les combattants plus expérimentés, avec leurs camionnettes Datsun, se déployèrent en colonnes mobiles chargées de harceler les lignes d'approvisionnement d'Ismaël Khan. Fin août, à Girishk, les taliban firent tomber l'envahisseur dans une embuscade décisive et Ismaël Khan ordonna la retraite générale. Les taliban, en quelques jours à peine, repoussèrent ses forces sur Shindand, qu'il abandonna inexplicablement le 3 septembre, sans combattre. Deux jours plus tard, alors que ses troupes, talonnées par les colonnes mobiles des taliban, étaient en proie à la confusion la plus totale, Ismaël Khan fuyait Hérat et se repliait sur l'Iran avec ses commandants et plusieurs centaines d'hommes. Le lendemain, une foule acquise au gouvernement, rendue furieuse par la perte de Hérat, mit à sac l'ambassade du Pakistan à Kaboul, blessant l'ambassadeur sous les yeux de soldats du gouvernement qui se gardèrent d'intervenir. Les relations entre Kaboul et Islamabad n'avaient jamais connu telle crise, d'autant que le président Rabbani accusa ouvertement le Pakistan de chercher à le chasser du pouvoir en se servant des taliban.

Ceux-ci contrôlaient désormais tout l'ouest du pays, la région, hautement sensible, frontalière de l'Iran et, pour la première fois, des populations en majorité non-pachtounes. Les taliban traitèrent Hérat en ville occupée, arrêtant les habitants par centaines, fermant toutes les écoles et imposant par la force leurs tabous sociaux et leur charia, avec plus d'intransigeance encore qu'à Kandahar. Ils mirent en place une garnison composée non de transfuges locaux, mais de taliban pachtounes purs et durs dépêchés de Kandahar, et confièrent l'administration à des Pachtounes Dourrani qui ne parlaient pas perse et ne pouvaient donc même pas communiquer avec la population. Au cours des années qui suivirent, aucun Hérati ne parvint à entrer dans l'administration. Pour cette population instruite, désormais gouvernée par ceux qu'elle considérait comme des Pachtounes incultes et mal dégrossis, sans aucune idée de la magnificence ou de l'histoire passées de leur ville, il ne restait plus qu'à se rendre au tombeau de Jami pour y lire cette triste épitaphe :

Lorsque ta face m'est cachée, comme la lune par une nuit noire, je pleure une pluie d'étoiles et pourtant ma nuit reste noire en dépit de toutes ces étoiles étincelantes.

La chute de Hérat sonnait aussi le début de la fin du gouvernement Rabbani. Encouragés par leurs victoires, les taliban lancèrent une nouvelle offensive sur Kaboul en octobre et novembre, afin de gagner du terrain avant que l'hiver et la neige n'interrompent les combats. Fin novembre, ils furent repoussés par une contre-attaque de Massoud, qui fit plusieurs centaines de morts. Mais les taliban ne cédèrent pas ; ils avaient d'autres moyens de conquérir la ville et choisirent d'affaiblir les lignes de front de Massoud par la corruption plutôt que par les armes.

Chapitre 3
KABOUL, 1996 : LE COMMANDEUR DES CROYANTS

Plusieurs centaines de mollahs afghans qui voyageaient en Jeep, en camion ou à cheval, convergeaient sur Kandahar en ces journées frileuses de début du printemps 1996. Le 20 mars, plus de 1 200 chefs religieux pachtounes du sud, de l'ouest et du centre de l'Afghanistan étaient arrivés en ville. Ils étaient logés et nourris dans des bureaux du gouvernement, dans l'ancien fort et dans le marché couvert, transformés en dortoirs géants grâce à des centaines de tapis jetés sur le sol, où les mollahs pouvaient se reposer.

C'était le plus grand rassemblement de mollahs et d'oulémas jamais organisé dans l'histoire de l'Afghanistan moderne. On notait l'absence des commandants militaires locaux, des chefs de clans et de tribus traditionnels, des figures emblématiques de la lutte contre les Soviétiques et des représentants non-pachtounes du nord de l'Afghanistan. Seuls les chefs religieux avaient été convoqués par le mollah Omar, afin de discuter d'un plan d'action à venir, mais surtout afin de légitimer le chef taliban en reconnaissant son pouvoir sans partage sur l'ensemble du pays.

Kaboul, assiégée depuis dix mois, continuait à résister, et le mécontentement des taliban montait en même temps que le nombre de tués. Pendant les longs mois d'hiver, certains modérés avaient appelé ouvertement aux négociations avec le régime de Kaboul. La tendance dure, au contraire, voulait continuer la conquête du pays. Les Pachtounes aussi étaient divisés. Ceux du Kandahar, regroupés autour d'Omar, voulaient la poursuite de la guerre, tandis que les délégués des régions pachtounes récemment conquises par les taliban demandaient la paix et la fin du conflit.

Le monde extérieur comprenait également que les taliban étaient parvenus à la croisée des chemins. « Les taliban ne peuvent pas plus prendre Kaboul que Massoud Kandahar. Comment leur mouvement évoluera-t-il s'ils ne réussissent pas à prendre Kaboul ? S'ils y parviennent, comment le reste de l'Afghanistan acceptera-t-il leur type de système islamique ? » Telles étaient les questions de Mahmoud Mestiri, le médiateur des Nations unies. Pendant deux semaines, les réunions de la shura se succédèrent jour et nuit. Des comités séparés discutaient de l'avenir militaire et politique, du meilleur moyen d'imposer la charia et de l'avenir de l'éducation des filles dans les régions tenues par les taliban, entre autres thèmes. Les discussions se déroulaient dans le secret le plus absolu et aucun étranger n'était admis à Kandahar pendant la durée de la shura. À l'exception toutefois de délégués pakistanais, comme l'ambassadeur du Pakistan à Kaboul, Qazi Humayun et d'un certain nombre d'officiers de l'isi, parmi lesquels le colonel Imam, consul général du Pakistan à Hérat.

Afin de gommer leurs divergences, le groupe des taliban du Kandahar réuni autour du mollah Omar le nomma « Amir al-mominin », « Commandeur des croyants », titre qui en faisait le chef incontesté du djihad et l'émir d'Afghanistan (les taliban rebaptisèrent d'ailleurs le pays « émirat d'Afghanistan »). Le 4 avril 1996, Omar apparut sur le toit d'un bâtiment situé au centre de la ville, revêtu du manteau du prophète Mahomet, sorti de son sanctuaire pour la première fois depuis soixante ans. Omar s'enveloppa dans le manteau et le laissa flotter au vent sous les applaudissements ravis de la foule des mollahs qui, rassemblés dans la cour en contrebas, scandaient « amir-al mominin ».

Ce serment d'allégeance, ou « bayat », rappelait la procédure utilisée pour confirmer le calife Omar comme chef de la communauté musulmane d'Arabie après la mort du prophète Mahomet. D'un point de vue politique, c'était un coup de génie car, en se vêtant du manteau du prophète, le mollah Omar s'arrogeait le droit de diriger non seulement tous les Afghans, mais aussi tous les musulmans. Le rassemblement se termina par un appel au djihad contre le régime du président Rabbani. Les taliban jurèrent de refuser toute négociation avec leurs adversaires et déclarèrent que la question de l'éducation des femmes ne pouvait être tranchée que par « un gouvernement légitime en Afghanistan ». La ligne dure et le mollah Omar triomphaient.

Beaucoup d'Afghans et de musulmans dans le monde entier furent outrés par l'arrogance indécente de ce pauvre mollah de village, sans érudition, sans lignée tribale ni lien de famille avec le Prophète. Aucun Afghan n'avait pris ce titre depuis que le roi Dost Mohammad Khan avait déclaré le djihad contre le royaume sikh de Peshawar, en 1834. Mais Dost Mohammad se battait contre des étrangers, tandis qu'Omar déclarait le djihad contre son propre peuple. De plus, l'islam ne reconnaissait la validité de ce titre que s'il était conféré à un chef par tous les oulémas du pays. Les taliban affirmèrent que leur réunion remplissait l'obligation coranique du « ahl e-hal o aqd », littéralement « ceux qui peuvent lier et délier », c'est-à-dire qui détiennent le pouvoir de prendre des décisions légitimes au nom de la communauté islamique.

Ce titre donnait à Omar une légitimité bienvenue et, aux yeux des Pachtounes, une aura mystique qu'aucun autre chef moudjahidin n'avait jamais acquise pendant la guerre. Il allait lui permettre de prendre une distance supplémentaire par rapport à la politique au quotidien, lui donner une excuse de plus pour refuser de rencontrer les diplomates étrangers et lui permettre de se montrer plus inflexible en ce qui concernait l'élargissement de la direction des taliban ou le dialogue avec l'opposition. Omar pouvait désormais se prévaloir de son titre pour refuser de rencontrer les chefs de l'opposition sur un pied d'égalité.

Mais l'assemblée des oulémas avait délibérément omis toute décision touchant les questions les plus sensibles, par exemple la façon dont les taliban comptaient diriger l'Afghanistan ou quels projets de développement social et économique, pour autant qu'ils en eussent, ils pensaient mettre en œuvre. De telles questions devaient rester sans réponse, même après la prise de Kaboul. « Nous ne nous sommes pas encore exprimés sur nos structures parce que nous ne sommes pas assez forts pour décider qui sera Premier ministre ou Président », déclara le mollah Wakil, l'adjoint d'Omar. « La charia n'autorise ni la politique ni les partis politiques. Voilà pourquoi nous ne donnons pas de salaires à nos représentants ou à nos soldats, mais juste de la nourriture, des vêtements, des chaussures et des armes. Nous voulons vivre la même vie que le Prophète il y a mille quatre cents ans et le djihad est notre droit. Nous voulons recréer l'époque du Prophète et nous ne faisons qu'accomplir ce que le peuple afghan désire depuis ces quatorze dernières années », ajouta-t-il. Un autre chef taliban s'expliqua en termes plus succincts encore. « Nous pouvons aimer nos ennemis, mais seulement après les avoir vaincus. »

La veille, des émissaires taliban avaient prévenu Mestiri à Islamabad qu'ils étaient prêts à discuter avec le président Rabbani. « Si les taliban sont prêts à discuter, et le président Rabbani aussi, c'est un point très positif », avait commenté Mestiri, plein d'espoir. Le résultat final de l'assemblée des oulémas fut un choc dont ni Mestiri ni l'effort de paix des Nations unies ne devaient se remettre ; le médiateur démissionna d'ailleurs en mai.

La réunion des oulémas avait également été suscitée par les succès politiques grandissants du président Rabbani auprès des autres chefs de l'opposition et au niveau international. Les succès militaires de Kaboul, contre Hekmatyar, les Hazara et l'attaque des taliban, avaient fini par convaincre le régime que le moment était venu de se refaire une santé politique en élargissant la base de son soutien. Le président Rabbani entama des pour-parlers avec d'autres chefs de guerre auxquels il fit miroiter la promesse d'un portefeuille dans le nouveau gouvernement qu'il se disait prêt à former. En janvier et février 1996, le docteur Abdur Rehman, son émissaire, rencontra séparément Gulbuddin Hekmatyar à Sarobi, le général Rachid Dostom à Mazar e-Charif et la direction du Hezb-i Wahdat à Bamiyan. En février, tous les groupes de l'opposition acceptèrent, à l'exception des taliban qui conti-nuaient à exiger la reddition du régime, de créer un conseil de dix membres chargé de négocier les termes d'une paix avec Kaboul. Quelques semaines plus tard, le Hezb e-Islami donnait à Hekmatyar toute latitude pour négocier le partage du pouvoir avec Rabbani.

Le Pakistan, inquiet des succès de Rabbani, s'évertua à convaincre les mêmes chefs de guerre de s'allier aux taliban dans un front commun contre Kaboul. L'ISI invita à Islamabad Hekmatyar, Dostom, les chefs pachtounes de la shura de Djalalabad et certains chefs du Hezb e-Wahdat. Pendant une semaine, du 7 au 13 février, ils rencontrèrent à diverses reprises le président Farouq Leghari et le général Jehangir Karamat, chef des armées. Le Pakistan proposa une alliance politique et, en privé, une attaque conjuguée sur Ka-boul - les taliban au sud, Hekmatyar à l'est et Dostom au nord. Afin d'ama-douer les taliban, le ministre de l'Intérieur, Nasirullah Babar, proposa 3 millions de dollars américains pour réparer la route qui relie Chaman à Torgundi, sur la frontière avec le Turkménistan, au sud de l'Afghanistan. Mais les taliban refusèrent d'assister aux réunions, repoussant une fois de plus leurs mentors pakistanais en dépit des appels personnels du ministre de l'Intérieur, Babar, du chef du JUI, Fazlur Rehman, et de l'ISI. Les taliban refusèrent toute implication avec les autres chefs de guerre, qu'ils accusaient d'être des infidèles communistes.

L'échec d'Islamabad, qui n'avait pas réussi à créer un front uni contre Kaboul, enhardit Rabbani. Début mars, accompagné d'une délégation de 60 hommes, le Président entama une tournée en Iran, au Turkménistan, en Ouzbékistan et au Tadjikistan afin d'obtenir le soutien de la communauté internationale une augmentation de son aide militaire. L'Iran, la Russie et l'Inde, qui appuyaient le régime de Kaboul, estimèrent que le conflit entrait dans une phase cruciale et qu'une autre bataille pour Kaboul risquait d'ag-graver l'instabilité politique et d'accélérer la propagation du fondamenta-lisme islamique en Asie centrale. L'Iran ne décolérait pas depuis la chute de Hérat, désormais aux mains d'une force pachtoune violemment antichiite et soutenue par le Pakistan et l'Arabie saoudite, ses rivaux dans la région. La Russie considérait le régime de Kaboul comme plus modéré et malléable que les taliban et s'inquiétait pour la sécurité des républiques d'Asie centrale. Moscou souhaitait également la fin des quatre années de guerre civile entre le gouvernement néocommuniste et les rebelles islamiques du Tadjikistan, conflit attisé par l'Afghanistan. L'Inde soutenait Kaboul pour la bonne et simple raison que le Pakistan soutenait les taliban.

Tous ces pays augmentèrent l'aide militaire allouée au régime en place. La Russie envoya ses techniciens moderniser les installations de l'aéroport de Bagram tandis que ses avions-cargos venus de Russie, du Tadjikistan et d'Ukraine livraient armes, munitions et carburant à Kaboul. L'Iran établit entre Meched, à l'est du pays, et Bagram un pont aérien pour acheminer des armes. Les services de renseignement pakistanais annoncèrent que treize avions iraniens chargés de matériel atterrissaient quotidiennement à Bagram. La CIA soupçonnait les alliés chiites afghans du régime Rabbani d'avoir vendu à l'Iran cinq missiles antiaériens Stinger, pour 1 million de dollars chacun. (Les États-Unis avaient fourni quelque 900 missiles Stinger aux moudjahidin en 1986 et 1987 ; après 1992, la CIA lança une opération clandestine de rachat des Stinger non utilisés, en pure perte.) L'Iran installa également près de Meched cinq camps d'entraînement où l'ancien gouverneur de Hérat Ismaël Khan entreprit de former quelque 5 000 combattants. L'aide de l'Iran au régime était d'autant plus significative que Téhéran avait dû ravaler sa colère contre Massoud, responsable du massacre des chiites Hazara de Kaboul l'année précédente. Quant à l'Inde, elle participa au réaménagement des avions d'Ariana - la compagnie aérienne afghane désormais basée à New Delhi - afin de doter le régime de gros porteurs d'armes fiables. L'Inde fournit également des pièces détachées pour l'aviation, de nouveaux radars au sol et de l'argent.

À leur tour, Pakistan et Arabie saoudite augmentèrent leurs livraisons d'armes aux taliban. Le Pakistan leur procura un nouveau réseau de téléphonie sans fil, réaménagea l'aéroport de Kandahar et fournit à leur aviation des armes et pièces détachées, tout en continuant à envoyer nourriture, carburant et munitions, notamment des roquettes. Les Saoudiens procurèrent aux taliban du carburant, de l'argent et plusieurs centaines de nouvelles camionnettes. La majeure partie de cette aide était expédiée à l'aéroport de Kandahar à partir de la ville portuaire de Dubaï.

L'étendue de l'implication extérieure inquiéta les Américains : après un intervalle de quatre ans, ils s'intéressaient à nouveau à la résolution du conflit afghan. Au début du mois de mars, Hank Brown, membre du Congrès et du sous-comité du Sénat sur les relations extérieures dans le sud de l'Asie, fut le premier représentant américain élu à se rendre à Kaboul et dans d'autres centres de décision importants depuis six ans. Il espérait organiser à Washington une réunion de toutes les factions afghanes.

Robin Raphel, sous-secrétaire d'État pour le sud de l'Asie, arriva à Islamabad pour faire le point sur la politique américaine en Afghanistan. Partie le 19 avril 1996, elle se rendit dans les trois centres névralgiques de Kaboul, Kandahar et Mazar e-Charif, puis dans trois capitales d'Asie centrale. « Nous ne songeons pas à intervenir dans les affaires afghanes, mais nous nous considérons comme des amis de l'Afghanistan ; voilà pourquoi je suis ici pour inciter les Afghans eux-mêmes à se rencontrer et à se parler. Nous nous préoccupons également des occasions économiques qui risquent d'être manquées si la stabilité politique ne peut être restaurée », déclara-t-elle à Kaboul. Robin Raphel faisait allusion à un projet de construction de pipeline par le géant américain du pétrole Unocal afin d'acheminer le gaz du Turkménistan au Pakistan en passant par l'Afghanistan. Les États-Unis attendaient que toutes les factions afghanes en présence acceptent le projet et poussaient le Pakistan à se réconcilier avec le régime Rabbani pour le faire asseoir à la table de négociations aux côtés des taliban.

Les États-Unis prirent d'autres initiatives. Au cours d'une réunion du conseil de sécurité des Nations unies sur l'Afghanistan, la première en six ans, ils proposèrent un embargo international sur les ventes d'armes à l'Afghanistan. Il s'agissait pour Robin Raphel de persuader toutes les puissances régionales impliquées de s'engager à ne pas intervenir dans les affaires afghanes, tout en donnant plus de poids aux efforts entrepris par les Nations unies pour organiser une conférence de toutes les factions afghanes.

L'administration Clinton était visiblement favorable aux taliban, dans la mesure où leurs menées s'accordaient à la politique anti-iranienne de Washington et où ils jouaient un rôle décisif pour tout projet de pipeline en provenance d'Asie centrale qui éviterait l'Iran. Le Congrès américain avait accordé à la CIA un budget secret de 20 millions de dollars pour déstabiliser l'Iran, et Téhéran accusait Washington de verser aux taliban une partie de ces fonds - accusation réfutée par les États-Unis. Benazir Bhutto envoya à Washington plusieurs émissaires chargés d'inciter les États-Unis à intervenir clairement en faveur du Pakistan et des taliban ; malgré leur antipathie commune à l'égard de l'Iran, Washington refusa de prendre parti dans la guerre civile. Robin Raphel démentit catégoriquement l'existence d'une quelconque aide américaine aux taliban. « Nous ne favorisons aucune faction par rapport à l'autre, et nous n'accordons aucun soutien, ni collectif ni individuel », m'affirma-t-elle.

D'ailleurs, les États-Unis doutaient fort que les taliban parviennent à prendre Kaboul dans un avenir proche. D'après les descriptions de Robin Raphel, ils souffraient d'une organisation trop fractionnée, manquaient d'expérience et de dirigeants forts, étaient incompétents en matière d'administration et tellement obstinés qu'ils s'étaient aliéné les autres factions. « Ces faiblesses combinées à la puissance croissante de Massoud semblent faire pencher la balance contre les taliban, et les empêcheront de parvenir à leur but déclaré, la prise de Kaboul. Les taliban semblent avoir atteint la limite de leur expansion, même si leur position dans le Sud pachtoune reste solide », déclara-t-elle.

Washington tenta également de se concilier les autres chefs de guerre. Certains se rendirent dans la capitale américaine, à commencer par le général Dostom, qui y rencontra les autorités le 11 avril 1996. Des chefs afghans de toutes les factions ou leurs représentants participèrent à un comité du Congrès - fait sans précédent -, organisé à Washington par le sénateur Hank Brown du 25 au 27 juin. Le gouvernement hésitait pourtant à s'impliquer à nouveau dans le bourbier afghan, surtout en cette année d'élections, et ses objectifs ne pouvaient être que limités, malgré ses inquiétudes au sujet du trafic d'armes et de drogue qui fleurissait en Afghanistan.

Les réticences américaines vis-à-vis des taliban étaient également dues à l'échec des efforts du Pakistan pour créer une alliance anti-Rabbani ; situation d'autant plus embarrassante pour Islamabad que 1 000 soldats des forces de Hekmatyar arrivèrent à Kaboul au mois de mai pour soutenir le gouvernement contre les taliban. Le 26 juin 1996, Hekmatyar en personne pénétrait à Kaboul, pour la première fois depuis quinze ans, et acceptait le poste de Premier ministre offert par le régime tandis que son parti prenait neuf autres portefeuilles dans le nouveau gouvernement. Les taliban lancèrent le même jour une attaque de représailles massive contre Kaboul ; leurs roquettes firent 61 morts et plus de 100 blessés.

Rabbani poussa l'avantage politique conquis avec Hekmatyar en se rendant à Djalalabad pour persuader la shura de se rallier à son gouvernement. Il se déclara prêt à s'effacer en faveur d'un autre dirigeant afghan et proposa une conférence multipartite à Djalalabad pour élire un nouveau chef d'État. En août, Dostom acceptait une trêve et rouvrait pour la première fois depuis plus d'un an la route de Salang, qui relie Kaboul au nord du pays. Les concessions de Rabbani avaient fini par faire décoller le « dialogue intra-afghan ». « Cette alliance peut être consolidée si nous amenons plus de personnalités de l'opposition à créer un axe de paix, et je les appelle à se joindre au processus en cours afin que nous puissions nous entendre sur la composition d'un gouvernement d'intérim », me déclara Rabbani à Kaboul. Ce succès considérable causa la fureur des taliban, désormais réduits à agir rapidement contre Rabbani avant qu'il ne consolide ces alliances.

Postés aux abords de la capitale, les taliban bombardaient Kaboul sans pitié depuis le début de l'année. Pour le seul mois d'avril 1996, ils avaient tiré 866 roquettes, qui avaient tué 180 civils, en avaient blessé 550 et détruit de grandes parties de la ville - sorte de répétition des attaques de Hekmatyar de 1993 à 1995. En juillet 1996, les roquettes des taliban manquèrent de peu le diplomate allemand Norbert Holl, nouveau médiateur des Nations unies pour l'Afghanistan en visite à Kaboul. Holl était furieux. « On ne traite pas ainsi un émissaire de paix, en lui tirant dessus. Quand vous recevez un invité dans votre maison, vous ne commencez pas à lui cracher au visage. Cela montre une sorte de mépris pour ma mission », déclara-t-il aux taliban.

Les tirs de roquette des taliban s'accompagnaient de fréquents assauts terrestres contre les lignes de front de Massoud, au sud et à l'ouest de la ville. Fin mai, j'allai observer à la jumelle, depuis une colline noyée de pluie tenue par les hommes de Massoud, l'attaque d'une colonne de plusieurs dizaines de camionnettes menée par les taliban qui tentaient, couverts par un barrage d'artillerie, de percer les lignes de Massoud sur une route en contrebas. Les hommes de Massoud ripostaient en pilonnant l'artillerie ca-chée des taliban avec leurs bazookas D-30, de fabrication russe. Les défla-grations assourdissantes des obus secouaient les montagnes et faisaient trembler les genoux. Les bombardements continuels avaient rendu sourds les artilleurs, qui n'avaient aucune protection auditive.

Derrière les lignes de Massoud, des camions chargés de troupes fraîches et de munitions gravissaient les pentes boueuses de la colline. « Les taliban ont d'énormes réserves de munitions et ils tirent les obus par milliers, mais leurs artilleurs sont très mauvais. Par contre, ils font meilleur usage de leurs chars et de leurs camionnettes que l'an dernier », me dit un général de l'ar-mée de Massoud. Leur tactique est encore médiocre, ils continuent à préférer les attaques de front, et leur état-major semble dépourvu d'un système de communication efficace. Les taliban étaient incapables de concentrer suffi-samment de puissance de feu et de troupes sur un seul front pour réussir une percée dans la ville, et Massoud brisait sans arrêt leurs formations. Ce-pendant, même s'il pouvait tenir le front autour de Kaboul, ses effectifs - estimés à tout juste 25 000 hommes - ne lui permettait ni d'élargir ce front ni de passer à l'offensive pour repousser les taliban vers le sud.

L'entêtement de ceux-ci à refuser tout accord avec d'autres chefs de guerre, à la grande frustration des Pakistanais, sembla finalement payer lorsque les taliban persuadèrent le Pakistan et l'Arabie saoudite de soutenir une nouvelle offensive d'envergure destinée à prendre Kaboul avant l'hiver. Le prince Turki al-Faisal, directeur des services de renseignements saoudiens, se rendit à Islamabad et à Kandahar en juillet 1996 afin de discuter avec l'ISI d'un nouveau plan pour prendre Kaboul, et les deux pays augmentèrent leur aide aux taliban. Moins de deux mois après la visite de Turki, les taliban passaient à l'offensive - non à Kaboul, mais contre la ville de Djalalabad, à l'est du pays. Le Pakistan et l'Arabie saoudite contribuèrent à la reddition puis à la fuite du chef de la shura de Djalalabad, Haji Abdul Qader. Ce dernier toucha une forte somme en liquide, que certains afghans évaluent à 10 millions de dollars, en plus de la garantie que ses avoirs et ses comptes en banque au Pakistan ne seraient pas gelés.

Les taliban lancèrent leur offensive surprise sur Djalalabad le 25 août 1995. Le gros de leurs forces avança sur la ville par le sud pendant que le Pakistan ouvrait ses frontières pour permettre le passage de centaines de partisans armés des taliban, en provenance des camps de réfugiés afghans, qui se dirigèrent sur Djalalabad par l'est. La ville céda à la panique et la shura se débanda. Haji Qader s'enfuit au Pakistan le 10 septembre et le gouverneur Mahmoud, son successeur par intérim, fut tué le lendemain avec six de ses gardes du corps alors qu'il tentait lui aussi de fuir au Pakistan. Le soir même, une colonne mobile de camionnettes des taliban conduite par le mollah Borjan entrait à Djalalabad après une brève fusillade qui fit 70 morts.

D'autres colonnes mobiles des taliban s'emparaient des trois provinces orientales, Nangarhar, Laghman et Kunar, au cours des trois jours suivants. Dans la nuit du 24 septembre 1996, elles se portaient sur Sarobi, située à 70 kilomètres de Kaboul et porte d'accès à la capitale. Leur attaque-éclair, menée à partir de différents points, fut une surprise totale sur les troupes gouvernementales, qui reculèrent vers Kaboul. Pour la première fois, le flanc est de la capitale était complètement dégarni. Les taliban n'interrompirent pas leur progression pour se regrouper, mais pourchassèrent les défenseurs de Sarobi jusqu'à Kaboul. D'autres colonnes de taliban arrivèrent du sud, et une colonne quitta Sarobi par le nord pour s'emparer de l'aéroport de Bagram, coupant l'unique lien aérien de Massoud.

La rapidité de leur offensive stupéfia le gouvernement. Les colonnes des taliban déferlèrent sur Kaboul dans la soirée du 26 septembre 1996, quelques heures à peine après que Massoud eut donné l'ordre d'évacuer la ville. De petites unités restèrent en arrière pour retarder l'avance des taliban et faire sauter les dépôts de munitions pendant que Massoud s'échappait vers le nord avec le gros de ses blindés et de son artillerie. Massoud avait décidé d'abandonner la ville sans combattre parce qu'il savait qu'il ne pouvait la défendre contre des attaques simultanées depuis les quatre points cardinaux. Il ne voulait pas non plus perdre le soutien de la population de Kaboul en l'exposant à des combats qui auraient causé une nouvelle effusion de sang. La victoire des taliban était totale. «Aucune force afghane, qu'elle appartienne au gouvernement ou à l'opposition, n'a jamais accompli une série aussi rapide et complète d'opérations sur un théâtre aussi vaste. Il s'agissait d'une guerre de mobilité livrée avec une efficacité maximale.»

Le premier acte des taliban, et le plus atroce, fut de pendre l'ancien président Najibullah, qui avait dirigé l'Afghanistan de 1986 à 1992. Najibullah, alors âgé de 50 ans, vivait dans les locaux diplomatiques des Nations unies au centre de Kaboul, depuis 1992, date de l'échec du plan de paix de l'ONU qui prévoyait la mise sur pied d'un gouvernement par intérim. Il aurait dû quitter Kaboul en compagnie de Benon Sevan, le médiateur des Nations unies, juste avant la prise de la ville par les moudjahidin, mais leur départ avait été empêché au dernier moment. Toutes les factions afghanes en guerre avaient respecté l'immunité diplomatique des locaux des Nations unies. Fatana, l'épouse de Najibullah, et leurs trois filles vivaient en exil à New Delhi depuis 1992.

Les bévues des Nations unies sont en partie responsables de sa mort. La jour de la chute de Sarobi, Najibullah envoya au quartier général de l'ONU à Islamabad un message demandant à Norbert Holl de préparer son évacuation et celle de ses trois compagnons - son frère Shahpur Ahmadzai, son secrétaire particulier et son garde du corps. Mais il n'y avait à Kaboul aucun représentant des Nations unies pour se charger de la protection de Najibullah. Massoud fut le seul à lui proposer de quitter la ville avec ses hommes. Dans l'après-midi du 26 septembre 1996, un de ses principaux généraux vint demander à Najibullah de se joindre à la retraite des troupes du gouvernement, en lui promettant de le faire passer au nord. Najibullah refusa ; cet homme fier et têtu craignait sans doute que ses compagnons pachtounes ne le condamnent à jamais pour avoir fui avec les Tadjiks.

La garde des locaux des Nations unies était assurée par trois sentinelles afghanes effrayées qui s'enfuirent dès qu'elles entendirent les tirs des taliban dans les faubourgs de la ville. Dans la soirée, Najibullah envoya par télégraphe un dernier appel à l'aide à Islamabad. Il était déjà trop tard. Une unité spéciale composée de cinq taliban désignés pour cette tâche, sans doute dirigée par le mollah Abdul Razaq, gouverneur de Hérat et nouveau commandant des troupes choisies pour s'emparer de Kaboul, vint chercher

Najibullah vers 1 heure du matin, avant même l'entrée des taliban dans le centre de la capitale. Razaq reconnut par la suite avoir ordonné l'assassinat de Najibullah.

Les taliban entrèrent dans la chambre de Najibullah, le passèrent à tabac, ainsi que son frère, et jetèrent les deux hommes inconscients à l'arrière d'une camionnette qui se rendit au palais présidentiel plongé dans l'obscurité. Là, ils castrèrent Najibullah et traînèrent son corps derrière une jeep, avant de l'achever d'une balle. Son frère subit les mêmes tortures et fut étranglé. Les taliban pendirent les deux cadavres à un poteau de signalisation en béton, juste devant le palais, à quelques pâtés de maisons des locaux des Nations unies.

À l'aube, des habitants curieux vinrent regarder les deux corps gonflés et mutilés pendus par du fil de fer. Ils avaient des cigarettes entre les doigts et les poches débordantes de billets de banque afghans - pour mieux transmettre le message des taliban sur leur débauche et leur corruption. Les deux autres compagnons de Najibullah s'étaient échappés. Rattrapés alors qu'ils tentaient de fuir la ville, ils furent aussi torturés et pendus.

L'exécution de Najibullah fut le premier acte, symbolique et brutal, des taliban à Kaboul. Ce meurtre prémédité et délibéré avait pour but de terroriser la population. Le mollah Rabbani, chef nouvellement nommé de la shura de Kaboul, affirma que Najibullah était un communiste et un assassin déjà condamné à mort par les taliban, ce qui était exact. Cependant, la mutilation du corps de Najibullah excédait de loin toute prescription islamique, et beaucoup d'habitants de Kaboul furent révoltés par l'absence de procès équitable et l'exposition des cadavres en public. Leur dégoût augmenta lorsque les taliban s'opposèrent aux funérailles islamiques de Najibullah ; des prières furent dites pour lui à Quetta et à Peshawar, où les nationalistes pachtounes du Pakistan honorèrent sa mémoire. Les cadavres finalement décrochés furent confiés au CICR qui les emporta à Gardez, le village natal de Najibullah, dans la province de Paktia, où il fut enterré aux côtés des membres de sa tribu, les Ahmadzai.

La condamnation fut universelle, en particulier dans le monde musulman. Les taliban avaient non seulement humilié les Nations unies et la communauté internationale mais également embarrassé le Pakistan et l'Arabie saoudite, leurs alliés. Les Nations unies se résolurent à un communiqué : « Le meurtre de l'ancien Président, en dehors de toute procédure judiciaire légitime, ne constitue pas uniquement une violation grave de l'immunité dont bénéficient les installations des Nations unies, mais une menace supplémentaire contre tous les efforts tentés afin d'assurer un règlement pacifique du conflit afghan. » Les taliban, loin d'être intimidés, lancèrent des condamnations à mort contre Dostom, Rabbani et Massoud.

Moins de vingt-quatre heures suffirent aux taliban pour imposer, après la prise de Kaboul, le plus strict système islamique au monde. Toutes les femmes furent interdites de travail, alors que le quart des fonctionnaires de la capitale, l'ensemble du corps enseignant des écoles élémentaires et une grande partie des professionnels de la santé étaient des femmes. Les écoles et les universités pour filles fermèrent leurs portes aux 70 000 étudiantes ; un code vestimentaire draconien força les femmes à se voiler de la tête aux pieds. On craignit le pire pour la survie des 25 000 familles dirigées par des veuves de guerre dépendant de leur travail et des distributions des Nations unies. Chaque jour apportait son lot de déclarations nouvelles. « Les voleurs auront les mains et les pieds coupés, les époux adultères seront lapidés à mort, ceux qui consomment de l'alcool seront fouettés », annonçait Radio Kaboul le 28 septembre 1996.

Télévision, cassettes vidéo, antennes paraboliques, musique et jeux, dont les échecs, le football et le cerf-volant, furent interdits. Radio Kaboul, rebaptisée Radio Charia, cessa de diffuser de la musique. Les soldats taliban postés au coin des rues arrêtaient les hommes qui ne portaient pas la barbe. Contrairement à ce qui s'était passé lors de la prise de Hérat et d'autres villes, Kaboul abritait de nombreux correspondants de presse étrangers, qui rendirent compte pour la première fois, en détail, des restrictions imposées par les taliban. Ceux-ci mirent en place une shura de six hommes, dominée par les Pachtounes Dourrani et sans aucun membre originaire de Kaboul. Dirigée par le mollah Mohammed Rabbani, la shura se composait des mollahs Mohammed Ghaus, ministre des Affaires étrangères, Amir Khan Muttaqi, ministre de l'Information, Sayed Ghaysuddin Agha, Fazil Mohammed et Abdul Razaq.

Aucun des membres de cette shura n'avait jamais vécu dans une grande ville et la plupart n'avaient jamais mis les pieds à Kaboul, mais ils dirigeaient désormais une ville animée, multiethnique, relativement moderne, peuplée de 1,2 million d'habitants dont une petite minorité de Pachtounes. La nouvelle police religieuse des taliban entreprit de faire respecter la « charia » et Kaboul fut traitée en ville occupée. Personne ne comprenait que l'administration d'une grande ville n'a rien à voir avec la direction d'un village.

Apparemment, le seul obstacle à la victoire totale des taliban s'appelait Ahmad Shah Massoud.

Massoud était l'un des meilleurs commandants et l'une des personnalités les plus charismatiques issues du djihad. Surnommé le « lion du

Panjshir », d'après sa province tadjik natale de la vallée du Panjshir, au nord de Kaboul, il esquiva puis mit en échec sept offensives de taille lancées par les Soviétiques contre le Panjshir dans les années 1980. Les généraux de l'Armée rouge considéraient comme invincible cet homme passé maître dans l'art de la guérilla. Son armée de quelques 20 000 hommes l'adorait, et sa réputation atteignit des sommets en 1992, lorsqu'il s'empara de Kaboul après avoir fait échouer les tentatives de Hekmatyar, juste après l'effondrement du régime communiste. Pourtant, quatre années de pouvoir à Kaboul avaient transformé l'armée de Massoud en soldatesque arrogante qui harcelait les civils, volait dans les boutiques et confisquait les logements ; voilà pourquoi les habitants de Kaboul accueillirent d'abord favorablement l'arrivée des taliban.

Né en 1953 dans une famille de militaires, Massoud avait étudié au lycée français Istiqlal de Kaboul. Devenu l'un des jeunes opposants islamiques au régime du président Daoud, il s'enfuit au Pakistan en 1975, après avoir mené un soulèvement manqué dans le Panjshir. Exilé à Peshawar, Massoud se brouilla avec son compagnon Gulbuddin Hekmatyar ; leur rivalité, au cours des vingt années qui suivirent, contribua fortement à empêcher les moudjahidin de s'unir pour former un gouvernement de coalition. Son amertume à l'égard du Pakistan, d'abord rangé aux côtés de Hekmatyar avant d'embrasser la cause des taliban, devint une obsession. Pendant le djihad, Massoud soutenait que la direction stratégique de la guerre devait dépendre des Afghans et non de l'ISI. Or c'est le Pakistan qui livrait toutes les armes fournies par les États-Unis, d'où une inimitié qui persiste encore de nos jours. La surprise d'Islamabad fut énorme en 1992, lorsque Kaboul tomba non entre les mains des Pachtounes du Sud, mais des Tadjiks et des Ouzbeks du Nord.

Aussi fort soit-il dans le domaine de la guerre, celui de la paix échappait totalement à Massoud. Mauvais politique, il se montra incapable de convaincre les autres chefs de guerre pachtounes, qui détestaient Hekmatyar, que seule une alliance Tadjiks-Pachtounes permettrait de ramener la paix. L'exceptionnel stratège militaire n'était pas doué pour l'élaboration d'alliances politiques entre différents groupes et mouvements ethniques. Son problème principal venait du fait qu'il était tadjik. Hormis un soulèvement avorté en 1929, les Tadjiks n'avaient jamais gouverné à Kaboul et les Pachtounes ne leur accordaient aucune confiance.

Pendant tout le temps qu'il passa à Kaboul, Massoud préféra s'isoler et refuser les postes qu'on lui proposa au gouvernement, y compris celui de ministre de la Défense du président Rabbani, alors qu'il était le chef des armées. « Il y a un vieux proverbe perse qui dit ceci : Quand tout le monde cherche une chaise où s'asseoir, mieux vaut s'asseoir par terre », me dit-il en mai 1996, quelques semaines avant d'être chassé de Kaboul par les taliban. « Le Pakistan essaie de soumettre l'Afghanistan pour en faire une colonie et y installer un gouvernement fantoche. Cela ne marchera pas, parce que le peuple afghan a toujours été indépendant et libre » ajouta-t-il.

Travaillant dix-huit heures par jour avec deux aides de camp qui se relayaient pour suivre son rythme, il dormait quatre heures par nuit, mais jamais deux fois au même endroit par peur d'un assassinat. Il dormait, mangeait et se battait avec ses hommes et l'on pouvait être sûr de le trouver sur la ligne de front lors des affrontements importants. Expulsé de Kaboul par les taliban qui semblaient sur le point de conquérir le pays entier, il lui fallait relever le plus grand de tous les défis. Certes, il n'était pas mort, mais cet homme âgé de 46 ans en 1999 avait passé les vingt-cinq dernières années de sa vie à se battre presque sans interruption.

Les forces de Massoud reculèrent le long de la route de Salang vers sa base du Panjshir. Poursuivis par les taliban, les hommes de Massoud dynamitèrent les montagnes, causant des glissements de terrain qui bloquèrent l'entrée de la vallée. Les taliban lancèrent contre le Panjshir une attaque qui échoua. Ils suivirent la route de Salang, s'emparant des villes qui se trouvaient sur leur chemin jusqu'au tunnel de Salang, où les troupes de Dostom, qui arrivaient de Mazar e-Charif, au sud, les arrêtèrent. Dostom n'avait pas encore choisi son camp, et ses hommes se gardèrent d'engager le combat contre les taliban.

Le mollah Rabbani rencontra Dostom le 8 octobre 1996 pour tenter de neutraliser les Ouzbeks pendant que les taliban attaquaient Massoud, mais les pourparlers cessèrent rapidement. Les taliban refusaient d'accorder à Dostom un pouvoir autonome dans le Nord. Le Pakistan tâcha d'éloigner Dostom de Massoud par la voie diplomatique. Dostom comprit pourtant qu'en dépit de toutes leurs différences, la véritable menace contre les non-pachtounes venait des taliban. Le 10 octobre 1996, l'ancien président Rabbani, Massoud, Dostom et le chef Hazara Karim Khalili se rencontraient à Khinjan et constituaient un « Conseil suprême pour la défense de la mère patrie » afin de contrer les taliban. C'était le début d'une nouvelle alliance antitaliban, qui allait perpétuer la guerre civile.

Les taliban s'étaient trop dispersés pendant leur rapide avance vers le nord et Massoud profita de la situation en lançant une contre-offensive d'envergure le long de la route le 12 octobre 1996. Il s'empara de plusieurs villes, tuant et capturant des centaines de soldats taliban qui fuyaient en direction de Kaboul. Le 18 octobre 1996, les forces de Massoud reprenaient le contrôle de la base aérienne de Bagram et commençaient à bombarder l'aéroport de Kaboul tandis que l'aviation de Dostom bombardait des cibles dans la capitale. Les lourds combats causèrent de nombreuses pertes civiles et forcèrent 50 000 personnes à fuir les villages qui bordaient la route de Salang. Ces réfugiés misérables arrivèrent à Kaboul au moment même ou plusieurs dizaines de milliers de citadins - essentiellement tadjiks et Hazara - essayaient de fuir en sens inverse, c'est-à-dire vers l'est et la frontière pakistanaise, pour échapper aux représailles des taliban et aux arrestations de masse qui avaient déjà commencé dans la capitale.

Les taliban, qui subissaient des pertes élevées, risquaient de manquer d'hommes ; ils commencèrent à enrôler les jeunes hommes de Kaboul, raflés dans les mosquées. Plusieurs milliers de volontaires arrivèrent du Pakistan, où certains oulémas pakistanais avaient fermé leurs madrasas afin d'obliger les étudiants à s'engager en masse dans les rangs des taliban. Des milliers d'étudiants afghans et pakistanais issus des camps de réfugiés arrivaient quotidiennement à Kandahar et Kaboul dans des autocars affrétés par les partis islamiques du Pakistan. On cessa de s'enquérir de leurs passeports ou de leurs visas à la frontière pakistanaise.

Revigorés par ces renforts, les taliban passèrent à l'attaque dans l'ouest de l'Afghanistan, faisant mouvement vers le nord et la province de Badghis à partir de Hérat. Fin octobre 1996, Ismaël Khan et 2 000 de ses hommes quittèrent leur exil iranien pour Maïmana, où ils arrivèrent dans les avions de Dostom afin de défendre la ligne de front contre les taliban à Baghdis. L'Iran avait équipé et réarmé les hommes d'Ismaël Khan dans une tentative provocatrice et délibérée de venir en aide à la nouvelle alliance antitaliban. Des combats meurtriers se déroulèrent à Badghis en novembre et décembre, marqués des deux côtés par une utilisation intensive de l'aviation, et 50 000 nouvelles personnes déplacées furent jetées sur les routes vers Hérat. Leur fuite ne fit qu'aggraver la catastrophique crise des réfugiés à laquelle devaient faire face les agences humanitaires des Nations unies, alors que l'hiver, la neige et les combats empêchaient tout secours.

Malgré les lourdes chutes de neige, les taliban repoussèrent Massoud à l'extérieur des faubourgs de Kaboul. Fin janvier 1997, ils avaient reconquis presque tout le territoire perdu le long de la route de Salang, et repris la base aérienne de Bagram et Charikar. Massoud recula jusqu'au Panjshir alors que les taliban avançaient la route à la rencontre de Dostom.

La chute de Kaboul et l'intensité des combats qui avaient suivi soulevaient de graves appréhensions dans toute la région. L'Iran, la Russie et quatre républiques d'Asie centrale enjoignirent aux taliban de ne pas avancer vers le nord et annoncèrent publiquement qu'ils participeraient au réarmement de l'alliance antitaliban. Dans le même temps, Pakistan et Arabie saoudite envoyaient des missions diplomatiques à Kaboul afin de déterminer la nature de l'aide à apporter aux taliban. Les belligérants ne tinrent aucun compte des appels au cessez-le-feu ni des offres de médiation des Nations unies et d'autres organes internationaux. La polarisation de la région était totale : d'un côté le Pakistan et l'Arabie saoudite alliés aux taliban, de l'autre les États de la région qui soutenaient l'opposition. Les taliban n'étaient pas près de recevoir la reconnaissance internationale qu'ils recherchaient désespérément. « Nous n'avons pas un seul ami au monde. Nous avons conquis les trois quarts du pays, nous avons pris la capitale et nous n'avons même pas reçu un seul message de félicitations », regrettait le mollah Mohammed Hassan.

Pourtant, le refus de tout compromis avec l'opposition ou les Nations unies, la foi inébranlable et la détermination du mollah Omar à remporter la victoire finale avaient apparemment fini par porter leurs fruits. Kaboul, capitale des rois pachtounes afghans depuis 1772, perdue pendant quatre années au profit de dirigeants tadjiks, avait réintégré le giron pachtoune. Le mouvement des étudiants que tant de prophètes de mauvais augure prétendaient incapable de prendre la capitale avait réussi. Malgré leurs pertes énormes, les taliban jouissaient d'un prestige inégalé. Le prix de leur victoire était cependant, un schisme ethnique et sectaire qui divisait de plus en plus l'Afghanistan et polarisait la région.

« La guerre est un jeu compliqué déclara Omar, qui préféra rester à Kandahar et refusa de faire ne serait-ce qu'un court séjour à Kaboul. Les taliban ont mis cinq mois pour conquérir une province, puis six provinces sont tombées entre nos mains en l'espace de dix jours. À présent nous contrôlons vingt-deux provinces, y compris Kaboul. Inch'Allah [« selon la volonté de Dieu »] tout l'Afghanistan tombera entre nos mains. Nous pensons qu'une solution militaire a plus de chances de réussir après l'échec des nombreuses tentatives d'accord pacifique et négocié », ajouta-t-il. Le nord de l'Afghanistan semblait mûr pour la conquête.

Chapitre 4
MAZAR E-CHARIF, 1997 : MASSACRES DANS LE NORD

De l'avis général, les taliban attendraient le printemps pour lancer leur offensive sur Mazar e-Charif et le nord de l'Aghanistan, dernier bastion de résistance contrôlé par les Ouzbeks de Rachid Dostom. La ville, où le blocus imposé par les taliban avait épuisé les réserves de nourriture et de combustible, céda progressivement à la panique au cours des longs mois d'hiver ; la valeur de l'afghani, la monnaie du pays, doubla, pour atteindre 1 dollar américain, puis par trois, tandis que les riches citoyens de Mazar fuyaient vers l'Asie centrale.

La population afghane, essentiellement concentrée dans le sud du pays, était déjà passée sous la domination des taliban ; cependant, 60 % des ressources agricoles du pays ainsi que 80 % de ses anciennes industries et de ses ressources minières et énergétiques se trouvent dans le Nord. À partir du XIXe siècle, le contrôle du Nord devient la clé de la construction de l'État et du développement économique. Pour les taliban, déterminés à conquérir et à unifier le pays, il était indispensable de réduire à néant l'autonomie des chefs de guerre du Nord. Pourtant, lorsqu'ils finirent par déclencher leur offensive au mois de mai, nul ne s'attendait au drame sanglant, ponctué de trahisons, de revirements et de massacres interethniques stupéfiants, même pour un pays comme l'Afghanistan, qui allait fondre sur l'Asie centrale tout entière.

Retranché tout l'hiver à l'intérieur du Qila e-Jangi, la Forteresse guerrière, aux environs de Mazar, Dostom se trouva soudain promu au rang de sauveur et d'ultime espoir contre les taliban par de nombreux Afghans et par les États voisins. Mazar, dressée sur la steppe d'Asie centrale qui commence au nord de l'Hindou Kouch, est aussi éloignée de Kandahar d'un point de vue culturel et ethnique que Kandahar de Karachi. Sa forteresse, qui date du XIXe siècle, tient à la fois d'un pastiche surréaliste de château fort européen, avec motte et douves, et d'un rêve inspiré par *Les Mille et Une Nuits*, avec ses remparts massifs couverts de terre et sa citadelle surmontée d'un dôme bleu, dans laquelle Dostom avait installé son bureau. La forteresse, défendue par des chars, de l'artillerie et les hommes bien entraînés de Dostom, qui portaient toujours leurs uniformes de l'époque communiste, ne manquait pas d'impressionner les visiteurs, par exemple les nombreux diplomates étrangers qui souhaitaient dorénavant rencontrer Dostom.

L'homme exerçait son pouvoir de manière impitoyable. Ayant obtenu un entretien avec lui, j'arrivai dans la forteresse pour le rencontrer ; la cour intérieure était maculée de taches de sang et de morceaux de chair. Je demandai naïvement aux sentinelles si on y avait tué une chèvre. Ils me dirent que Dostom venait de punir un soldat accusé de vol. L'homme avait été attaché aux chenilles d'un char de fabrication russe qui avait ensuite fait plusieurs fois le tour de la cour, transformant son corps en chair à pâté sous les yeux de Dostom et de la garnison. Les Ouzbeks, le plus rude et le plus redoutable de tous les peuples d'Asie centrale, sont connus pour leur goût de la maraude et du pillage - héritage de leur appartenance originelle aux hordes de Gengis Khan -, et Dostom était un chef à la hauteur. Très grand et musclé, c'est un ours doté d'un rire tonitruant qui, prétendent certains Ouzbeks, a déjà fait mourir des hommes de peur.

Né en 1955 dans une famille de paysans pauvres d'un village proche de Shiberghan, il devint ouvrier agricole puis plombier avant de s'engager dans l'armée afghane en 1978. Il monta en grade et finit par recevoir le commandement du corps de blindés chargé de défendre les lignes d'approvisionnement soviétiques en Afghanistan depuis le port de Hairatan, sur l'Amou-Daria. Après le départ des Soviétiques en 1989, Dostom prit la tête d'une féroce milice ouzbek nommée Jowzjan, d'après sa province d'origine, que le président Najibullah utilisa comme troupe de choc contre les moudjahidin. On vit souvent ses miliciens débarquer d'un avion, pour sauver in extremis de la défaite une garnison gouvernementale.

En 1992, Dostom fut le premier à se rebeller contre Najibullah, son mentor, ce qui lui valut une réputation bien établie de traître et d'opportuniste. Ce gros buveur devint alors un « bon musulman ». Il fut ensuite tour à tour l'allié de chacun des belligérants en présence - Massoud, Hekmetyar, les taliban, puis de nouveau Massoud - et les trahit tous avec un aplomb confondant. Il se fit également rétribuer par tous les pays impliqués - la Russie, l'Ouzbékistan, l'Iran, le Pakistan et, en dernier lieu, la Turquie. En 1995, il réussit à être employé à la fois par l'Iran et le Pakistan, alors à couteaux tirés au sujet des taliban. Même s'il ne contrôlait que six provinces dans le Nord, il était devenu indispensable pour chacun des États voisins. L'Iran, l'Ouzbékistan et la Russie, qui l'avaient dressé comme une sorte de rempart séculier contre le fondamentalisme pachtoune, le considéraient comme le seul chef capable de sauver le Nord face aux taliban. En effet, Dostom n'était fidèle qu'à une chose : même avant l'émergence des taliban, il éprouvait une profonde aversion pour le fondamentalisme extrémiste des factions pachtounes.

Mazar, jadis étape prospère sur la Route de la soie, était redevenue une plaque tournante de la contrebande qui florissait entre le Pakistan, l'Asie centrale et l'Iran. Dostom avait créé sa propre ligne aérienne, Air Balkh, qui lui permettait d'importer des marchandises non déclarées depuis Dubayy, tandis que les camions qui rejoignaient la frontière avec l'Asie centrale, à une petite centaine de kilomètres de Mazar, lui procuraient d'importants revenus en taxes et droits de transit. Les souks de Mazar débordaient de vodka russe et de parfums français pour les soldats ouzbeks, grands amateurs d'alcool et de femmes. Cependant, contrairement aux autres chefs de guerre, Dostom avait mis sur pied une administration efficace, qui assurait services de santé et d'éducation. Quelque 1 800 jeunes filles, pour la plupart en jupe et talons hauts, étudiaient à l'université de Balkh à Mazar, la seule qui fonctionnait dans le pays.

Il garantissait donc la sécurité des dizaines de milliers de réfugiés qui fuyaient Kaboul par vagues depuis 1992 pour chercher refuge à Mazar, considérée comme le dernier bastion de la paix dans le pays. Les chanteurs et danseurs afghans les plus célèbres qui ne pouvaient plus exercer leur art dans la capitale s'y étaient installés. La ville était aussi un lieu de pèlerinage. Les fidèles venaient chaque jour par milliers prier sur le tombeau recouvert de faïences bleues d'Ali, cousin et gendre du prophète Mahomet et quatrième calife de l'Islam, particulièrement vénéré par les chiites. On pense qu'Ali est enterré à l'intérieur de ce monument, la plus belle mosquée d'Afghanistan, et son site le plus sacré. Près de Mazar se trouvent les ruines de Balkh, que les envahisseurs arabes, au septième siècle, appelèrent la « Mère de toutes les cités ». Zoroastre y prêcha il y a près de trois mille ans, Alexandre y campa, et le poète perse Roumi y naquit. Balkh était un haut lieu de civilisation, grâce notamment au zoroastrisme, au bouddhisme et à l'islam, jusqu'à sa destruction par Gengis Khan en 1220 ; Mazar prit alors sa place de centre culturel et commercial.

Dostom faisait l'objet d'une véritable adoration, pour le simple fait que sa ville avait été épargnée par les dix-huit années de guerre. Les citoyens de Mazar n'avaient jamais subi les bombardements dévastateurs ni les combats de rue qui avaient détruit d'autres villes. Tout cela était sur le point de changer. L'histoire des clans ouzbeks est une longue litanie de sanglantes querelles de familles, de vengeances meurtrières, de luttes de pouvoir, de pillage et de rivalités pour la possession des femmes. Le mot *buzkushi*, qui désigne le sport favori des Ouzbeks, une sorte de polo où s'affrontent à coups de fouet des cavaliers qui tentent de s'emparer de la carcasse d'une chèvre décapitée, désigne tout aussi bien leur façon de faire de la politique. Ce sport sans équipes ni règles ressemble fort aux relations de Dostom avec ses frères officiers.

Une rancune tenace opposait à Dostom son second, le général Malik Palawan - on a accusé Dostom de l'assassinat du général, frère de Malik, tué en juin 1996 dans une embuscade avec quinze de ses gardes du corps. Le désir de vengeance, à quoi s'ajoutait la crainte que Dostom ait déjà programmé son meurtre, et, enfin, l'argent des taliban et le pouvoir qu'ils lui promettaient, poussa Malik à la trahison le 19 mai 1997 ; il demanda aux taliban de l'aider à évincer son chef. Trois autres généraux ouzbeks, son demi-frère Gul Mohammed Palawan, Ghafar Palawan et Madjid Rouzi, se joignirent à lui. Par ailleurs, le mécontentement grandissait parmi les troupes de Dostom, qui n'avaient pas été payées depuis cinq mois.

Les taliban firent rapidement mouvement vers le nord à partir de Hérat et de Kaboul. Les provinces du Nord tombaient l'une après l'autre aux mains de l'improbable coalition de Pachtounes et d'Ouzbeks formée par Malik à partir de sa base, dans la province de Faryab, et Dostom prit la fuite en compagnie de 135 soldats et officiers, d'abord vers l'Ouzbékistan, puis vers la Turquie. Sur la route de Termez, à la frontière entre Ouzbékistan et Afghanistan, il dut soudoyer ses propres soldats, à coup de dollars américains, pour faire passer son convoi. Pour les taliban, la chute de Mazar était un cadeau de Dieu. Mais ils n'avaient rien appris de leurs conquêtes et refusaient obstinément de partager le pouvoir, d'infléchir leur politique ou d'assouplir l'application de la charia en fonction des différences ethniques. Si Malik pensait qu'ils consentiraient à lui accorder la même autonomie que celle dont Dostom jouissait dans le Nord depuis 1992, il se trompait lourdement. Il avait signé un pacte avec un diable qui ne tiendrait pas ses promesses.

Lorsque 2 500 taliban bien armés entrèrent à Mazar dans leurs camionnettes, sous le commandement du mollah Abdul Razaq (celui qui avait ordonné le meurtre de Najibullah), ils refusèrent de partager le pouvoir avec Malik, qui se vit offrir le poste négligeable d'adjoint au ministre des Affaires étrangères du gouvernement de Kaboul. Les taliban, qui pour la plupart n'avaient jamais mis les pieds dans le nord du pays, commencèrent avec arrogance à désarmer les fiers soldats ouzbeks et hazara, s'emparèrent des mosquées, d'où ils déclarèrent l'imposition de la charia, fermèrent les écoles et l'université et chassèrent les femmes des rues. C'était aller droit au désastre dans une ville caractérisée par un mélange complexe de groupes ethniques et religieux, qui était restée la plus ouverte et la plus libérale d'Afghanistan.

Diplomates pakistanais et officiers de l'ISI arrivèrent à Mazar pour aider les taliban à renégocier les termes de l'accord qui tombait déjà en pièces. Islamabad envenima la situation en reconnaissant prématurément les taliban comme gouvernement légitime de l'Afghanistan et en persuadant l'Arabie saoudite et les Émirats arabes unis d'en faire autant. Les Ouzbeks, auxquels on avait fait miroiter une participation au pouvoir, comprirent enfin que les taliban entendaient le garder pour eux. Malik, pris entre deux feux, non content de trahir Dostom, livra aussi Ismaël Khan, qui se battait contre les taliban à Faryab.

Dans l'après-midi du 28 mai 1997, un groupe de Hazara qui refusaient de se laisser désarmer provoqua une bagarre. La violence se déchaîna. Les Hazara de Mazar, puis la population tout entière, se soulevèrent. Mal entraînés pour les combats de rue, perdus dans le labyrinthe des ruelles de la ville, les taliban offraient des cibles faciles, égarés avec leurs camions au fond des impasses en tentant d'échapper au feu nourri des tireurs postés dans les maisons et sur les toits. Après quinze heures de combats intenses, environ 600 taliban furent massacrés dans les rues, et plus d'un millier faits prisonniers à l'aéroport alors qu'ils tentaient de prendre la fuite. Dix des plus importants chefs militaires et politiques taliban furent tués ou capturés. Parmi ces derniers, le ministre des Affaires étrangères Mohammed Ghaus, le mollah Razaq et le gouverneur de la Banque centrale, le mollah Ehsanullah. Les hommes de Malik commencèrent aussitôt à piller la ville, sans épargner les locaux des organisations des Nations unies, dont ils forcèrent les représentants à abandonner la ville. Des dizaines d'étudiants pakistanais furent également tués.

Les troupes de Malik récupérèrent promptement quatre provinces du Nord (Takhar, Faryab, Jowzjan et Sari Pul) prises seulement cinq jours auparavant par les taliban ; puis les combats firent rage autour de trois autres provinces (Balkh, Samangan et Kunduz). Le chemin de la retraite leur étant barré, plusieurs milliers de soldats taliban et plusieurs centaines d'étudiants pakistanais furent capturés, fusillés et enterrés dans des charniers. Au sud, Massoud profita de la situation pour lancer sa propre contre-attaque et reprit Jabal ul-Seraj, à l'extrémité sud du tunnel de Salang. Il dynamita l'entrée du tunnel, prenant au piège les taliban qui se trouvaient encore dans le nord et tentaient de s'échapper par la route de Kaboul.

Massoud reprit, autour de Kaboul et de plusieurs villes du nord-est de l'Afghanistan, plus de territoire que les taliban n'en avaient conquis la semaine précédente. À son tour, il tua et fit prisonnier plusieurs centaines de taliban. Pendant ce temps, les Hazara, encouragés par la victoire de Mazar, passaient également à la contre-attaque, mettant fin au siège de leur patrie, le Hazarajat, qui durait depuis neuf mois. Les troupes des taliban qui se trouvaient à l'entrée de la vallée de Bamiyan furent repoussées tandis que celles de Khalili avançaient vers Kaboul, chassant devant elles des milliers de villageois pachtounes.

C'était la plus grave défaite subie par les taliban depuis qu'ils s'étaient lancés à la conquête du pays, trente mois plus tôt. Les dix semaines de combat, de mai à juillet, leur coûtèrent plus de 3 000 morts et blessés, et plus de 3 600 prisonniers. Selon le CICR, plus de 7 000 soldats et civils furent blessés des deux côtés. Pour ajouter à l'embarras d'Islamabad, plus de 250 Pakistanais avaient été tués, et 550 capturés, au cours de la même période. Le moral des taliban, qui avaient également perdu certaines de leurs meilleures unités, s'écroula.

Le mollah Omar lança aux étudiants vivant au Pakistan un appel à l'aide pressant. Les madrasas pakistanaises fermèrent une fois de plus et 5 000 nouvelles recrues - des Pakistanais et des Afghans - rejoignirent les rangs des taliban. La situation paraissait tellement grave qu'Omar, forcé de quitter son sanctuaire de Kandahar, se rendit pour la première fois à Kaboul afin de rencontrer ses commandants et de raffermir le moral de ses troupes.

Les taliban se virent aussi contraints de recruter davantage d'hommes parmi les tribus pachtounes ghilzai de l'est de l'Afghanistan et du Pakistan. Or celles-ci exigeaient un prix que les taliban n'étaient pas prêts à payer. Les Ghilzai, qui avaient dirigé la guerre contre les Soviétiques, n'avaient nullement l'intention de servir de chair à canon aux taliban puis de se voir réduit à la portion congrue dans leurs *shura* dominées par les Durrani. Ils ne se joindraient à eux qu'en échange d'une part de pouvoir. Les commandants ghilzai ralliés aux taliban critiquaient durement la tactique utilisée à Mazar e-Charif. « Ils ont commis trop d'erreurs à Mazar. L'accord initial entre Malik et les taliban a été conclu trop rapidement. Ils auraient dû discuter plus longtemps et instaurer un véritable dialogue. Ils ont aussi fait beaucoup d'erreurs militaires », me déclara ainsi Jalaluddin Haqqani, principal commandant pachtoune de l'Est, que je rencontrai à Kaboul en juillet 1997.

Haqqani était à la tête des troupes des taliban sur le front de Kaboul ; c'était un vétéran pachtoune originaire de Khost, dans la province de Paktia, qui avait rejoint les taliban en 1995. Il était aussi l'un des chefs militaires les plus fameux de la guerre contre les Soviétiques. Bien qu'il eut été nommé ministre du gouvernement de Kaboul, Haqqani, comme les autres dirigeants non kandahari, ressentait avec amertume son exclusion des processus de décision, qui, sous Omar, s'effectuaient à Kandahar plutôt que dans la capitale. Après la défaite de Mazar, les taliban donnèrent à Haqqani une forte somme afin qu'il recrute 3 000 membres de la tribu ghilzai. Haqqani arriva sur le front de Kaboul avec ses hommes ; ceux-ci, voyant que leurs chefs ne pouvaient prendre aucune décision militaire par eux-mêmes et qu'ils devaient obéir à des officiers du Kandahar, désertèrent en masse. Au bout de deux mois, Haqqani n'avait plus que 300 hommes. Plus inquiétant encore, les villages des environs de Kandahar refusaient d'envoyer leurs fils chez les taliban. Pour la première fois, il leur fallait affronter un problème de recrutement et un manque d'effectifs.

Le bain de sang qui se déroulait à leurs portes provoqua une réaction paranoïaque des États d'Asie centrale, qui voyaient déjà le spectre de la guerre hanter leur territoire, et des milliers de réfugiés afghans passer leurs perméables frontières. Des mouvements de troupes sans précédent eurent lieu dans la région pour renforcer la sécurité militaire. Les 3 000 soldats russes postés à la frontière Ouzbékistan-Afghanistan, les 25 000 autres à la frontière Tadjikistan-Afghanistan, les garde-frontière russes du Turkménistan et les divisions locales étaient en état d'alerte maximale. L'Ouzbékistan et le Tadjikistan fermèrent leurs frontières avec l'Afghanistan. À Termez, des hélicoptères de combat ouzbeks patrouillaient la frontière tandis que des soldats installaient des pièges antichars et fortifiaient le pont qui enjambe l'Amou-Daria, la frontière naturelle qui sépare l'Afghanistan et l'Asie centrale.

La Russie répondit à l'appel du président kirghize Askar Akaïev en envoyant dix bataillons au Kirghizistan, qui n'a pourtant aucune frontière avec l'Afghanistan. La Russie et le Kazakhstan organisèrent une réunion d'urgence des pays de la Communauté d'états indépendants (CEI) afin de discuter de la crise ; Ievguéni Primakov, le ministre des Affaires étrangères russe, promit « des actions efficaces et très dures » de la part de son pays si les taliban poursuivaient leur avance. Le Turkménistan, État qui se proclamait « neutre », frontalier de l'ouest de l'Afghanistan, entretenait avec les taliban des relations de bon voisinage, mais les populations turkmènes furent troublées par les violents événements de Mazar. Pour la première fois, 9 000 Turkmènes d'Afghanistan traversèrent la frontière pour échapper aux combats.

L'Iran annonça qu'il continuerait à soutenir l'alliance antitaliban et lança un appel à la coopération de la Russie, de l'Inde et des États d'Asie centrale. Le ministre des Affaires étrangères iranien, Ali Akbar Velayti, demanda l'intervention des Nations unies. Les taliban étaient furieux contre tous leurs voisins. « L'Iran et la Russie se mêlent de nos affaires et soutiennent l'opposition. Ils lui ont livré des avions pour effectuer des bombardements ; 22 avions iraniens chargés d'armes atterrissent chaque jour à Mazar », déclara le mollah Mohammed Abbas, ministre de la Santé des taliban.

Amers, les diplomates de l'Iran et des pays d'Asie centrale accusaient le Pakistan non seulement de soutenir les taliban, mais également d'avoir menti et trahi l'engagement solennel pris par le Premier ministre Nawaz Sharif une semaine tout juste avant l'offensive des taliban. Sharif avait promis, lors d'un sommet des chefs d'État de la région à Ashkhabad, la capitale du Turkménistan, de remettre les taliban au pas et d'empêcher la guerre de s'étendre vers le nord. « La crédibilité du Pakistan en Asie centrale est descendue au niveau zéro », m'affirma un important diplomate ouzbek.

L'arrivée des taliban dans le nord devait cependant avoir un effet salutaire sur la guerre civile qui déchirait le Tadjikistan depuis quatre ans, en obligeant les deux parties du conflit, qu'ils effrayaient également, à accélérer les négociations. Un accord de paix entre le gouvernement tadjik et l'opposition islamique fut enfin conclu à Moscou le 27 juin 1997, sous l'égide de la Russie et des Nations unies. Cet accord donnait à Massoud un appui essentiel, car la Russie pouvait désormais lui envoyer du matériel depuis ses bases situées au Tadjikistan. Massoud obtint d'utiliser l'aéroport de Kouliab, au sud du Tadjikistan, où il recevait le matériel russe et iranien qu'il expédiait ensuite dans la vallée du Panjshir.

L'Alliance antitaliban tenta de cimenter son unité en reformulant une nouvelle alliance politique qui devait prendre en compte la sortie de Dostom. Le 13 juin 1997, elle créait le « Front national islamique uni pour le salut de l'Afghanistan » et choisissait Mazar pour capitale. Burhanuddin Rabbani redevenait président et Massoud était nommé ministre de la Défense ; l'Alliance s'engagea à former un nouveau gouvernement, incluant, aux côtés des technocrates, des chefs tribaux et islamiques. Le pacte n'en était pas moins voué à l'échec :les irréductibles différends qui opposaient Malik, Massoud et Khalili empêchèrent Ouzbeks, Tadjiks et Hazara de travailler ensemble.

La rupture fut provoquée par la méfiance des dirigeants à l'égard de Malik, nourrie par ses multiples trahisons. Malik n'avait pas réussi à empêcher un détachement de 2 500 taliban, restés dans le Nord, de s'emparer de la ville de Kunduz et de son aéroport. Les taliban renforçaient cette enclave par l'envoi quotidien d'hommes et de matériel à partir de Kaboul. Or Malik ne pouvait, ou ne voulait pas, chasser les taliban du Nord tandis que Massoud se rapprochait de Kaboul.

À la mi-juillet, Massoud mit fin à la paralysie militaire qui régnait au nord de Kaboul en arrachant aux taliban le contrôle de Charikar et de la base aérienne de Bagram. En septembre, ses forces avaient repris leurs positions et n'étaient plus qu'à 30 kilomètres de Kaboul. Les deux camps échangeaient tirs d'artillerie et de roquettes qui forcèrent presque 180 000 civils à fuir la riante vallée de la Shomali, désormais sur la ligne de front. Les taliban, en se retirant de la Shomali, empoisonnèrent les puits et détruisirent les canaux et les barrages d'irrigation afin de s'assurer que la population tadjik locale ne reviendrait pas de sitôt. La guerre ne se contentait plus de tuer ou de déraciner des civils : elle détruisait leurs moyens de survie et transformait la ceinture agricole de Kaboul en désert.

L'alliance antitaliban occupait un arc de cercle à 180 degrés autour de Kaboul. À l'ouest et au nord de la ville se trouvaient les forces de Massoud ; à l'est et au sud, les Hazara de Khalili. Beaucoup s'attendaient à une attaque sur Kaboul, mais les taliban se déclaraient confiants : l'opposition était trop divisée. « Nous avons divisé l'opposition en deux grâce à nos forces de Kunduz. Les groupes du Nord ne s'entendent pas entre eux. Les autres généraux ouzbeks ne peuvent pas faire confiance à Malik. Il les a déjà trahis, et maintenant il ne pense plus qu'à sauver sa peau. Comme aucun groupe n'est suffisamment fort pour combattre seul les taliban, il faut qu'ils s'unissent ; mais ils n'y parviendront jamais », affirmait Haqqani.

Les doutes quant à la loyauté de Malik semblèrent se justifier lorsque les troupes des taliban de Kunduz le surprirent au mois de septembre. Elles se dégagèrent de leur enclave et lancèrent une nouvelle attaque sur Mazar, avec l'aide de tribus pachtounes de la région. Le 7 septembre 1997, elles prenaient la ville de Tashkhorgan, ce qui provoqua une panique à Mazar. Des combats acharnés opposèrent les troupes ouzbeks loyales à Malik à d'autres fidèles à Dostom. La maison de Malik fut incendiée par les troupes de Dostom et Malik s'enfuit de sa base de la province de Faryab pour rejoindre le Turkménistan, puis l'Iran.

Survint alors un renversement de situation aussi spectaculaire qu'inattendu : Dostom quitta la Turquie où il s'était exilé et revint à Mazar pour rallier ses troupes, vaincre les partisans de Malik et chasser les taliban de la région. Mazar fut à nouveau plongée dans le chaos par les Ouzbeks, qui de nouveau mirent à sac certains quartiers de la ville et les locaux des organismes humanitaires des Nations unies, dont les délégués furent contraints d'abandonner la ville pour la deuxième fois en un an. Au cours de leur retraite, les taliban massacrèrent au moins 70 Hazara chiites dans le village de Qazil-Abad, au sud de Mazar, et peut-être des centaines d'autres ailleurs. « Les taliban se sont abattus dans ce village comme une tempête. Ils ont tué environ 70 personnes, certains ont eu la gorge tranchée et d'autres ont été écorchés vifs », raconta un survivant, Sohrab Rostam.

Pendant que les taliban reculaient vers Kunduz, Dostom tentait de renforcer sa position, mais Mazar était pratiquement aux mains de groupes hazara qui le forcèrent à abandonner la capitale ouzbek pour installer sa base à Shiberghan, dans la province de Jowzjan. Des tensions aiguës entre Ouzbeks et Hazara rongeaient la coalition antitaliban, et Dostom devait encore rallier à sa cause les partisans de Malik. Il le fit en révélant les atrocités commises par celui-ci. Les troupes de Dostom exhumèrent les cadavres de vingt charniers proches de Shebarghan, dans le désert du Dasht e-Laili, où plus de 2 000 prisonniers de guerre taliban avaient été tués et enterrés. Dostom accusa Malik de ces massacres, offrit son aide aux taliban pour récupérer les corps et demanda une enquête des Nations unies. Il libéra 200 prisonniers taliban en gage de bonne volonté.

Les enquêtes ultérieures des Nations unies montrèrent que les prisonniers avaient été affamés et torturés avant leur exécution. « Leur mort a été atroce. Les prisonniers tirés de leur lieu de détention ont été informés qu'ils allaient être échangés et emmenés dans des conteneurs chargés sur des camions jusqu'à des puits souvent utilisés par les bergers, et remplis de 10 à 15 mètres d'eau. On les a jeté vivants dans les puits ; ceux qui résistaient furent abattus. Des grenades furent ensuite lancées dans les puits avant que ceux-ci soient fermés à l'aide de bulldozers », devait expliquer Paik Chong-hyun, rapporteur spécial des Nations unies, qui inspecta les tombes.

Des témoignages oculaires établirent plus tard qu'un abominable nettoyage ethnique avait eu lieu. « La nuit, quand tout était calme et noir, nous prenions 150 prisonniers taliban environ, les yeux bandés, les mains attachées derrière le dos, et nous les emmenions dans le désert dans des conteneurs de camion. Nous les alignions par dix devant des trous creusés dans le sol et nous ouvrions le feu. Ça nous a pris à peu près six nuits », raconta le général Saleem Shahar, un fidèle officier de Malik arrêté par Dostom. L'utilisation des conteneurs comme instruments de mort, particulièrement effroyable, se répandit dans les deux camps. « Quand nous tirions les corps en dehors des conteneurs, ils avaient la peau noircie, brûlée par la chaleur et le manque d'oxygène », raconta un autre des généraux de Malik, ajoutant que 1 250 taliban étaient morts ainsi.

La catastrophe survenue dans le Nord et les durs combats qui avaient suivi pendant tout l'été n'avaient fait qu'amplifier la division ethnique entre taliban pachtounes et groupes non-pachtounes. L'Afghanistan était virtuellement scindé en deux selon un axe nord-sud, et selon une ligne Pachtounes-non Pachtounes. Tous les camps se livraient au nettoyage ethnique et à la persécution religieuse. Les taliban massacrèrent des villageois hazara chiites et expulsèrent des fermiers tadjiks de la vallée de la Shomali. Ouzbeks et Hazara massacrèrent plusieurs centaines de prisonniers taliban et tuèrent des villageois pachtounes dans le nord et la région de Kaboul. Les Hazara chiites expulsèrent aussi des pachtounes sous prétexte qu'ils étaient sunnites. Les derniers combats avaient fait fuir plus de 750 000 personnes - dans le Nord autour de Mazar, sur le front de Hérat et aux environ de Kaboul - provoquant une nouvelle crise des réfugiés au moment où les agences des Nations unies tentaient de persuader les Afghans qui vivaient encore au Pakistan de retourner dans leur pays. Enfin, tous les voisins de l'Afghanistan manipulaient et exacerbaient ses divisions internes en envoyant toujours plus d'aide à leurs divers protégés. Cela ne faisait qu'aggraver les divisions ethniques et sectaires.

Après les civils, l'ONU fut la principale victime de l'intensification des combats. Norbert Holl n'avait pas plus réussi à persuader les taliban que les Nations unies étaient un intermédiaire neutre qu'à convaincre l'opposition qu'elles protégeraient les intérêts des minorités ethniques. En outre, il ne parvenait pas à empêcher les puissances régionales d'armer les différentes factions. Personne ne faisait confiance à l'ONU et tous l'ignoraient. Holl, sans mâcher ses mots, dénonça les ingérences continuelles les pays voisins et l'inflexibilité des belligérants. « Le processus de négociation est dans l'impasse et nous ne pouvons continuer à traiter dans ces conditions. Je ne pense pas que les dirigeants afghans soient des marionnettes, mais il faut bien que leurs munitions viennent de quelque part », déclara-t-il ainsi. Un mois plus tard, il démissionnait.

La direction des taliban, peu au fait des procédures et même de la Charte des Nations unies, s'avéra l'obstacle majeur. En refusant de rencontrer Holl, le mollah Omar s'attira le ressentiment des hommes de l'ONU, tandis que les autres chefs taliban se moquaient en public de leurs efforts en faveur d'un cessez-le-feu. L'hostilité des taliban envers les Nations unies s'aggrava après la débâcle de Mazar, en particulier après que le Conseil de sécurité eut refusé de prendre des mesures contre les responsables des massacres ou de céder aux taliban le siège de l'Afghanistan aux Nations unies, toujours occupé par l'ex-président Rabbani.

Les taliban entretenaient au sujet de l'ONU une foule de soupçons sans fondement, impossibles à dissiper par la diplomatie. Ils étaient par exemple convaincus que les Nations unies, avec l'aide des puissances occidentales, conspiraient contre l'islam et la charia qu'ils voulaient imposer. Ils les accusaient de céder à l'influence des États voisins de l'Afghanistan lorsqu'elles refusaient de reconnaître le gouvernement des taliban. La crise au sein de l'ONU coïncida avec la diminution des fonds alloués par certains des pays riches aux programmes d'aide à l'Afghanistan, à cause de la guerre continuelle qui suscitait leur « lassitude ». La politique de discrimination menée par les taliban à l'encontre des femmes afghanes contribua encore à tarir les dons. La survie future des opérations humanitaires en Afghanistan dépendait de la force de persuasion des Nations unies ; or les taliban refusaient d'adoucir leur politique de discrimination sexiste. De nombreuses organisations non gouvernementales occidentales interrompirent leurs programmes à Kaboul parce que les taliban leur interdisaient de continuer à aider les femmes. Les combats avaient forcé à deux reprises les ONG à fuir le Nord, et elles ne revinrent pas.

En outre, les partisans de la ligne dure faisaient de leur mieux pour provoquer une crise avec les agences humanitaires des Nations unies, afin de les expulser des zones tenues par les taliban en prétextant qu'elles diffusaient des idées laïques dans la population. À la fin du mois de septembre, les directeurs de trois agences des Nations unies à Kandahar reçurent l'ordre de quitter le pays après avoir protesté contre le traitement imposé à une avocate du HCR, le Haut Commissariat des Nations unies pour les réfugiés, contrainte de se cacher derrière un rideau pour s'entretenir avec des dirigeants taliban. En novembre, après l'arrestation de quatre de ses délégués afghans, le HCR suspendit toutes ses activités. L'organisation Save the Children dut interrompre de nombreux programmes parce que les taliban interdisaient aux femmes de participer aux cours d'information sur les mines. Il devenait impossible de fournir aucune aide humanitaire à la population, où qu'elle soit, alors que l'hiver approchait et que la pénurie de nourriture s'aggravait.

Le traitement réservé aux femmes par les taliban leur fit une énorme contre-publicité et leur valut les critiques du monde entier lorsque Emma Bonino, Commissaire européenne pour les Affaires humanitaires et dix-neuf journalistes occidentaux furent arrêtés et détenus pendant trois heures par la police religieuse de Kaboul, le 28 septembre 1997. Le groupe visitait un service hospitalier pour les femmes financé par l'Union européenne lorsque les journalistes qui accompagnaient Mme Bonino furent arrêtés pour avoir pris des photos des patientes - les taliban interdisent toute forme de photographie.

« Ceci est l'exemple même de l'état de terreur dans lequel les gens vivent ici », déclara Mme Bonino aux journalistes présents à Kaboul. Les taliban présentèrent des excuses, mais ils venaient de porter un nouveau coup aux bonnes volontés prêtes à financer l'aide humanitaire en Afghanistan. Ils déclarèrent alors qu'ils instaureraient une ségrégation dans les hôpitaux de Kaboul et interdiraient aux femmes de se faire traiter dans les mêmes établissements que les hommes - or il n'existait qu'un seul hôpital pour les femmes dans la capitale.

Il devenait difficile pour l'administration Clinton de conserver ses premiers sentiments de sympathie à l'égard des taliban. De puissants groupes féministes américains firent pression sur Washington au nom des femmes afghanes. Madeleine Albright, la secrétaire d'État américaine, exprima en novembre la plus vive critique jamais formulée par les États-Unis à l'égard des taliban. « Nous sommes opposés aux taliban en raison de leur haine pour les droits de l'homme, du traitement méprisable qu'ils réservent aux femmes et aux enfants et de leur profond manque de respect pour la dignité humaine », affirma-t-elle lors d'une visite à Islamabad, le 18 novembre 1997. Sa déclaration fut interprétée comme le signe évident de la volonté américaine de prendre des distances avec les taliban et de se désolidariser du soutien que leur accordait le Pakistan. Quant aux taliban, ils semblaient complètement indifférents, sinon plus hostiles que jamais à l'Occident. Les oulémas du Pakistan et de Kandahar conseillèrent à Omar de chasser toutes les agences d'aide humanitaire hors d'Afghanistan, car elles abritaient des espions et des ennemis de l'islam.

Afin de donner une nouvelle impulsion à la médiation des Nations unies, son secrétaire général, Kofi Annan, demanda à Lakhdar Brahimi, ancien ministre des Affaires étrangères algérien, de faire une tournée dans la région et de présenter un rapport au Conseil de sécurité. Après une visite qui le conduisit dans treize pays, dont l'Afghanistan, entre le 14 août et le 23 septembre, Brahimi conclut qu'il fallait accroître la pression internationale sur les voisins de l'Afghanistan pour les persuader d'interrompre leur aide aux belligérants. En octobre, Kofi Annan formait un « Groupe des pays concernés » aux Nations unies, surnommé « Six plus deux ». Il incluait six pays voisins de l'Afghanistan, la Russie et les États-Unis. Brahimi espérait que ce forum encouragerait l'Iran à renouer le dialogue avec le Pakistan et pousserait Washington à s'engager de nouveau en faveur d'une solution pacifique. L'initiative visait également à obtenir un embargo sur les ventes d'armes et à initier des pourparlers entre les différentes factions afghanes.

À la mi-novembre, suivant ces objectifs, Annan présenta au Conseil de sécurité un rapport cinglant sur l'Afghanistan ; pour la première fois, il accusa sans détour les pays de la région, en particulier l'Iran et le Pakistan, d'envenimer le conflit. Il déclara que ces États se servaient des Nations unies comme d'une couverture pour continuer à fournir de l'aide aux diverses factions. « Le soutien militaire et financier étranger qui continue de plus belle alimente le conflit et ôte aux factions en guerre tout intérêt véritable pour la paix. Le soutien ininterrompu de ces forces extérieures, combiné à l'apathie de ceux qui ne sont pas directement impliqués, rend presque caduque toute initiative diplomatique. » Annan n'épargnait pas les chefs de guerre. « Les dirigeants afghans refusent de se hausser au-dessus de leurs intérêts de faction et de travailler ensemble à la réconciliation nationale. Trop de groupes en Afghanistan, chefs de guerre, terroristes, trafiquants de drogue ou autres, semblent avoir tout à gagner dans la guerre et trop à perdre dans la paix. »

Plus tard, à Téhéran, au sommet de l'Organisation de la conférence islamique (OIC), Annan prononça un discours où il fustigeait l'apathie de ses responsables, peu disposés à résoudre le conflit. Après des années d'oubli, l'Afghanistan se retrouvait en bonne place sur l'agenda diplomatique international, ce qui n'était pour satisfaire ni les taliban, toujours déterminés à conquérir le Nord, ni leurs adversaires, tout aussi déterminés à leur résister.

Chapitre 5

BAMIYAN, 1998-1999 : LA GUERRE SANS FIN

Un temps glacial régnait sur le Hazarajat, la province d'origine des Hazara, au centre de l'Afghanistan. Cachés dans l'ombre imposante des pics enneigés de l'Hindou Kouch qui entourent Bamiyan, des enfants hazara au ventre gonflé et aux os proéminents jouaient aux gendarmes et aux voleurs dans une version toute personnelle, baptisée « taliban ». Les Hazara mouraient de faim et le jeu consistait en une embuscade contre un convoi taliban de blé, qu'il fallait ramener à la maison pour nourrir les familles affamées. Les enfants vivaient de racines, de baies et de quelques pommes de terre que leurs parents faisaient difficilement pousser dans de minuscules parcelles pierreuses creusées au flanc des vallées encaissées. Seuls 10 % de la superficie du Hazarajat sont cultivables, et les récoltes de blé et de maïs de cette année-là étaient mauvaises.

Mais les Hazara mouraient aussi de faim simplement parce qu'ils étaient des Hazara. Depuis le mois d'août 1997, les taliban avaient fermé toutes les routes qui reliaient leur repaire montagneux au sud, à l'ouest et à l'est du pays, afin de les forcer à se rendre. Aucun secours ne pouvait venir du Nord, où la disparition de la loi et de l'ordre, la pénurie de nourriture et la fermeture des cols bloqués par la neige rendaient impossible le passage de convois alimentaires vers Bamiyan, qui se trouve à 2 300 mètres d'altitude. Les 300 000 Hazara de la province de Bamiyan souffraient déjà de la faim et 700 000 autres, dans les trois provinces voisines de Ghor, Wardak et Ghazni, étaient touchés par la pénurie - soit un total de 1 million de personnes.

Les Nations unies et le Programme alimentaire mondial, le WPF, avaient mené durant plusieurs mois de tortueuses négociations avec les taliban pour obtenir le droit de faire passer des convois, mais en vain. Les Nations unies se sentaient d'autant plus frustrées que le Pakistan s'était engagé à fournir 600 000 tonnes de blé aux taliban sans exiger la moindre contrepartie humanitaire, par exemple la levée du blocus de Bamiyan. Pour la première fois en vingt ans de conflit, une des factions se servait de la faim comme arme de guerre contre une autre, ce qui illustrait l'escalade des divisions ethniques et sectaires qui consumaient l'Afghanistan.

Hazara et Pachtounes ne s'étaient certes jamais entendus, mais la situation s'était considérablement dégradée. Petits et trapus, partageant les traits physionomiques des Mongols, les Hazara descendent, selon une théorie, des unions entre les guerriers de Gengis Khan et les populations tadjik et turque indigène. En 1222, les défenseurs de Bamiyan tuèrent le petit-fils de Gengis Khan, qui en représailles massacra toute la population. Bamiyan était à cette époque, et depuis mille ans, le centre du bouddhisme en Inde et un important *serai*, une étape pour les caravanes de chameaux qui empruntaient l'ancienne Route de la soie reliant l'Empire romain à l'Asie centrale, la Chine et l'Inde. La cité demeura la capitale et le rempart du bouddhisme pour toute l'Asie centrale et l'Inde après les conquêtes musulmanes. Le moine coréen Hui-chao, arrivé à Bamiyan en 827, note que le roi y était resté bouddhiste ; les Ghaznavides n'établirent d'ailleurs l'islam dans la vallée qu'au xIᵉ siècle.

La ville était encore dominée par les deux magnifiques et gigantesque statues du Bouddha datant du IIᵉ siècle après J.-C., taillées dans une falaise de grès. Hautes respectivement de 5 et 3,50 mètres, les statues étaient craquelées et érodées par le temps, et le visage des deux bouddhas s'était effacé, mais elles n'en laissaient pas moins une impression saisissante. Elles présentaient les caractéristiques classiques de tous les bouddhas du sous-continent, à ceci près qu'elles étaient drapées dans des tuniques grecques - image de cette fusion unique entre l'art de l'Inde classique et de l'Asie centrale et l'hellénisme introduit par les armées d'Alexandre le Grand. Ces bouddhas étaient une des merveilles du monde antique et des pèlerins venaient les admirer depuis la Chine et l'Inde.

Des milliers de moines bouddhistes ont vécu dans les cavernes et les grottes creusées dans les falaises de chaque côté des statues. Ces cavernes ornées de fresques anciennes abritaient désormais les milliers de réfugiés hazara qui avaient fui Kaboul. Les taliban menaçaient de dynamiter les statues lorsqu'ils prendraient Bamiyan, au grand dam des communautés bouddhistes du Japon et de Sri Lanka. Ils avaient déjà bombardé à huit reprises la montagne qui surplombait les statues, fissurant davantage les niches de grès qui leur servaient d'écrin.

Le Hazarajat était resté pratiquement indépendant jusqu'en 1893, date à laquelle le roi pachtoune Abdul Rahman conquit la province et mit en œuvre la première politique d'élimination des Hazara ; ils furent tués par milliers et des milliers d'autres déportés à Kaboul pour y travailler comme serfs et esclaves domestiques. Les mosquées hazara furent détruites. Le peuple hazara, estimé à 3 ou 4 millions de membres, forme le plus important groupe chiite musulman d'Afghanistan. L'inimitié sectaire entre Pachtounes sunnites et Hazara chiites était certes ancienne, mais les taliban ont ravivé le conflit en traitant tous les chiites comme des *munafaqeen*, des hypocrites, étrangers à l'islam.

Le rôle significatif joué par les femmes Hazara, en politique, dans la société et même pour la défense militaire de la région, indisposait davantage encore les taliban. Le Conseil central du parti hazara Hezb e-Wahdat comptait 12 femmes, pour la plupart diplômées et exerçant une profession libérale, parmi ses 80 membres. Les femmes ont rendu possibles la mise en œuvre des programmes humanitaires des Nations unies et des initiatives du Wahdat pour assurer l'alphabétisation, les soins médicaux et l'aide aux familles. Elles se battaient souvent aux côtés des hommes - certaines avaient tué des taliban à Mazar, au mois de mai. Des femmes professeurs qui avaient fui Kaboul avaient créé à Bamiyan une université, sans doute la plus démunie du monde, avec ses salles de classe en pisé, sans électricité ni chauffage, et guère de livres.

« Nous détestons les taliban, ils sont contre toute forme de civilisation, contre la culture afghane, et les femmes en particulier. Ils ont donné à l'islam et au peuple afghan une mauvaise réputation », me dit le docteur Humera Rahi, professeur de littérature perse à l'université, devenu un des grands poètes de la résistance. Les taliban n'appréciaient guère le style vestimentaire des femmes hazara. Le docteur Rahi et ses collègues portaient des jupes et des bottes à hauts talons, et sa poésie semblait l'écho de la fierté retrouvée des Hazara, après des siècles d'oppression pachtoune.

« La victoire est tienne et Dieu est avec toi, victorieuse armée du Hazarajat. Que la poitrine de tes ennemis soit la cible de tes fusils. Tu triomphes, tu es victorieuse, Dieu est avec toi. Mes prières à minuit et mes cris à l'aube, et les enfants disant "Ô Dieu, Ô Dieu !", et les larmes et les soupirs des opprimés sont avec toi. »

Malgré le siège et les décennies de mauvais traitements et de préjugés que leur avaient imposé les dirigeants pachtounes de Kaboul, les Hazara se sentaient désormais poussés vers le succès. Ils avaient contribué à la défaite des taliban à Mazar en mai et en octobre 1997. Ils avaient également repoussé les assauts répétés des taliban contre Bamiyan. Si les Hazara formaient autrefois le troisième et le plus faible maillon de l'alliance Ouzbek-Tadjik-Hazara qui luttait contre les taliban, ils sentaient que leur heure était venue : la confusion et la division régnaient chez les Ouzbeks tandis que les Tadjiks étaient bloqués autour de Kaboul. « Nous avons le dos à l'Hindou Kouch et devant nous les taliban, et le Pakistan qui les soutient.

Nous mourrons, mais nous ne nous rendrons jamais », m'affirma sur un ton de défi Qurban Ali Irfani, le numéro deux du Wahdat, alors que nous tâchions de nous réchauffer autour d'un feu de bois, dans une petite pièce donnant sur les statues des bouddhas, superbement drapées par la clarté lunaire.

Leur organisation et leurs prouesses guerrières leur avaient rendu confiance et fierté. « Nous avons sauvé le Nord des taliban », me dit ainsi Ahmed Sher, un soldat hazara de 14 ans qui se battait déjà depuis deux ans et tenait son kalachnikov comme un professionnel. Les Hazara ne manquaient pas d'amis. L'Iran expédiait du matériel militaire qui arrivait à Bamiyan sur une piste d'atterrissage de 3 kilomètres récemment construite ; Karim Khalili, le chef du Wahdat, passa l'hiver à chercher une aide militaire supplémentaire auprès de Téhéran, Moscou, New Delhi et Ankara.

Mais les Hazara avaient par ailleurs outrepassé leurs propres limites. Ils étaient divisés en plusieurs factions rivales qui se disputaient territoire, influence et aide étrangère. Les groupes rivaux du Hezb e-Wahdat se partageaient le contrôle de Mazar et se battaient aussi bien les uns contre les autres que contre les Ouzbeks, semant la guerre dans la ville et la pagaille politique dans l'alliance antitaliban. Des officiers de renseignement iraniens et russes proposèrent à plusieurs reprises de jouer les médiateurs entre Dostom, alors basé à Shiberghan, et les Hazara, mais personne n'était décidé à accepter un compromis. En février 1998, alors que Hazara et Ouzbeks se livraient de durs combats à l'intérieur même de Mazar, Massoud se rendit pour la première fois à Téhéran afin de persuader les Iraniens d'intervenir pour sauver l'alliance antitaliban avant qu'il ne soit trop tard. Les taliban, quant à eux, passèrent l'hiver à attendre pendant que leurs ennemis s'entre-déchiraient tout en resserrant le siège autour de Bamiyan et en préparant une nouvelle attaque contre Mazar.

Les mois d'hiver n'interrompirent pas les combats dans la province de Faryab, à l'ouest de l'Afghanistan, où les taliban se livrèrent à un nouveau massacre en janvier et tuèrent 600 villageois ouzbeks. Les Occidentaux qui enquêtèrent par la suite sur l'incident déclarèrent que les civils avaient été traînés hors de leurs maisons, alignés et fusillés. La réprobation internationale contre la politique des taliban monta d'un cran lorsqu'ils durcirent encore les lois et les châtiments islamiques en vigueur à Kaboul. Des amputations, des flagellations, des lapidations de femmes et des exécutions publiques avaient lieu chaque semaine à Kaboul ou à Kandahar. Le 8 mars 1998, la Journée internationale de la femme fut dédiée aux souffrances des Afghanes vivant sous le joug des taliban. Une session du sénat américain consacrée au sexisme en Afghanistan attira une large publicité, de même que les condamnations de la politique des taliban formulées par Hillary Clinton ou d'autres sommités.

Les taliban édictèrent de nouveaux décrets, précisant par exemple la longueur réglementaire de la barbe des hommes ou la liste de prénoms musulmans que chaque enfant nouveau-né devait porter. Ils fermèrent les rares écoles familiales pour filles qui fonctionnaient encore à Kaboul, et la police religieuse multiplia les descentes dans les rues de la capitale pour forcer les femmes à rentrer chez elles ; les familles furent obligées de noircir les fenêtres de leurs maisons pour que les femmes ne soient pas visibles de l'extérieur. Elles devaient désormais passer tout leur temps cloîtrées dans des maisons où même la lumière du soleil ne pouvait pénétrer. Les taliban les plus durs, déterminés à chasser d'Afghanistan les organismes humanitaires des Nations unies, provoquèrent une série d'incidents qui poussèrent à bout la patience de ses représentants.

Le 24 février 1998, tout le personnel des Nations unies quitta Kandahar et suspendit ses activités d'aide après que des équipes eurent été frappées et insultées par la direction des taliban. Le mollah Mohammed Hassan, le gouverneur unijambiste de Kandahar, d'habitude courtois, avait jeté une table et une chaise à la tête d'un délégué des Nations unies avant de tenter de l'étrangler parce qu'il avait refusé de paver une route dans son village. En mars, les taliban interdirent à Alfredo Witschi-Cestari, directeur des opérations d'aide humanitaire des Nations unies, de se rendre à Kaboul pour y mener les discussions nécessaires. L'ONU était restée choquée par le siège du Hazarajat. « Dans le Nord nos opérations d'aide se heurtent à un manque total de sécurité et dans le Sud nous avons un mal de chien à travailler avec les taliban. Il n'y a aucune autorité dans le Nord, et dans le Sud les autorités sont un problème terrible », me dit Lakhdar Brahimi.

Malgré tous ces problèmes, il tenta d'organiser une rencontre entre les taliban et leurs adversaires. Les taliban, désireux d'éviter de rencontrer les chefs de l'opposition afin de ne pas leur donner une légitimité supplémentaire, suggérèrent de réunir les oulémas des deux camps. On se chamailla plusieurs mois durant pour savoir qui avait les compétences requises. Les Nations unies appelèrent à l'aide Bill Richardson, l'expert en politique étrangère du Président Clinton et ambassadeur américain aux Nations unies, qui se rendit en Afghanistan le 17 avril 1998 pour une journée de diplomatie express et réussit à convaincre les deux camps de faire se rencontrer leurs oulémas.

Comme les deux parties essayaient de s'attirer les faveurs des États-Unis, Richardson, un personnage haut en couleur, reçut un accueil enthousiaste. Il fut submergé de cadeaux, tapis, sacoches de selle et turbans. À Kaboul, les taliban autorisèrent les équipes de télévision américaines à filmer, pour la première fois, leurs dirigeants et, par courtoisie, reportèrent le spectacle des flagellations et amputations publiques qui avait régulièrement lieu tous les vendredis au stade de football. Les dirigeants taliban de Kaboul promirent d'assouplir le siège du Hazarajat et de discuter avec les Nations unies de leur politique envers les femmes, mais le mollah Omar rejeta cet accord quelques heures à peine après le départ de Richardson.

Les oulémas se réunirent fin avril à Islamabad, sous les auspices des Nations unies, et acceptèrent après quatre jours de discussions le principe d'une commission de paix dans laquelle siègeraient vingt oulémas de chaque camp ; la commission aurait compétence pour traiter de sujets tels que le cessez-le-feu, la levée du siège du Hazarajat et l'échange de prisonniers. Mais les taliban refusèrent finalement de nommer leur délégation ; l'initiative de paix, une de plus, fut enterrée en mai, alors que les taliban préparaient déjà leur nouvelle offensive.

Une partie de ces préparatifs impliquait l'escalade de la tension entre taliban et Nations unies. En juin, les taliban interdirent aux femmes l'entrée des hôpitaux et exigèrent que les femmes musulmanes membres du personnel des Nations unies qui se rendaient en Afghanistan soient chaperonnées par un *mehram*, un parent du même sang - demande impossible à satisfaire, d'autant que les agences des Nations unies avaient déjà augmenté le nombre de leurs déléguées musulmanes, précisément pour se concilier les taliban et faciliter les contact avec les femmes afghanes. Les taliban demandèrent ensuite à toutes les ONG qui travaillaient à Kaboul de libérer leurs bureaux et de s'installer dans les ruines du bâtiment de l'Institut technique. Vingt-deux organisations sur trente décidèrent à l'issue d'un vote de quitter Kaboul si les taliban ne retiraient pas leur sommation, mais ces derniers répliquèrent qu'elle n'était pas négociable.

Quand l'Union européenne suspendit toute aide humanitaire aux régions contrôlées par les taliban, Lakhdar Brahimi lança une bombe en rendant publiques les frustrations des Nations unies. « Les taliban édictent leurs décrets pour nous empêcher de faire notre travail. Ils doivent savoir, non seulement qu'il y a une limite à ce que nous pouvons supporter, mais que nous subissons des pressions croissantes - en particulier de la part des donateurs, pour qui les limites existent également. » Les taliban refusèrent de céder ; le 20 juillet 1998, ils fermèrent de force tous les bureaux des ONG et l'exode des personnels humanitaires de Kaboul commença. Le même jour, on retrouva à Djalalabad les corps de Mohammed Habibi et Mohammed Bahsaryar, deux Afghans récemment enlevés qui travaillaient respectivement pour le HCR et le WFP. Les taliban ne fournirent aucune explication à leur mort.

La moitié des 1,2 million d'habitants de Kaboul bénéficiait d'une façon ou d'une autre de l'aide des ONG, et les premières victimes de l'interruption des secours furent les femmes et les enfants. Les distributions de nourriture, les soins médicaux et le fragile réseau d'alimentation en eau furent gravement affectés. Les habitants brandissaient leurs bouilloires et leurs seaux vides sous le nez des taliban qui passaient en Jeep, dont la réponse fut à la hauteur de leur habituelle indifférence vis-à-vis de la société civile. « Nous, musulmans, croyons que Dieu tout-puissant trouvera le moyen de nourrir tout le monde. Si les ONG étrangères partent, c'est leur affaire. Nous ne les avons pas expulsées », assena Qari Din Mohammed, le ministre du Plan.

Pendant ce temps, les taliban avaient persuadé le Pakistan et l'Arabie saoudite de soutenir leur nouvelle offensive sur le nord. Le chef du renseignement saoudien, le prince Turki al-Faisal, se rendit à Kandahar à la mi-juin ; après sa visite, les Saoudiens envoyèrent aux taliban 400 camionnettes et une aide financière. L'ISI pakistanais avait prévu un budget de quelque 2 milliards de roupies (5 millions de dollars américains) pour le soutien logistique nécessaire aux taliban. Les officiers de l'ISI vinrent à Kandahar aider les taliban à préparer leur attaque tandis que plusieurs milliers de nouvelles recrues afghanes et pakistanaises arrivaient des madrasas et des camps de réfugiés pour s'engager dans leurs rangs. Dès le mois de mars, l'Iran, la Russie et l'Ouzbékistan avaient commencé à pourvoir la coalition antitaliban en armes, munitions et carburant. Depuis Mechhed, l'aviation iranienne acheminait des cargaisons d'armes jusqu'à Bamiyan, tenue par les Hazara, pendant que les Russes et les Iraniens envoyaient de l'armement à Massoud à la base aérienne de Kouliab, au sud du Tadjikistan, d'où il l'expédiait en Afghanistan.

En juillet, les taliban gagnèrent le nord de Hérat ; ils prenaient Maimana le 12 après avoir mis en déroute les forces de Dostom, qui leur abandonnaient 100 chars et autres véhicules ainsi que 800 soldats ouzbeks, dont la plupart furent massacrés. Le 1er août 1998, les taliban s'emparaient du quartier général de Dostom à Shiberghan, où plusieurs commandants avaient changé de camp, contre rétribution. Dostom s'enfuit en Ouzbékistan, et de là en Turquie. Démoralisés par sa désertion, d'autres commandants ouzbeks qui gardaient la route de l'ouest vers Mazar se laissèrent eux aussi corrompre, exposant les 1 500 soldats hazara stationnés aux abords de la ville à une attaque surprise des taliban. Elle eut lieu au matin du 8 août ; les forces hazara soudain encerclées se battirent jusqu'à leurs dernières munitions ; il n'y eut que 100 survivants. Le premier camion des taliban entra à Mazar vers 10 heures du matin, alors que les habitants vaquaient à leurs occupations sans se douter de rien.

Suivit alors un nouveau massacre, proche du génocide dans sa férocité ; les taliban se vengeaient des pertes subies l'année précédente. Un commandant taliban reconnut par la suite qu'ils avaient étendu à deux jours la permission de tuer que le mollah Omar leur avait accordée pour deux heures. Les taliban, pris d'une frénésie meurtrière, patrouillèrent les rues étroites en camion, tuant tout ce qui bougeait - commerçants, conducteurs de charrettes, femmes et enfants occupés à faire les courses, jusqu'aux chèvres et aux ânes. Alors que les règles de l'islam exigent des funérailles immédiates, les cadavres furent laissés à pourrir dans les rues. « Ils tiraient sans sommation sur tous ceux qui se trouvaient dans les rues, sans faire de distinction entre hommes, femmes et enfants. Bientôt les rues ont été jonchées de cadavres et de sang. Personne n'a eu le droit d'enterrer les corps pendant les six premiers jours. Des chiens rendus fous dévoraient de la chair humaine et l'odeur est vite devenue intolérable », raconta un Tadjik rescapé du massacre.

Les habitants coururent se réfugier chez eux, aussitôt poursuivis par des soldats taliban qui massacrèrent des familles Hazara entières. « Ils tiraient trois balles, une dans la tête, une dans la poitrine et une dans les testicules. Les survivants enterraient les morts dans leur jardin. Les femmes étaient violées », raconta le même témoin. « Lorsque les taliban ont forcé la porte de notre maison, ils ont tué mon mari et ses deux frères sur place. Ils ont tous reçu trois balles, puis les soldats leur ont tranché la gorge à la manière *halal* », me dit une femme tadjik de 40 ans.

Après une première journée de massacre général, les taliban s'en prirent spécifiquement aux Hazara. Pour ne pas répéter l'erreur commise l'année précédente lorsqu'ils étaient entrés à Mazar sans guides, ils avaient enrôlé des Pachtounes du cru, anciens partisans de Hekmatiar, qui connaissaient bien la ville. Au cours des jours qui suivirent, ces combattants pachtounes de Balkh conduisirent les patrouilles des taliban aux maisons des Hazara. Mais les taliban, toujours incontrôlables, continuaient aussi à tuer au hasard. « J'ai vu qu'un jeune garçon tadjik avait été tué - le *talib* était encore debout à côté du corps et le père pleurait. "Pourquoi as-tu tué mon fils ? Nous sommes tadjiks." Le *talib* répondit : "Pourquoi ne l'as-tu pas dit ?" Et le père s'écria : "Me l'as-tu demandé, pour que je te le dise ?" »

Plusieurs milliers de Hazara furent emmenés à la prison de Mazar ; lorsqu'elle fut pleine, on jeta les prisonniers dans des conteneurs fermés à clé, où ils moururent asphyxiés. Certains conteneurs furent emmenés dans le désert du Dasht e-Laili, et leurs occupants furent massacrés - en représailles pour le traitement similaire qu'y avaient subi les taliban en 1997. « Ils ont amené trois conteneurs de Mazar à Shiberghan. Quand ils ont ouvert la porte d'un des camions, il n'y avait que trois survivants à l'intérieur. Les 300 autres étaient morts. Les trois hommes ont été conduits à la prison. J'ai tout vu de l'endroit où j'étais assis », rapporta un autre témoin. Plusieurs dizaines de milliers de civils tentèrent de fuir Mazar en longues colonnes que les taliban bombardèrent avec leur aviation, faisant des douzaines d'autres victimes.

Les taliban entendaient nettoyer le Nord de la présence chiite. Le mollah Niazi, qui avait ordonné le meurtre de Najibullah, fut nommé gouverneur de Mazar ; quelques heures à peine après la prise de la ville, les mollahs des taliban proclamaient depuis toutes les mosquées que les chiites avaient trois possibilités - se convertir à l'islam sunnite, s'exiler en Iran chiite ou mourir. Toutes les prières dirigées par les chiites dans les mosquées furent interdites. « L'an dernier, vous vous êtes révoltés contre nous et vous nous avez tués. Vous avez tiré sur nous depuis vos maisons. Maintenant, nous sommes ici pour nous occuper de vous. Les Hazara ne sont pas des musulmans, et nous devons tuer les Hazara. Ou vous acceptez d'être musulmans, ou vous quittez l'Afghanistan. Nous vous attraperons où que vous soyez. Si vous montez, nous vous tirerons par les pieds ; si vous vous terrez, nous vous tirerons par les cheveux », déclara Niazi à la grande mosquée de Mazar. Ainsi que l'historien romain Tacite décrivit la conquête de la Bretagne par les Romains, « l'armée romaine créa une désolation qu'elle appela paix ».

En l'absence d'observateurs étrangers, il était impossible de décompter les victimes, mais les Nations unies et le CICR avancèrent plus tard des chiffres d'environ 5 000 ou 6 000 morts. Il apparut ensuite que les taliban avaient émaillé leur avance de massacres de Tadjiks et d'Ouzbeks à Maimana et à Shiberghan. J'avancerais quant à moi le chiffre de 6 000 à 8 000 tués parmi les civils et les troupes antitaliban, qui subirent de lourdes pertes. Mais les taliban n'avaient pas atteint leur objectif, qui consistait à terroriser la population pour éviter tout nouveau soulèvement.

À Mazar, ils s'en prirent aussi à un autre groupe, ce qui leur valut une tempête de protestations internationales et faillit déclencher une guerre avec l'Iran. Une petite unité menée par le mollah Dost Mohammed, dans laquelle figuraient des militants pakistanais du parti antichiite Sipah e-Sahaba, pénétra dans le consulat iranien de Mazar et força onze diplomates et officiers de renseignement iraniens, ainsi qu'un journaliste, à descendre dans la cave où ils furent abattus. Téhéran avait d'abord contacté le gouvernement pakistanais pour lui demander de garantir la sécurité de son consulat, car les Iraniens savaient que des officiers de l'ISI étaient arrivés à Mazar dans les camions des taliban. Les diplomates, pensant que l'unité de Dost Mohammed avait été envoyée pour les protéger, l'avaient accueillie sans méfiance. Les taliban capturèrent également 45 chauffeurs de camion iraniens qui transportaient des armes destinées aux Hazara.

Les taliban commencèrent par nier toute implication dans l'affaire des diplomates avant de reconnaître, sous la pression des protestations internationales et de la fureur iranienne, qu'ils avaient été tués, non sur ordre officiel mais par des taliban dissidents. On sait pourtant de source sûre que Dost Mohammed joignit le mollah Omar par radio pour lui demander s'il devait tuer les diplomates, et qu'Omar lui donna son feu vert. Vraie ou pas, les Iraniens ne retinrent que cette version. Assez ironiquement, Dost Mohammed se retrouva plus tard à la prison de Kandahar, sa femme ayant porté plainte contre lui car il avait ramené deux concubines hazara. Les taliban avaient enlevé quelque 400 femmes hazara qu'ils prirent pour concubines.

La victoire des taliban, le contrôle qu'ils exerçaient désormais sur la plus grande partie de l'Afghanistan et leur espérance, nourrie par les autorités pakistanaises, d'obtenir enfin une reconnaissance internationale, contribuèrent à encourager leur invité, le dissident saoudien Oussama ben Laden, à s'enhardir dans la poursuite du djihad qu'il avait déclaré contre les États-Unis et la famille royale saoudienne. Le 7 août 1998, les sympathisants de Ben Laden commirent un attentat contre les ambassades américaines du Kenya et de Tanzanie, faisant 224 morts et 4 500 blessés. Les États-Unis ripostèrent par une frappe aérienne contre les camps d'entraînement de Ben Laden dans le nord-est de l'Afghanistan le 2 août 1998. Plusieurs dizaines de missiles de croisière touchèrent six cibles, tuant plus de 20 personnes et en blessant 30 autres. Les États-Unis affirmèrent que Ben Laden avait réussi à s'échapper. Il n'y eut en fait que peu de victimes arabes. La plupart étaient des Pakistanais et des Afghans venus s'entraîner pour combattre au Cachemire.

Les taliban, outrés, organisèrent des manifestations contre ces attaques dans les villes afghanes. Dans plusieurs villes, les bureaux des Nations unies furent pillés par des foules en colère. Le mollah Omar sortit de sa réserve pour fustiger Clinton en personne. « Si l'attaque contre l'Afghanistan est une décision personnelle de Clinton, il l'a lancée pour détourner l'attention du monde et du peuple américain de la honteuse affaire de la Maison-Blanche, qui prouve que Clinton est un menteur, un homme sans décence et sans honneur », déclara Omar, faisant allusion à l'affaire Monica Lewinsky. Omar répéta que Ben Laden était l'invité non seulement des taliban, mais du peuple afghan, et que les taliban ne le livreraient jamais aux États-Unis. « L'Amérique elle-même est le plus grand terroriste au monde », ajouta Omar. Pendant que les délégués des Nations unies quittaient Kaboul, où régnait une insécurité croissante, des tireurs abattaient un officier italien des Nations unies et blessaient un diplomate français. Les deux assassins, Haq Nawaz et Salim, tous deux originaires de Rawalpindi, étaient des militants islamiques pakistanais du groupe Harakat ul-Ansar ; ils furent appréhendés et emprisonnés par les taliban.

Loin de vouloir calmer les critiques internationales et l'Iran, les taliban lancèrent une offensive sur Bamiyan à partir de trois points différents ; la ville tomba le 13 septembre, après la reddition de quelques commandants hazara. Karim Khalili et d'autres chefs du Wahdat s'enfuirent dans les collines avec une grande partie de la population lorsque les premiers soldats taliban entrèrent dans la ville. Cette fois, les appels répétés de la communauté internationale au respect des droits de l'homme furent entendus par le mollah Omar, qui ordonna à ses troupes d'épargner les civils hazara. Des incidents eurent tout de même lieu à Bamiyan quelques semaines plus tard. Ainsi, cinquante vieillards restés dans leur village proche de Bamiyan, abandonné par ses habitants plus jeunes, furent tués par les taliban.

Une autre tragédie se déroula le 18 septembre, soit cinq jours après l'occupation de Bamiyan ; les combattants taliban dynamitèrent la tête du petit bouddha de la falaise, dont le visage vola en éclats. Ils tirèrent des roquettes sur l'aine de la statue, endommageant le magnifique plissé de pierre et détruisant les fresques de la niche. Ces deux bouddhas, le plus bel héritage archéologique de l'Afghanistan, se dressaient là depuis presque 2 000 ans et avaient survécu aux assauts des Mongols. À présent, les taliban commençaient à les détruire. C'était un crime que ne pouvait justifier aucun appel à l'islam.

Pour les Iraniens, la chute de Bamiyan fut la goutte d'eau qui fait déborder le vase. L'Iran déclara que la législation internationale et la charte des Nations unies garantissaient son droit à l'autodéfense et donc l'autorisaient à prendre toutes les mesures nécessaires contre les taliban - reprenant mot pour mot l'argument avancé par Washington pour justifier ses frappes aériennes. Une semaine plus tard, l'ayatollah Ali Khomeiny, le chef suprême de l'Iran, annonça qu'une guerre de grande envergure risquait d'engloutir toute la région. Il accusa les troupes et l'aviation pakistanaises d'avoir participé à la prise de Bamiyan. Islamabad nia formellement. Les relations Iran-Pakistan s'envenimèrent encore tandis que Téhéran se préparait à la guerre. Soixante-dix mille gardiens de la révolution iraniens, appuyés par des chars et des unités aériennes, entamèrent les plus grandes manœuvres militaires jamais vues le long de la frontière avec l'Afghanistan. En octobre, quelque 200 000 soldats de l'armée régulière iranienne commencèrent à leur tour à de manœuvrer le long de la frontière, tandis que les taliban mobilisaient 5 000 combattants pour empêcher une invasion iranienne.

Le Conseil de sécurité rendit publique sa crainte d'une guerre totale déclenchée par l'Iran et renvoya Lakhdar Brahimi dans la région. La tension militaire entre l'Iran et les taliban ne s'apaisa qu'après la rencontre de Brahimi avec le mollah Omar à Kandahar, le 14 octobre 1998. C'était la première fois qu'Omar rencontrait un représentant officiel des Nations unies ou un diplomate étranger autre que pakistanais. Omar accepta de relâcher tous les chauffeurs de camions et de rendre les corps des diplomates iraniens, et promit d'améliorer les relations des taliban avec les Nations unies.

La confrontation des taliban avec l'Iran avait donné à Massoud le temps de regrouper ses forces ainsi que les derniers combattants ouzbeks et hazara qui ne s'étaient pas rendus. Au même moment, il bénéficia d'une aide accrue de la part de la Russie et de l'Iran, incluant, outre des armes, des véhicules et des hélicoptères. Massoud lança une série d'attaques-éclairs bien coordonnées au nord-est et reprit aux taliban une grande étendue de territoire, notamment le long de l'ultrasensible frontière de l'Afghanistan, du Tadjikistan et de l'Ouzbékistan. Les taliban perdirent environ 2 000 hommes en octobre et novembre, des garnisons démoralisées, mal équipées et victimes du froid qui se battirent brièvement avant de se rendre à Massoud. Le 7 décembre 1998, celui-ci convoquait dans la vallée du Panjshir une réunion de tous les commandants antitaliban en activité. L'effondrement de la direction hazara et ouzbek laissait à Massoud et à ses Tadjiks le commandement suprême ; les chefs militaires, y compris les pachtounes, le mirent à la tête de l'ensemble des forces antitaliban.

L'offensive des taliban, le massacre des Hazara et la confrontation avec l'Iran, sans oublier l'attaque des missiles américains, avaient terriblement miné le fragile équilibre politique de la région. Le grand coup frappé par les taliban exaspérait la Russie, la Turquie et les États d'Asie centrale qui reprochaient au Pakistan et à l'Arabie saoudite de les aider. Cette guerre verbale aggrava la polarisation entre les deux blocs d'États. Les ministres des Affaires étrangères et de la Défense du Kazakhstan, de l'Ouzbékistan et du Tadjikistan rencontrèrent les autorités russes le 25 août 1998 à Tachkent, afin de coordonner leurs mesures politiques et militaires en vue d'arrêter l'avance des taliban.

Les conséquences de l'escalade étaient considérables : elles incluaient le danger d'une guerre entre l'Iran et les taliban, qui pouvait entraîner le Pakistan aux côtés de l'Afghanistan ; financiers et compagnies pétrolières occidentaux s'inquiétaient des risques courus par d'éventuels nouveaux investissements dans les régions riches en pétrole de la mer Caspienne ; le spectre d'une propagation du fondamentalisme islamique dans les États appauvris d'Asie centrale grandissait au même rythme que les sentiments anti-américains dans la région ; le Pakistan était encore davantage divisé par les partis islamiques qui exigeaient l'islamisation du pays.

La communauté internationale restait frustrée par l'intransigeance des taliban, qui s'obstinaient à refuser de former un gouvernement sur une base élargie, de changer de position sur la question des femmes et d'accepter un comportement plus diplomatique. Les organismes humanitaires des Nations unies ne pouvaient pas revenir à Kaboul. Washington était obsédé par la capture de Ben Laden et le refus réitéré des taliban de le livrer. Même l'Arabie saoudite, leur proche alliée, offensée par la protection que les taliban accordaient à Ben Laden, rappela sa représentation diplomatique à Kaboul et cessa de financer officiellement les taliban, laissant ce soin au seul Pakistan.

Ces frustrations internationales aboutirent, le 8 décembre 1998, à la plus dure de toutes les résolutions du Conseil de sécurité sur l'Afghanistan jamais adoptée. La résolution menaçait les taliban de sanctions non spécifiées pour asile accordé aux terroristes internationaux, violation des droits de l'homme, encouragement au trafic de drogue et refus d'accepter un cessez-le-feu. « Le terrorisme basé en Afghanistan est devenu un véritable fléau », déclara Nancy Soderberg, la déléguée américaine. Le Pakistan fut le seul pays qui refusa de s'associer à la résolution, qu'il considérait comme partiale ; il était désormais aussi isolé au niveau international que les taliban.

La pression renouvelée des Nations unies, des États-Unis et d'autres pays força les adversaires à revenir s'asseoir à la table des négociations début 1999. Sous les auspices des Nations unies, des délégations des taliban et de l'opposition se rencontrèrent à Achkhabad le 11 mars 1999. Les discussions s'achevèrent sur une note d'espoir, les deux parties acceptant un échange de prisonniers et la poursuite des négociations. Pourtant, le mollah Omar écarta toute idée de poursuite des pourparlers au mois d'avril 1999, accusant

Massoud de duplicité. De fait, dans les deux camps, on avait mis à profit cette accalmie pour préparer l'offensive de printemps. Le 7 avril 1999, Massoud rencontra à Douchanbe le ministre de la Défense russe, Igor Sergueïev, et la Russie annonça la construction d'une nouvelle base militaire au Tadjikistan. De toute évidence, celle-ci était partiellement destinée à accélérer la fourniture d'aide militaire à Massoud. Les taliban se rééquipaient et recrutaient des étudiants dans les madrasas pakistanaises. Massoud et les Hazara lancèrent une série d'attaques au nord-est et dans le Hazarajat. Grâce à un spectaculaire renversement de situation, les troupes du Wahdat reprirent Bamiyan le 21 avril. Les combats se propagèrent, mettant à nouveau le Nord à feu et à sang ; les efforts de paix des Nations unies étaient réduits à néant.

Au début de l'année 1998, Kofi Annan constatait : « Dans un pays de 20 millions d'habitants, 50 000 hommes armés tiennent toute la population en otage. » Fin 1998, il parla de l'inquiétante « perspective d'une extension régionale du conflit », dans lequel l'Afghanistan était devenu « le terrain d'une nouvelle version du Grand Jeu ». Au lieu de déboucher sur la paix, les victoires des taliban, avec les massacres des populations du Nord, avaient amené l'Afghanistan au bord de l'explosion ethnique.

Les sombres prédictions de Kofi Annan semblèrent se réaliser à la fin de l'année lorsque Lakhdar Brahimi, le médiateur des Nations unies, annonça sa démission. Il mettait en cause l'intransigeance des taliban, le soutien des milliers d'étudiants pakistanais des madrasas et les continuelles ingérences étrangères. Sa démission suivait deux offensives des taliban, en juillet et septembre, qui avaient pour but de repousser les forces de Massoud hors de la région de Kaboul et de couper ses lignes d'approvisionnement avec le Tadjikistan dans le Nord.

Les deux offensives échouèrent, mais les taliban adoptèrent une sanguinaire politique de la terre brûlée au nord de la capitale, qui chassa 200 000 personnes et dévasta la vallée de la Shomali - une des régions les plus fertiles du pays. Lorsque l'hiver s'installa, les dizaines de milliers de réfugiés qui avaient rejoint la vallée du Panjshir tenue par les forces de Massoud ou s'étaient abrités à Kaboul chez les taliban durent affronter de graves pénuries de nourriture et d'abris.

La démission de Brahimi entraîna une réaction beaucoup plus dure de la communauté internationale. Le 15 octobre, le conseil de sécurité des Nations unies imposa à l'unanimité des sanctions limitées contre les taliban - les vols commerciaux en direction ou en provenance d'Afghanistan furent interdits et les comptes bancaires des taliban gelés dans le monde entier -, alors que les États-Unis pressaient les taliban de leur livrer Ben Laden.

Le 6 février 2000, les taliban firent l'objet de nouvelles pressions internationales lorsque des civils afghans désespérés détournèrent un vol intérieur de la compagnie aérienne afghane vers Londres, où ils demandèrent asile. Le détournement se termina pacifiquement quatre jours plus tard. Début mars 2000, les taliban lancèrent des attaques contre les forces de Massoud, qui les repoussèrent. Leur prestige reçut un sérieux coup le 27 mars, lorsque deux chefs de l'Alliance du Nord qui avaient passé trois ans dans une geôle des taliban à Kandahar réussirent à s'évader et parvinrent en Iran. L'un d'eux était Ismaël Khan, l'ancien chef de la résistance moujahidin contre l'occupation soviétique dans les années 1980, qui avait ensuite combattu les taliban.

Au mois d'avril, les taliban lancèrent plusieurs appels à la communauté internationale pour soulager la sécheresse qui sévissait dans trois provinces du Sud et lutter contre une invasion de sauterelles dans la province de Baghlan. La sécheresse empira au cours de l'été, frappant tout le pays, mais les taliban refusèrent de proclamer le cessez-le-feu qui aurait encouragé l'aide internationale. Les agences des Nations unies n'avaient reçu en trois mois que 8 millions de dollars sur les 67 millions demandés. Les prix alimentaires augmentèrent de 75 % entre janvier et juillet, tandis que la monnaie afghane perdait 50 % de sa valeur. Cependant, l'aggravation de la sécheresse n'empêcha pas les taliban de lancer leur offensive d'été le 1er juillet. Plusieurs milliers de soldats taliban, appuyés par des dizaines de chars, tentèrent de se frayer un chemin à travers les positions de la coalition, à 30 kilomètres au nord de Kaboul, en attaquant dans cinq directions différentes. Ils perdirent 400 hommes et furent repoussés par les troupes de Massoud.

Les combats autour de Kaboul une fois calmés, les taliban portèrent l'offensive vers le nord-est du pays le 28 juillet, afin de couper les lignes d'approvisionnement de Massoud avec le Tadjikistan. Ils bombardèrent des cibles civiles au cours de leur lente progression vers Taloqan, où était basé l'état-major politique de la coalition. Taloqan tomba le 5 septembre, après un siège de quatre semaines et des combats acharnés ; Massoud opéra une retraite stratégique afin d'épargner les civils. Il recula jusqu'aux frontières du Badakhstan, la dernière province qu'il tenait encore, tandis que 150 000 réfugiés fuyant Taloqan et l'avance des taliban se pressaient à la frontière du Tadjikistan, demandant l'asile. Les taliban s'emparèrent également de plusieurs villes situées sur la frontière Afghanistan-Tadjikistan, soulevant un vent de panique en Asie centrale.

L'année 2000 vit apparaître des signes de division et de dissension croissantes au sein de la direction des taliban ; les tribus pachtounes, par exemple, exprimaient leur ressentiment grandissant face aux restrictions, à la corruption des autorités et à leur manque de considération pour les souffrances de la population. Le 13 janvier, les gardes taliban chargés de la surveillance des fonds monétaires de la capitale s'enfuirent en dérobant l'équivalent de 200 000 dollars. La Bourse de Kaboul resta fermée plusieurs jours en signe de protestation, et le cours de l'afghani plongea. Le 25 janvier, 400 chefs de tribus de quatre provinces de l'ouest - Paktya, Khost, Paktika et Gardez - forcèrent les taliban à remplacer les gouverneurs locaux, protestant contre la conscription et la hausse considérable des impôts qui, se plaignirent-ils, étaient envoyés à Kaboul au lieu de servir aux secours locaux. Le 22 janvier, plus de 2 000 personnes organisèrent à Khost une manifestation sans précédent contre les taliban. La sécheresse et l'obstination des taliban à continuer les combats attisèrent les critiques publiques sur leur mépris pour le sort de la population civile. Contrebandiers et transporteurs reprochaient aux taliban de protéger Ben Laden, provoquant ainsi les sanctions des Nations unies et une baisse de leurs trafics. À la fin du mois d'avril, les taliban arrêtèrent le général Akhtar Mansuri, chef des forces aériennes, et dix autres dirigeants de Kandahar, accusés d'avoir facilité l'évasion d'Ismaël Khan.

Les pays voisins de l'Afghanistan, particulièrement en Asie centrale, se montraient de plus en plus hostiles au soutien croissant que les taliban accordaient au fondamentalisme islamique et aux mouvements terroristes. Les taliban accueillaient des groupes extrémistes d'Asie centrale, d'Iran, du Cachemire, de Chine et du Pakistan dont les militants se battaient à leur côtés. Le Mouvement islamique de l'Ouzbékistan (MIO), qui lança en été 1999 puis en 2000 des offensives avortées contre le régime ouzbek, possède des bases dans le nord de l'Afghanistan. Plus d'un tiers des 15 000 soldats taliban qui s'emparèrent de Taloqan n'étaient pas afghans ; ces troupes comptaient 3 000 combattants pakistanais, 1 000 membres du MIO, plusieurs centaines d'Arabes liés à Ben Laden ainsi que des hommes venant du Cachemire, de Tchétchénie, des Philippines, et des musulmans chinois.

Les efforts internationaux des États-Unis, de la Russie et des États de la région pour coordonner les mesures antiterroristes s'accentuèrent. Les accusations des Russes contre les taliban prirent un tour nouveau lorsque Kaboul reconnut le gouvernement de la république sécessionniste de Tchétchénie et autorisa les Tchétchènes à ouvrir une ambassade le 16 janvier 2000. Après le coup d'État militaire du 12 octobre 1999 à Islamabad, le

Pakistan renforça l'aide destinée à l'offensive de l'été 2000 des taliban. Le Pakistan continuait, seul au monde, à soutenir les taliban, et plusieurs pays de la région manifestèrent une hostilité grandissante envers son régime militaire.

Les Nations unies et l'Organisation de la conférence islamique (OCI) firent de vaines tentatives pour amener les factions ennemies à la table de négociations. Le diplomate espagnol Francesc Vendrell fut nommé le 18 janvier délégué spécial pour l'Afghanistan du secrétaire général des Nations unies. En mars, puis en mai, l'OCI organisa des discussions indirectes entre les taliban et la coalition à Djedda, sans aucun résultat. Alors même qu'ils semblaient sur le point de prendre le contrôle du pays tout entier, les taliban, toujours isolés de la communauté internationale, étaient traités comme des parias par tous les voisins de l'Afghanistan.

Deuxième partie
L'islam et les taliban

Chapitre 6
UN DÉFI À L'ISLAM :
LE FONDAMENTALISME DES TALIBAN

L'islam a toujours été au cœur de la vie du peuple afghan. Qu'il s'agisse des cinq prières quotidiennes, du jeûne du Ramadan ou du *zakat* - l'impôt islamique reversé aux pauvres - peu de peuples musulmans observent les rituels et la piété musulmane avec autant de régularité et de ferveur que les Afghans. L'islam est le fondement de l'unité des multiples et diverses ethnies du pays, et le djihad a souvent servi de principal agent mobilisateur au nationalisme afghan, lors de la résistance contre les Britanniques ou contre les Russes.

Riche ou pauvre, communiste, roi ou moudjahidin, il n'y a aucune différence. Lorsque j'ai rencontré le vieux roi Zahir Shah dans son exil à Rome en 1988, il a tranquillement interrompu l'entretien pour aller prier dans la pièce à côté. Les ministres communistes priaient dans leurs bureaux. Les guerriers moudjahidin arrêtaient les combats pour prier. Le mollah Omar passe des heures sur son tapis de prière et élabore souvent ses plans stratégiques après ses prières. Ahmad Shah Massoud s'isolait de la bataille qu'il dirigeait pour prier, avant de s'enfoncer dans un profond silence méditatif au milieu du tonnerre des canons et du crépitement des messages radio.

Mais aucun Afghan ne saurait forcer son voisin musulman à prier avec lui. L'islam était traditionnellement tolérant en Afghanistan - envers les autres sectes musulmanes, les autres religions, et envers la modernité. Les mollahs afghans n'avaient pas la réputation d'enfoncer l'islam dans la gorge des récalcitrants, et le sectarisme n'est devenu un problème que récemment. Jusqu'en 1992, hindous, sikhs et juifs jouaient un rôle significatif dans l'économie du pays. Ils contrôlaient depuis fort longtemps les échanges monétaires dans les centres urbains et prêtaient souvent de l'argent aux rois afghans qui partaient en guerre.

Après 1992, la brutalité de la guerre civile a détruit cette tolérance et ce consensus séculaires. Elle a divisé les sectes islamiques et les groupes ethniques d'une manière qu'aucun Afghan ordinaire n'aurait jamais pu envisager. Les massacres commis - celui des Hazara de Kaboul par Massoud en 1995, des Hazara de Mazar par les taliban en 1997, puis celui des Hazara et des Ouzbeks par les taliban en 1998 - n'ont aucun précédent dans l'histoire afghane ; ils ont peut-être endommagé de manière irréparable le tissu de l'âme nationale et religieuse du pays. La politique antichiite délibérée des taliban a discrédité l'islam et l'unité du pays, que les groupes minoritaires tentent de fuir en masse. Pour la première fois dans l'histoire de l'Afghanistan, le facteur d'unité qu'est l'islam s'est transformé en une arme mortelle aux mains d'extrémistes, en force de division, de fragmentation et d'âpres luttes sanguinaires.

Quatre-vingts pour cent des Afghans appartiennent à l'école sunnite hanafite, la plus libérale des quatre écoles de pensée sunnites. Les sectes minoritaires, peu nombreuses, étaient dispersées le long des frontières du pays. L'islam chiite prédomine chez les Hazara du Hazarajat, dans une poignée de tribus pachtounes, quelques clans tadjiks et chez certains habitants de Hérat. Les Ismaéliens, regroupés autour de l'Aga Khan, relèvent du chiisme. Ils ont toujours vécu dans les inaccessibles régions du Nord-Est, près des communautés ismaéliennes des montagnes du Pamir, qui forment aujourd'hui les régions septentrionales de l'est du Tadjikistan et du Pakistan. Le chef de la communauté afghane des Ismaéliens, Sayed Nadir Shah Hussain, disparu en 1971, avait été choisi par l'Aga Khan. Ses fils, qui ont pris sa suite, jouent un rôle prédominant dans la coalition antitaliban. Les hindous et les sikhs arrivés dans les bagages des troupes britanniques au XIXᵉ siècle avaient presque tous quitté le pays en 1998, tout comme les juifs de Boukhara, à l'exception de quelques dizaines.

Le courant sunnite hanafite est essentiellement non hiérarchique et décentralisé, ce qui a empêché ses dirigeants d'incorporer ses chefs religieux aux systèmes d'États fortement centralisés du XXᵉ siècle. Pendant des siècles, il a pourtant remarquablement convenu à la souplesse de la confédération afghane. L'islam afghan traditionnel soutenait l'idée d'un gouvernement réduit au minimum, et d'une intervention de l'État aussi faible et aussi indirecte que possible. Les décisions quotidiennes se prenaient au sein de la tribu et de la communauté. Chez les Pachtounes, les mollahs de village s'assuraient, malgré leur manque d'éducation, que la mosquée occupait le centre de la vie du village. Les étudiants, ou *taliban*, fréquentaient de petites madrasas disséminées dans la zone de peuplement de chaque tribu. Au Moyen Âge, Hérat était le centre du réseau de madrasas de l'Afghanistan, mais les érudits afghans voyageaient depuis le XVIIᵉ siècle en Asie centrale, en Égypte et en Inde pour étudier dans des madrasas plus renommées afin de rejoindre les rangs des oulémas.

L'islam était d'autant plus profondément enraciné en Afghanistan que la charia domina les procédures légales jusqu'en 1925, date à laquelle le roi Amanullah commença à introduire un code civil et l'État entreprit de former des oulémas pour en faire des *qazi*, ou juges islamiques. Une faculté de la charia fut créée en 1946 à l'université de Kaboul, qui devint le moteur principal de la fusion du code civil et de la charia. Cette fusion de la tradition et de la modernité s'incarnait en la personne de Mohammed Musa Shafiq, dernier Premier ministre de la monarchie renversée en 1973. Shafiq étudia d'abord dans une madrasa, puis à la faculté de la charia de Kaboul, avant de préparer un diplôme à l'université Columbia de New York. Sa mort fut pleurée dans tout le pays lorsque les communistes l'exécutèrent en 1979.

Il n'est donc pas surprenant de voir les mollahs refuser de se joindre aux partis moudjahidin islamiques radicaux en 1979, choisissant de préférence les partis plus traditionnels à base tribale, tel le Harakat e-Inqilab e-Islami du *mowlana* Mohammed Nabi Mohammedi et le Hezb e-Islami du *mawlawi* Younis Khalis. Ces deux hommes étaient des *mawlawi* - ou maîtres spirituels - qui avaient passé un certain temps dans la madrasa Haqqania, au Pakistan, avant d'établir leurs propres écoles en Afghanistan. Après l'invasion soviétique, ils créèrent des organisations peu structurées, décentralisées, sans idéologie ni hiérarchie, qui perdirent rapidement pied face aux partis islamiques plus radicaux approvisionnés en armes par la CIA et l'ISI.

Un autre facteur de modération pour l'islam afghan découle de l'énorme popularité du soufisme, tendance mystique de l'islam originaire d'Asie centrale et de Perse. « Soufi » signifie « laine » en arabe, et le nom de cette école se réfère aux manteaux de laine grossière portés par les premiers frères soufis. Les ordres soufis, ou *tariqah* - « chemin » -, nés au Moyen Âge d'une réaction contre l'autorité, l'intellectualisme, la loi et les mollahs, ont attiré principalement les gens pauvres et sans pouvoir. Les soufis bâtissent leur foi sur la prière, la contemplation, les danses, la musique et des séances de tremblements ou de tournoiements qui expriment la quête permanente de la vérité. Ces rituels créent en l'homme un espace spirituel intérieur qu'un observateur extérieur ne peut pénétrer. Le fameux voyageur arabe Ibn Battuta décrivait ainsi le soufisme il y a sept siècles : « Le but fondamental de la vie du soufi est de percer le voile des sens humains qui éloignent l'homme du divin afin de parvenir à la communion et à l'absorption en Dieu. »

Les deux principaux ordres soufis d'Afghanistan, la Naqchabandiyya et la Qaderiyya, ont joué un rôle essentiel dans l'unification de la résistance antisoviétique par leur réseau d'associations et d'alliances indépendantes des partis moudjahidin et des groupes ethniques. Les chefs de ces ordres jouissaient de la même influence. La famille Modjaddidi, à la tête de la Naqchabandiyya, faisait et défaisait les rois de Kaboul depuis des siècles. Les communistes se livrèrent à un acte d'une grande brutalité en tuant 79 membres de la famille Modjaddidi à Kaboul en janvier 1979, afin d'éliminer d'éventuels rivaux. Un survivant nommé Sibghatullah Modjaddidi fonda néanmoins son propre parti de résistants à Peshawar, le Jabha i-Najat Milli Afghanistan, ou Front national de libération de l'Afghanistan ; son organisation devint le plus féroce critique des partis islamiques radicaux. Nommé président du gouvernement afghan par intérim en 1989, il devint ensuite le premier Président moudjahidin du pays en 1992.

Le *pir* Sayyed Ahmad Gaylani, chef de l'ordre de la Qaderiyya et parent par alliance de l'ex-roi Zahir Shah, fonda le Mahaz i-Milli, ou Front national islamique d'Afghanistan, à Peshawar. Ces deux chefs qui continuaient à soutenir Zahir Shah restèrent les plus modérés de tous les chefs moudjahidin. Eux aussi furent écartés par le réseau CIA-ISI, puis par Hekmatyar et Massoud, enfin par les taliban. Ils se lancèrent à nouveau dans la politique en 1999, lorsqu'ils fondèrent un Parti de la paix et de l'unité nationale qui tenta de se poser en médiateur entre les taliban et leurs adversaires.

L'extrémisme islamique n'avait jamais fleuri en Afghanistan avant l'arrivée des taliban. La tradition sunnite abritait également les wahhabites, disciples de l'austère foi musulmane répandue en Arabie saoudite. Ce mouvement lancé par Abdul Wahhab (1703-1792) entendait purifier les bédouins arabes de l'influence du soufisme ; il devint un élément important de la politique étrangère saoudienne après la crise du pétrole des années 1970. Les wahhabites arrivèrent en Asie centrale en 1912, lorsque Sayyed Shari Mohammed, originaire de Médine, installa des cellules wahhabites à Tachkent et dans la vallée du Ferghana. De là, ainsi que de l'Inde britannique, leur rayonnement atteignit l'Afghanistan, où elles n'avaient cependant qu'un soutien minime avant la guerre.

Lorsque les armes et l'argent saoudien commencèrent à inonder les chefs wahhabites pachtounes formés en Arabie saoudite, les adeptes se firent plus nombreux. Au début de la guerre, les Saoudiens envoyèrent sur place un Afghan installé depuis longtemps en Arabie saoudite, Abdul Rasul Sayyaf, chargé de créer un parti wahhabite appelé Ittehad e-Islami - Unité islamique - à Peshawar. Les wahhabites afghans, également nommés salafites, se transformèrent en opposants actifs à la fois des soufis et des partis traditionnels tribaux ; mais ils ne réussirent pas à répandre leur message auprès des Afghans ordinaires, qui le voyaient comme une doctrine étrangère. Si les moudjahidin arabes qui se joignirent au djihad, dont Oussama ben Laden, gagnèrent une audience parmi les Pachtounes, ce fut en grande partie grâce aux fonds considérables et aux armes dont ils disposaient.

C'est grâce au ravitaillement en armes assuré par la CIA et l'ISI, que les partis islamiques radicaux devinrent les moteurs du djihad. Hekmatyar et Massoud avaient tous deux participé au soulèvement manqué contre le Président Mohammed Daoud en 1975. Les radicaux islamiques s'étaient ensuite réfugiés au Pakistan, où Islamabad les protégea en vue de faire pression sur les futurs gouvernements afghans. Ainsi, lorsque les Soviétiques envahirent l'Afghanistan en 1979, le Pakistan contrôlait déjà des éléments radicaux prêts à agir et à prendre la tête du djihad. Le Président Zia ul-Haq insista pour que le gros de l'aide militaire de la CIA soit transféré vers ces partis, jusqu'à ce que Massoud, son indépendance prise, critique férocement la mainmise pakistanaise.

Ces chefs islamiques étaient issus d'une nouvelle classe d'étudiants instruits - Hekmatyar a fait des études d'ingénieur à l'université de Kaboul, Massoud y fréquenta le lycée français - qui s'inspiraient du parti islamique le plus radical et le plus politisé du Pakistan, le Jamaat e-Islami. Quant au Jamaat, il puisait son inspiration dans l'Ikhwan ul-Muslimin - les Frères musulmans -, confrérie fondée en Égypte en 1928 dans le but de déclencher une révolution et de créer un État islamique. Le fondateur de l'Ikhwan, Hassan al-Banna (1906-1949), exerça une influence majeure sur Abdul-Ala Maudiddi (1903-1978), qui créa, en 1941, le Jamaat pakistanais.

Les Frères musulmans voulaient renverser le colonialisme par une révolution islamique, et non nationaliste ou communiste. Par opposition aux mollahs traditionnels, ces islamistes refusaient les compromis avec l'élite néocoloniale indigène et prônaient un changement politique radical qui aboutirait à une véritable société islamique, à l'image de celle instaurée par le prophète Mahomet à La Mecque et à Médine, mais néanmoins capable de relever les défis du monde moderne. Ils rejetaient le nationalisme, l'ethnicité, la segmentation tribale et les structures de classe féodales, en faveur d'un nouvel internationalisme qui accomplirait l'unité du monde musulman, la'Ummah. C'est dans cette optique que des partis comme le Jamaat pakistanais et le Hezb e-Islami de Hekmatyar mirent sur pied des organisations modernes et centralisées selon l'exemple communiste, incluant cellules, secret extrême, endoctrinement politique et entraînement militaire.

La grande faiblesse de l'Ikhwan comme modèle d'islam politique réside dans sa dépendance à un chef charismatique unique, ou émir, de préférence à une organisation plus démocratique. L'islam radical n'est pas obnubilé par la création d'institutions, mais par le tempérament et la pureté de son chef, ses vertus et ses compétences, ou le fait de savoir si sa personnalité en fait un digne émule du prophète Mahomet. Ainsi, ces mouvements présupposent la vertu islamique des individus, même s'il n'est logiquement possible d'acquérir une telle vertu que dans une société déjà authentiquement islamique. Ce modèle favorise invariablement la dictature, comme le montre le cas de Hekmatyar.

Ces islamistes radicaux étaient néanmoins, comparés aux taliban, relativement modernes et tournés vers l'avenir. Ils encourageaient l'éducation des femmes et leur participation à la vie sociale. Ils élaboraient, ou tentaient de le faire, des théories relatives à l'économie, au système bancaire ou aux relations internationales propres à une société islamique, et réfléchissaient à un système social plus juste et équitable. Cependant, le discours islamiste radical souffre des mêmes faiblesses et des mêmes limitations que le marxisme afghan : c'est une idéologie globale qui rejette plutôt qu'elle n'intègre les multiples identités sociales, religieuses et ethniques constitutives de la société afghane. Communistes et islamistes afghans voulaient imposer des changements radicaux à une société traditionnelle par une révolution venue d'en haut. Ils voulaient, tâche impossible, se débarrasser du tribalisme et de l'ethnicité par décret et n'étaient pas prêts à accepter les réalités complexes du terrain.

L'échec politique des islamistes afghans et leur incapacité à concevoir des transformations fondées sur la réalité renvoient à un phénomène largement répandu dans le monde musulman - c'est ce que le spécialiste français Olivier Roy a appelé l'« échec de l'islam politique ». Les sociétés musulmanes du XXᵉ siècle hésitent entre deux structures contradictoires. D'un côté se trouvent le clan, le groupe tribal et ethnique, et de l'autre l'État et la religion. La loyauté et l'engagement ont oscillé entre le groupe particulier et la religion de tous, entre la tribu et l'Ummah, mais en ignorant l'État. Les islamistes afghans n'ont pas réussi à résoudre cette dichotomie.

Les taliban ont émergé comme mouvement de réforme islamique. Tout au long de l'histoire des musulmans, les mouvements de réforme religieux ont transformé à la fois la nature de la croyance et la vie sociale et politique ; ainsi lorsque les tribus nomades musulmanes détruisaient d'autres empires musulmans, elles les métamorphosaient avant d'être elles-mêmes urbanisées et détruites. Ce changement politique a toujours été rendu possible par le concept de djihad. La pensée occidentale, fortement influencée par les croisades chrétiennes du Moyen Âge, a constamment décrit le djihad comme une guerre islamique contre les infidèles. Or le djihad est par essence le combat intérieur du musulman désireux de devenir un être humain meilleur, de se perfectionner et d'aider sa communauté. Le djihad est aussi une épreuve d'obéissance à Dieu et d'application de ses commandements sur terre. « Le djihad représente le combat intérieur de la discipline morale et de l'engagement en faveur de l'islam et de l'action politique. »

L'islam autorise la rébellion contre un chef injuste, qu'il soit musulman ou non, et le djihad agit comme un mécanisme mobilisateur pour parvenir à des transformations. Ainsi la vie du prophète Mahomet est-elle devenue le modèle « djihadique » de la conduite du parfait musulman et du changement politique, puisque le Prophète lui-même s'est révolté, animé par une profonde colère religieuse et morale, contre la corruption de la société arabe dans laquelle il vivait. Les taliban ont donc agi selon l'esprit du djihad du Prophète en attaquant les chefs de guerre prédateurs qui les entouraient. Cependant, le djihad ne permet pas de tuer d'autres musulmans sur le simple critère de leur appartenance ethnique ou sectaire ; c'est cette interprétation du djihad par les taliban qui épouvante les non-Pachtounes. Alors que les taliban prétendent mener leur djihad contre de mauvais musulmans corrompus, les minorités ethniques considèrent qu'ils se servent de l'islam comme couverture pour exterminer les non-Pachtounes.

L'interprétation que font les taliban de l'islam, du djihad et des transformations sociales est apparue comme une anomalie en Afghanistan, où la montée du mouvement ne faisait écho à aucune des tendances islamistes apparues au cours de la guerre contre les Soviétiques. Les taliban ne sont ni des islamistes radicaux inspirés par les Frères musulmans, ni des soufis mystiques, ni des traditionalistes. Ils ne s'intégraient nulle part dans l'éventail d'idées et de mouvements islamiques apparus en Afghanistan entre 1979 et 1994. On pourrait dire que la dégénérescence et la disparition de la légitimité de ces trois tendances (islamisme radical, soufisme et traditionalisme), engagées dans une lutte de pouvoir d'une férocité éhontée, a créé le vide idéologique dans lequel se sont engouffrés les taliban. Ils ne représentaient personne d'autre qu'eux-mêmes et ne reconnaissaient d'autre islam que le leur. Ils avaient néanmoins une base idéologique - une forme extrême du déobandisme prêché par les partis islamiques pakistanais dans les camps de réfugiés du Pakistan. L'école déobandie, branche de l'islam sunnite hanafite, a sa propre histoire en Afghanistan, mais l'interprétation de cette doctrine par les taliban n'a aucun équivalent dans le monde musulman.

L'école déobandie, née dans les Indes britanniques, se voulait un mouvement non pas réactionnaire, mais progressiste, chargé de réformer et d'unir la société musulmane qui luttait pour vivre dans les limites d'un État colonial dirigé par des non-Musulmans. Ses principaux idéologues,

Mohammed Qasim Nanotawi (1833-1877) et Rachid Ahmed Gangohi (1829-1905), fondèrent leur première madrasa à Deoband, près de Delhi. La révolte indienne de 1857 fut un moment décisif pour les musulmans indiens, qui avaient mené la révolte antibritannique et avaient été écrasés. Elle allait entraîner l'apparition de plusieurs courants religieux et philosophiques, tous fondés sur la détermination de cette communauté à retrouver son statut. Ils allaient de l'école de Deoband aux réformateurs pro-occidentaux, qui fondèrent sur le modèle britannique des établissements universitaires, comme l'université musulmane Aligarh, où l'on enseignait l'islam aussi bien que les lettres, les arts et les sciences, de sorte que la jeunesse musulmane puisse rattraper ses maîtres britanniques et rivaliser avec l'élite hindoue en plein essor.

Tous ces réformateurs pensaient que l'éducation était la clé d'un islam nouveau, moderne. L'école de Deoband voulait former une nouvelle génération de musulmans instruits qui revivifieraient des valeurs islamiques basées sur la connaissance intellectuelle, l'expérience spirituelle, la charia et le *tariqah*, le « chemin ». En apprenant à ses étudiants à faire l'exégèse de la charia, elle entendait harmoniser les textes classiques de la loi et les réalités contemporaines. Les déobandis ne réservaient aux femmes qu'un rôle restreint, s'opposaient à toute forme de hiérarchie au sein de la communauté musulmane et rejetaient le chiisme - les taliban quant à eux poussèrent ces idées à de tels extrêmes que les premiers disciples déobandis ne les auraient jamais reconnues. Ils fondèrent des madrasas dans toute l'Inde, et les étudiants afghans qui cherchaient un moyen de mieux concevoir le rôle de l'islam dans le contexte du colonialisme y arrivèrent en nombre. En 1879, il y avait douze madrasas déobandies en Inde ; les nombreux étudiants afghans y étaient décrits comme « indisciplinés et susceptibles ». En 1967, lors du centenaire de l'école déobandie, on recensait 9 000 madrasas dans toute l'Asie centrale.

Au début du XXe siècle, le gouvernement afghan demanda à l'école de Deoband de collaborer à son vaste projet de création de madrasas modernes contrôlées par l'État. Des oulémas de la madrasa de Deoband se rendirent à Kaboul pour le couronnement du roi Zahir Shah et déclarèrent que Deoband « préparerait, dans les conditions nouvelles de l'époque, des oulémas qui coopéreraient pleinement pour réaliser les desseins des gouvernements libres du monde musulman et travailleraient avec loyauté au bien de l'État ». L'État afghan créa quelques madrasas déobandies, mais elles n'étaient guère populaires, même dans la ceinture pachtoune.

Les madrasas déobandies se développèrent beaucoup plus vite dans l'État pakistanais, à sa création en 1947. Les déobandis fondèrent le JUI, le Jamiat Ulema e-Islami, un mouvement purement religieux destiné à promouvoir leur doctrine et à mobiliser la communauté des croyants. En 1962, le chef du Jamiat de la Province de la frontière nord-ouest (NWFP), le mowlana Ghulam Ghaus Hazarvi, transforma le JUI en parti politique ; celui-ci se scinda rapidement en multiples factions. Le mufti Mehmoud, un *mowlana* dynamique, prit la tête de la faction pachtoune du JUI dans la NWFP et lui imprima une orientation populiste. Son parti joua un rôle de premier plan lors des élections de 1970, où il mobilisa les opposants au régime militaire. Il publia un programme islamique en 22 points qui défendait un train de mesures sociales progressistes et s'accompagnait d'un discours vigoureusement antiaméricain et anti-impérialiste. La campagne du JUI fut marquée par une violente dispute avec le Jamaat e-Islami ; la division entre les deux plus importants partis islamiques persiste encore de nos jours.

Si l'histoire du JUI au Pakistan n'a pas sa place ici, il faut savoir que le credo déobandi est la principale influence religieuse et idéologique qui s'est exercée sur les taliban. Pendant les années 1980, la politique afghane du Pakistan était conduite avec l'aide du Jamaat e-Islami et du Hezb e-Islami de Hekmatyar, qui étaient également les plus grands rivaux du JUI au Pakistan. Les liens entre l'ISI et le Jamaat e-Islami ont pesé de tout leur poids politique dans la répartition de l'aide aux moudjahidin. Le JUI, à l'époque dirigé par le fils du mufti Mehmoud, le *mowlana* Fazlur Rehman, ne se voyait accorder aucun rôle politique et les petits groupes prodéobandis de moudjahidin afghans ne recevaient presque aucune attention.

Pourtant, le JUI utilisa cette période pour implanter le long de la ceinture pachtoune, dans la Province de la frontière nord-ouest et au Baloutchistan, plusieurs centaines de madrasas qui offraient aux jeunes réfugiés pakistanais et afghans la chance de recevoir une instruction, le gîte, le couvert et un entraînement militaire, le tout gratuitement. Ces madrasas devaient former une nouvelle génération d'Afghans pour l'ère post-soviétique. Même si le courant déobandi ne reçut aucun soutien politique, le régime militaire du président Zia ul-Haq créa des madrasas de diverse obédiences. Il n'y avait que 900 madrasas au Pakistan en 1971, mais on en dénombrait 8 000, et 25 000 non officielles, à la fin du régime de Zia, en 1988 ; elles formaient plus d'un demi-million d'étudiants. Le système d'éducation nationale du Pakistan étant en pleine faillite, ces madrasas devenaient pour les fils des familles pauvres le seul moyen de recevoir un semblant d'instruction.

La plupart de ces madrasas se trouvaient dans des zones rurales et dans les camps de réfugiés afghans ; elles étaient dirigées par des mollahs eux-mêmes peu instruits, qui étaient à des lieux du programme réformiste des premières écoles déobandies. Leur interprétation de la charia était fortement influencée par le *Pachtounwali*, le code tribal des Pachtounes, tandis que les fonds versés par l'Arabie saoudite aux madrasas et aux partis favorables à la foi wahhabite, comme l'était l'école déobandie, aidaient ces madrasas à former de jeunes militants qui considéraient avec cynisme les combattants qui avait mené le djihad contre les Soviétiques. Après la prise de Kaboul par les moudjahidin, en 1992, l'ISI s'entêta à ne pas tenir compte de l'influence grandissante du JUI sur les Pachtounes du sud. Le JUI, politiquement isolé au Pakistan, resta dans l'opposition pendant le premier gouvernement de Benazir Bhutto (1988-1990), puis de Nawaz Sharif (1990-1993).

Cependant, en 1993, le JUI s'allia au Parti du peuple du Pakistan (PPP) de Benazir Bhutto, qui remporta les élections, et devint membre de la coalition au pouvoir. Le Jamiat eut pour la première fois accès aux coulisses du pouvoir, ce qui lui permit d'établir des liens étroits avec l'armée, l'ISI et le ministre de l'Intérieur Nasirullah Babar, général en retraite. Babar cherchait un nouveau groupe pachtoune qui ressusciterait la puissance économique de cette ethnie en Afghanistan et rouvrirait les voies du commerce pakistanais avec l'Asie centrale à travers le sud de l'Afghanistan ; le JUI lui en offrait précisément l'occasion. Le *mowlana* Fazlur Rehman, chef du JUI, fut nommé président de la commission permanente des affaires étrangères de l'Assemblée nationale, position qui lui permettait d'exercer pour la première fois une influence sur la politique étrangère. Il devait la mettre à profit pour se rendre à Washington et dans les capitales européennes, où il chercha un soutien pour les taliban, ainsi qu'en Arabie saoudite et dans les émirats du Golfe, dont il comptait s'assurer l'aide financière.

Le courant déobandi, privé de hiérarchie centralisée et des compétences d'un mollah assez instruit ou renommé pour fonder une madrasa, se dispersa en multiples factions extrémistes détachées du courant dominant du JUI. La plus importante de ces factions séparatistes est dirigée par le *mowlana* Samiul Haq, un chef politique et religieux, autrefois membre de l'Assemblée nationale et sénateur, et sa madrasa est devenue le principal centre de formation de la direction des taliban. En 1999, au moins huit ministres du gouvernement taliban de Kaboul sortaient de l'école Dar ul-Ulum Haqqania de Samiul Haq, tandis que plusieurs dizaines d'autres diplômés occupaient des postes de gouverneur de province, de commandant, de juge et de bureaucrate dans l'administration taliban. Younis Khalis et Mohammed

Nabi Mohammedi, chefs des partis moudjahidin traditionnels, ont tous deux étudié à Haqqania.

Haqqania se trouve à Akora Khatak, dans la Province de la frontière nord-ouest. C'est un gigantesque ensemble de bâtiments situés le long de la grande route qui relie Islamabad et Peshawar. Elle possède un internat comptant 1 500 étudiants, une faculté qui accueille 1 000 externes, et 12 petites madrasas affiliées. Elle a été fondée en 1947 par le père de Samiul Haq, le *mowlana* Abdul Haq, ancien étudiant et professeur à Deoband. Elle propose un diplôme sanctionnant huit années d'études islamiques et un doctorat au bout de deux années supplémentaires. Elle est financée par des dons et la scolarité y est gratuite.

En février 1999, la madrasa reçut le stupéfiant total de 15 000 candidatures pour 400 nouvelles places, ce qui en faisait la madrasa la plus populaire du nord du Pakistan. Samiul Haq, un homme jovial mais pieux, doté d'un incroyable sens de l'humour et portant une longue barbe rougie au henné, me dit que sa madrasa réservait toujours 400 places aux étudiants afghans. Depuis 1991, l'école accepte 60 étudiants du Tadjikistan, d'Ouzbékistan et du Kazakhstan, souvent membres de l'opposition islamique dans ces pays, qui entrent au Pakistan sans passeport ni visa.

Haq regrette toujours amèrement le manque de considération passée de l'ISI. « L'ISI a toujours soutenu Hekmatyar et Qazi Hussain Ahmed [le chef du Jamaat e-Islami] et ne nous a jamais prêté aucune attention, alors que 80 % des commandants qui se battaient contre les Russes dans les régions pachtounes avaient étudié à Haqqania », me dit-il dans son bureau, où nous étions assis sur un tapis grossier, entourés d'étudiants barbus qui remplissaient leur formulaire d'inscription pour l'année scolaire 1999. « Hekmatyar n'emportait que 5 % de soutien populaire, mais 90 % de l'aide militaire de l'ISI. Nous n'avons jamais été reconnus, mais à l'arrivée des taliban les gens nous sont tombés dans les bras », ajouta-t-il avec un gros rire.

« Avant 1994, je ne connaissais pas le mollah Omar, parce qu'il n'avait pas étudié au Pakistan, mais ceux qui l'entouraient étaient tous des étudiants de Haqqania et ils venaient souvent me voir pour discuter des choses à faire. Je leur ai conseillé de ne pas créer de parti, parce que l'ISI essayait toujours de monter les partis moudjahidin les uns contre les autres pour qu'ils restent divisés. Je leur ai dit de lancer un mouvement d'étudiants. Quand le mouvement des taliban a commencé, j'ai dit à l'ISI : "Laissez les étudiants s'emparer de l'Afghanistan" », m'expliqua encore Haq. Il éprouve un profond respect pour le mollah Omar. « J'ai rencontré Omar à Kandahar en 1996 et je suis fier qu'il ait été choisi comme *amir al-mominin*. Il n'a ni argent, ni tribu, ni lignée, mais il est le plus révéré de ces hommes et c'est pour cela qu'Allah l'a choisi pour être leur chef. Pour l'islam, l'homme qui peut amener la paix peut être élu émir. Quand la révolution islamique arrivera au Pakistan, elle ne sera pas menée par de vieux chefs dépassés comme moi, mais par un homme inconnu comme lui, qui surgira des masses. »

Samiul Haq est en contact permanent avec Omar ; il l'aide à traiter les relations internationales et le conseille pour les décisions importantes concernant la charia. Il est aussi le principal organisateur du recrutement des étudiants pakistanais qui combattent aux côtés des taliban. En 1997, après la défaite des taliban à Mazar, il reçut un appel à l'aide téléphonique du mollah Omar. Il ferma aussitôt sa madrasa et envoya tous ses étudiants aux taliban. Après la bataille de Mazar en 1998, Haq organisa une réunion entre chefs taliban et douze madrasas de la Province de la frontière nord-ouest afin d'organiser l'envoi des renforts pour l'armée des taliban. Toutes les madrasas acceptèrent de fermer pendant un mois et envoyèrent 8 000 étudiants en Afghanistan. L'aide que les taliban reçoivent des madrasas déobandies pakistanaises représente un soutien important, indépendant du gouvernement et de ses agences de renseignement, sur lequel ils savent pouvoir compter.

Une autre faction du JUI dirige la Jamiat ul-Ulumi Islamiyyah de Binori, un faubourg de Karachi. Fondée par feu le *mawlawi* Mohammed Youssouf Binori, elle compte 8 000 étudiants, dont plusieurs centaines d'Afghans. Elle est également financée par les dons de musulmans de quarante-cinq pays différents. « L'argent que nous recevons est une bénédiction d'Allah, me dit un jour le mufti Jamil, un professeur. Nous sommes fiers d'instruire les taliban et nous prions toujours pour leur succès, car ils ont réussi à appliquer des lois islamiques strictes », ajouta-t-il. Binori envoya 600 étudiants rejoindre les taliban en 1997. En novembre 1997, des étudiants de l'école saccagèrent un quartier de Karachi après l'assassinat de trois de leurs professeurs. Ils se battirent contre la police et cassèrent voitures et clubs vidéo ; ils tabassèrent aussi des photographes. C'était la première fois que la plus grande et la plus cosmopolite des villes du Pakistan affrontait des troubles de style taliban.

Le Sipah i -Sahaba Pakistan (SSP), le plus virulent des groupes antichiites pakistanais soutenus par les taliban, est une autre faction extrémiste issue du JUI. Lorsque le gouvernement lança une opération contre le SSP en 1998, après l'assassinat de plusieurs centaines de chiites, les responsables s'enfuirent en Afghanistan, où les taliban leur offrirent l'asile. De nombreux militants du SSP se sont entraînés au camp de Khost, dirigé par les taliban et Ben

Laden, que les États-Unis ont bombardé avec des missiles de croisière en 1998. Plusieurs milliers de militants du SSP se sont battus aux côtés des taliban.

Le JUI a tiré un énorme profit de ses protégés taliban. Il acquérait enfin une influence et un prestige internationaux, avec le rang de protecteur du radicalisme islamique. Les gouvernements pakistanais et l'ISI ne pouvaient désormais pas plus l'ignorer que l'Arabie saoudite et les émirats du Golfe. Des camps installés en Afghanistan qui avaient été utilisés pour la formation militaire et l'hébergement de moudjahidin non-afghans, autrefois dirigés par Hekmatyar, furent investis par les taliban et confiés à des groupes du JUI, entre autres au SSP. En 1996, les taliban remirent au Harakat ul-Ansar de Fazlur Rehman Khalil la direction du camp de Badr, situé près de Khost, sur la frontière Pakistan-Afghanistan. C'était aussi un groupe dissident du JUI, connu pour son extrémisme militant, qui avait envoyé ses membres se battre en Afghanistan, au Cachemire, en Tchétchénie et en Bosnie. Le camp fut attaqué par les missiles américains deux années plus tard.

Les liens entre les taliban et certains des groupes pakistanais les plus extrémistes issus de l'école déobandie sont solides car fondés sur des bases communes. Des deux côtés de la frontière, beaucoup de chefs déobandis viennent des tribus pachtounes durani installées autour de Kandahar et de Chaman, au Pakistan. Le courant déobandi s'oppose aux structures tribales et féodales ; il ne faut pas chercher plus loin les sources de la méfiance qu'entretiennent les taliban vis-à-vis de la structure tribale et des chefs de clan, qu'ils ont éliminés de toutes les positions dirigeantes. Les deux courants sont unis dans leur opposition véhémente au chiisme et à l'Iran. Les déobandis pakistanais appellent maintenant de leurs vœux une révolution islamique semblable à celle des taliban au Pakistan.

Les taliban ont clairement avili par leur rigidité la tradition déobandie de savoir et de réforme, en refusant d'admettre la notion de doute, sinon comme péché, et en considérant la discussion comme l'antichambre de l'hérésie. De cette façon, ils ont promu un nouveau modèle, radical et extrêmement menaçant pour les gouvernements de la région, de révolution islamique. Hekmatyar et Massoud ne s'opposaient pas au modernisme. À l'inverse, les taliban rejettent violemment tout modernisme et ne manifestent aucun désir de comprendre ni d'adopter les idées modernes de progrès ou de développement économique.

Les taliban connaissent mal l'histoire de l'islam et de l'Afghanistan, la charia et le Coran ou l'évolution politique et théorique du monde musulman au cours du XXe siècle. Alors que le radicalisme islamique du XXe siècle possède une longue histoire d'écrits et de débats savants, les taliban n'ont aucune perspective ou tradition historiques équivalentes. Les taliban n'ont produit aucun manifeste islamique, aucune analyse spécifique de l'histoire de l'islam et de l'Afghanistan. Ils ne pratiquement coupés du débat sur le radicalisme islamique qui a lieu partout dans le monde et ont encore moins le sens de leur propre histoire. Tous ces éléments ont créé un obscurantisme qui ne laisse aucune place au débat, même avec leurs frères musulmans.

Le nouveau modèle de révolution islamique puriste des taliban a eu d'énormes répercussions au Pakistan, et dans une moindre mesure dans les républiques d'Asie centrale. Le Pakistan, État déjà fragile assailli par une crise identitaire, une faillite économique, des divisions ethniques et sectaires et la rapacité de l'élite au pouvoir, qui s'est avérée incapable de gérer le pays, doit maintenant affronter le spectre d'une nouvelle vague islamique menée non par les vieux partis islamiques, plus mûrs et plus accommodants, mais par des groupes de néo-taliban.

En 1998, des groupes de taliban pakistanais interdisaient la télévision et les cassettes vidéo dans certaines villes de la ceinture pachtoune, imposaient des châtiments prévus par la charia tels que lapidation et amputation, interdits par la législation nationale, tuaient des chiites pakistanais et forçaient les gens, en particulier les femmes, à s'adapter au style vestimentaire et au mode de vie prônés par les taliban. Le soutien du Pakistan aux taliban revient donc hanter le pays lui-même, alors que les dirigeants pakistanais apparemment inconscients du problème, continuent de soutenir les taliban. En Asie centrale, notamment au Tadjikistan et en Ouzbékistan, les militants néo-taliban sont pourchassés par la police dans la vallée du Ferghana, qui marque la frontière entre les deux pays.

Les taliban et leurs partisans offrent au monde musulman et à l'Occident un nouveau style d'extrémisme islamique qui rejette tout accommodement avec la modération musulmane et l'Occident. En refusant tout compromis avec les agences humanitaires des Nations unies ou les pays étrangers donateurs, en refusant d'adoucir leurs principes en échange d'une reconnaissance internationale et en rejetant comme corrompues toutes les élites dirigeantes musulmanes, les taliban ont enflammé le débat en cours dans le monde musulman et ont inspiré la jeune génération de militants islamiques. Les taliban ont donné un nouveau visage et une nouvelle identité au fondamentalisme islamique du prochain millénaire - qui refusera tout compromis ou système politique autre que le sien.

Chapitre 7
UNE SOCIÉTÉ SECRÈTE : L'ORGANISATION POLITIQUE ET MILITAIRE DES TALIBAN

S'il y avait une seule raison pour les Afghans ordinaires d'avoir quelque espoir, en particulier de paix, après l'émergence des taliban, elle reposait sur le fait que ces derniers, loin d'être dominés par un individu, gouvernaient par l'intermédiaire d'une direction politique commune, consultative et consensuelle. La *shura* des taliban de Kandahar affirmait suivre le modèle islamique originel, où la discussion devait déboucher sur un consensus des « croyants », et qui valorisait le respect des différentes sensibilités et l'ouverture au public. Le fonctionnement de la *shura* se basait largement sur la *djirga* des Pachtounes, conseil tribal où tous les chefs de clan participaient aux décisions importantes qui concernaient la tribu. Lors de mes premières visites à Kandahar, je fus frappé par les débats qui duraient parfois toute la nuit tandis que commandants, mollahs et même combattants ordinaires venaient tour à tour donner leur avis avant que le mollah Omar prenne une décision.

Beaucoup d'Afghans furent aussi impressionnés par le fait que les taliban ne demandaient pas le pouvoir pour eux-mêmes, du moins au début. Ils répétaient qu'ils étaient venus restaurer la loi et l'ordre pour transmettre ensuite le pouvoir à un gouvernement composé de « bons musulmans ». Cependant, le mode de prise de décisions des taliban allait se modifier considérablement entre 1994 et la prise de Kaboul, en 1996, pour devenir centralisé à l'extrême, secret, dictatorial et inaccessible.

Le mollah Omar se refermait sur lui-même à mesure qu'augmentait son pouvoir, refusant de se déplacer pour voir et comprendre le reste du pays ou rencontrer les gens placés sous son contrôle ; bientôt, les structures du pouvoir présentèrent en conséquence toutes les tares des régimes précédents, moudjahidin et communistes. Après 1996, les taliban ne cachèrent plus leur intention de devenir les seuls maîtres de l'Afghanistan, excluant la participation des autres groupes. Ils prétendirent que la diversité ethnique du pays était amplement représentée dans le mouvement taliban lui-même et entreprirent pour le démontrer de conquérir le reste du pays.

L'espoir initialement suscité par les taliban résultait directement de la dégénérescence de l'ancienne direction des moudjahidin. Pendant le djihad, la direction moudjahidin basée à Peshawar était complètement divisée en factions et personnalisée à l'extrême. Les partis tenaient ensemble non grâce à une organisation, mais parce qu'ils se rassemblaient autour de chefs de guerre et de personnages charismatiques. L'évolution de la guerre rendit ces derniers de plus en plus dépendants du financement et des armes procurés par l'Occident pour conserver la loyauté de leurs commandants et de leurs guerriers. Ils passaient beaucoup de temps à acheter, au sens propre, des appuis en Afghanistan tout en se querellant sans cesse à Peshawar.

Le Pakistan ne fit que nourrir ces ferments de désunion. Le général Zia ul-Haq commandait les troupes pakistanaises qui avaient aidé le roi Hussein à écraser les Palestiniens de Jordanie en 1970. Il avait vu de ses yeux la menace que représente pour l'État qui lui a donné asile un mouvement de guérilla uni. Encourager la désunion d'un mouvement et l'absence d'un chef unique permettait à Zia de maintenir les chefs moudjahidin dépendants du Pakistan et des subsides de l'Occident. Malheureusement, lorsque Islamabad eut désespérément besoin d'une direction moudjahidin cohérente pour offrir une alternative politique au régime communiste de Kaboul, après le retrait des troupes soviétiques, en 1989, puis de nouveau en 1992 après l'effondrement du régime de Najibullah, la discorde qui régnait entre les chefs moudjahidin de Peshawar était tellement profonde que même l'argent ne pouvait plus y remédier. Ce manque d'unité devait contribuer à empêcher l'Afghanistan de trouver un gouvernement de consensus.

Deuxième élément de la direction de la résistance antisoviétique, les commandants qui opéraient sur le terrain se montraient de plus en plus contrariés par la désunion et la corruption des chefs de Peshawar, et par la facilité avec laquelle l'argent et les livraisons d'armes les tenaient en otages. La nature même et les rigueurs de la guerre exigeaient leur pleine et entière coopération sur le terrain, en dépit des querelles qui déchiraient leurs chefs de parti à Peshawar.

Ces commandants désiraient passionnément une plus grande unité structurelle. Ismaël Khan organisa en juillet 1987, dans la province de Ghor, une première réunion des commandants, à laquelle assistèrent quelque 1 200 chefs venus de tout l'Afghanistan. Ils adoptèrent vingt résolutions, dont la plus importante exigeait que le mouvement politique obéisse à leurs décisions, et non à celles des dirigeants de Peshawar. « Le droit de déterminer la destinée future de l'Afghanistan appartient aux héritiers des martyrs et aux musulmans des tranchées, qui se battent sur des fronts meurtriers et sont prêts à sacrifier leur vie. Personne d'autre n'a le droit de prendre des décisions relatives au sort de la nation. »

Une nouvelle fois, environ 300 commandants se rencontrèrent dans la province de Paktia en juillet 1990, puis à Badakhshan en octobre. Leur entente butta cependant sur des rivalités ethniques et personnelles ; de plus, les moudjahidin, qui voulaient tous entrer les premiers à Kaboul, se disputèrent la capitale en 1992. La bataille de Kaboul révéla au grand jour les divisions entre nord et sud, Pachtounes et non-Pachtounes. Ahmad Shah Massoud, incapable de s'entendre avec les commandants pachtounes opposés à Hekmetyar au moment de la prise de Kaboul en 1992, y perdit une grande partie de sa crédibilité politique. Il ne retrouva pas la confiance des Pachtounes avant la conquête du Nord par les taliban en 1998.

Le troisième niveau de direction de la résistance était constitué par les érudits, intellectuels, hommes d'affaires et technocrates qui avaient fui Kaboul pour Peshawar. Beaucoup, restés indépendants, prônaient l'unité des forces de la résistance. Mais ni les partis de Peshawar ni le Pakistan ne donnèrent jamais de rôle politique sérieux à ce groupe d'Afghans instruits. Beaucoup se joignirent à la diaspora des élites afghanes et quittèrent Peshawar pour l'étranger. On avait marginalisé leur influence sur les événements politiques de leur pays natal et ils n'étaient plus là en 1992 alors qu'on avait besoin d'eux pour reconstruire le pays. Les oulémas et les professeurs des madrasas pachtounes étaient éparpillés dans tout le mouvement de résistance ; certains étaient chefs de parti, d'autres commandants en activité, mais ils ne formaient pas un groupe puissant et uni au sein de la résistance ; leur influence personnelle diminua d'ailleurs après 1992. Dès lors, les oulémas n'attendaient plus que leur absorption dans un mouvement de type taliban.

Lorsque les taliban apparurent en 1994, il ne restait plus que la vieille résistance querelleuse que le président Borhanuddin Rabbani n'avait pas réussi à unifier. Les régions pachtounes du Sud tombées aux mains des seigneurs de la guerre manquaient cruellement de dirigeants. Les taliban considéraient à juste titre que les anciens chefs moudjahidin étaient inutiles et corrompus. Même s'ils respectaient certains chefs oulémas qui leur avaient servi de mentors, ils ne leur confièrent aucun rôle politique dans leur mouvement. Ils n'appréciaient guère les commandants à l'esprit indépendant, qu'ils accusaient de la débâcle des Pachtounes après 1992. Les grands chefs militaires qui se rendirent aux taliban ne s'élevèrent d'ailleurs jamais dans leur hiérarchie militaire. Les taliban rejetaient aussi totalement les intellectuels et les technocrates afghans, considérés comme les pions d'un système éducatif à l'occidentale ou à la soviétique qu'ils abhorraient.

L'émergence des taliban coïncidait ainsi avec une conjonction historique : la désintégration totale du pouvoir communiste, le discrédit des chefs moudjahidin et l'élimination des directions tribales traditionnelles. Il leur fut relativement facile de balayer ce qui restait de la vieille direction pachtoune. Les taliban ne risquaient plus par la suite de rencontrer aucune opposition politique au sein du groupe pachtoune. Ils pouvaient désormais bâtir une organisation plus populaire, « démocratico-tribale », qui aurait pu répondre aux besoins de la population grâce à la légitimité que lui conférait l'islam. Toutefois, cet objectif ne correspondait ni à leur désir ni à leur volonté.

En même temps, les taliban refusaient d'élaborer tout mécanisme qui leur permettrait d'inclure les représentants de groupes ethniques non-pachtounes. Leur position de suprématie dans les régions pachtounes ne pouvait être reproduite dans le Nord que s'ils se montraient suffisamment souples pour unifier la mosaïque complexe de la nation afghane sous un genre nouveau de direction collégiale. Or ils finirent par créer une société secrète dirigée principalement par des hommes originaires de Kandahar, aux procédés aussi mystérieux, impénétrables et dictatoriaux que ceux des Khmers rouges au Cambodge ou de Saddam Hussein en Irak.

L'organe supérieur de décision des taliban est la *shura* suprême, toujours basée à Kandahar, ville que le mollah Omar n'a quittée qu'une seule fois (pour se rendre à Kaboul en 1996) et qu'il a transformée en centre du pouvoir pour tout l'Afghanistan. La *shura* est dominée par les premiers amis et collègues d'Omar, en majorité des Pachtounes Duran qui ont reçu le nom de « Kandahari », même s'ils viennent en fait de trois provinces - Kandahar, Helmand et Orozgan. La première *shura* comptait dix membres, mais ses réunions étaient ouvertes aux commandants militaires, aux anciens des tribus et aux oulémas ; cinquante personnes participaient parfois aux réunions, d'où une certaine inefficacité.

Sur les dix membres de la première *shura*, six étaient des Pachtounes durrani et un seul, le *mawlawi* Sayyed Ghiasuddin, était un Tadjik de Badakhshan (il avait longtemps vécu dans la ceinture pachtoune). Cette répartition convenait tant que l'avance des taliban se limitait aux régions pachtounes, mais la *shura* perdit toute représentativité après la chute de Hérat et de Kaboul. La *shura* de Kandahar n'élargit jamais sa base de recrutement pour inclure des Pachtounes ghilzai ou des non-Pachtounes. Elle conserva des bases et des objectifs étroits qui ne suffisent pas à représenter les intérêts de la nation entière.

Deux autres *shura* rendent compte à la *shura* de Kandahar. Il s'agit d'abord des ministres du gouvernement, réunis dans la *shura* de Kaboul. La seconde est la *shura* militaire. En 1998, au moins huit des dix-sept membres de la *shura* de Kaboul étaient des Durrani ; elle comptait trois Ghilzai et deux non-Pachtounes seulement. La *shura* de Kaboul traite les problèmes quotidiens, administre la ville et le front militaire de Kaboul, mais les décisions importantes sont transmises à la *shura* de Kandahar, qui tranche en dernier recours. Certaines décisions, même mineures, prises par la *shura* de Kaboul dirigée par le mollah Mohammed Rabbani, concernant par exemple les permis de voyager accordés aux journalistes ou les nouveaux projets d'aide des Nations unies, ont souvent été invalidées par la *shura* de Kandahar. Il est vite devenu impossible au conseil de Kaboul, pourtant investi du gouvernement de l'Afghanistan, de prendre aucune décision sans en référer longuement à Kandahar, ce qui cause des retards interminables.

À Kaboul et à Hérat, puis à Mazar - villes où les Pachtounes sont en minorité - les représentants des taliban que sont le gouverneur, le maire, les chefs de la police et d'autres administrateurs importants sont invariablement des Pachtounes de Kandahar qui ne parlent pas, ou mal, le dari. Aucun citoyen influent de ces villes n'appartient aux *shura* locales. La nomination des gouverneurs de province offre le seul exemple de souplesse des taliban. Seuls quatre gouverneurs sur onze étaient des Kandahari en 1998. Autrefois, les gouverneurs et les autorités locales étaient issus des élites locales, ce qui permettait de refléter la composition ethnique de la population dans ces régions. Les taliban ont rompu avec cette tradition en nommant des étrangers.

Il faut par ailleurs noter que les pouvoirs politiques des gouverneurs taliban ont été considérablement amputés. L'indigence des fonds mis à leur disposition, le fait qu'ils ne sont habilités à mener aucun projet de développement économique sérieux, ou à réinsérer les réfugiés de retour du Pakistan ou d'Iran, font qu'ils n'ont à peu près aucun rôle politique, économique, ou social. Le mollah Omar les contrôle étroitement et ne leur permet pas de bâtir une base locale à leur pouvoir. Il les mute constamment et les renvoie souvent commander des troupes sur le front.

Après la défaite de Mazar, en 1997, les commandants pachtounes ghilzai exprimèrent leurs critiques et se plaignirent de ne pas être consultés sur les questions militaires et politiques alors qu'ils fournissaient désormais la plus grande partie des effectifs militaires. Les taliban perdirent 3 000 de leurs meilleurs soldats à Mazar, tandis que 3 600 hommes étaient faits prisonniers et une dizaine de chefs tués ou capturés. Contraints d'engager de nouvelles recrues parmi les tribus ghilzai de l'est de l'Afghanistan, ils n'étaient cependant prêts ni à leur céder une part du pouvoir politique, ni à les intégrer à la *shura* de Kandahar. Or les Ghilzai commençaient à refuser de servir de chair à canon et à se montrer réfractaires au recrutement.

La structure militaire des taliban s'entoure d'une opacité plus grande encore. Le mollah Omar est le chef des forces armées, mais ni son rôle ni sa position ne sont clairement déterminés. Il a sous ses ordres un chef d'état-major, et des officiers d'état-major de l'armée de terre et de l'air. Quatre divisions d'infanterie au moins et une division blindée sont basées à Kaboul. Mais il n'existe aucune structure militaire précisément définie, avec une hiérarchie de commandants et d'officiers, et les commandants d'unités changent constamment d'affectation. Ainsi, le corps expéditionnaire de Kunduz, qui restait l'unique force militaire des taliban dans le Nord après la débâcle de Mazar, en 1997, subit au moins trois changements de commandement en trois mois, alors que plus de la moitié des troupes étaient envoyées sur le front de Hérat et remplacées par de nouvelles recrues pakistanaises et afghanes. La *shura* militaire est un organe peu structuré qui prépare des plans stratégiques et applique des décisions tactiques mais semble privé de pouvoir de décision. C'est Omar qui décide de la stratégie militaire, des nominations importantes et de la répartition des fonds.

En dehors de la conscription générale imposée par les taliban, chaque commandant d'une zone pachtoune spécifique est responsable du recrutement, de la solde et des besoins des hommes sur le terrain. Leurs ressources - argent, carburant, nourriture, moyens de transport, armes et munitions - sont fournies par la *shura* militaire. Les hommes vont et viennent en permanence et se font remplacer sur le front par des membres de leur famille quand ils rentrent chez eux pour de longues permissions. L'armée régulière des taliban n'a jamais compté plus de 25 000 ou 30 000 hommes, même si ces effectifs pouvaient augmenter rapidement avant les nouvelles offensives. Les étudiants pakistanais des madrasas, qui représentaient quelque 30 % des effectifs militaires des taliban en 1999, servent également pendant de courtes périodes avant de retourner à leurs études, échangeant leur place avec de nouvelles recrues. Ce type de recrutement aléatoire, en opposition totale avec celui des 12 000 à 15 000 soldats réguliers de Massoud, ne permet pas la création d'une armée régulière ou disciplinée.

Les combattants des taliban ressemblent donc beaucoup, par leur nature, à la milice tribale traditionnelle, ou *lashkar*, qui possède de longs antécédents historiques parmi les tribus pachtounes. La mobilisation du *lashkar* sur ordre du monarque, pour défendre le territoire d'une tribu ou régler une querelle locale, a toujours été très rapide. Les membres du *lashkar* étaient tous des volontaires qui ne touchaient pas de salaire, mais une part du butin pris à l'ennemi. Les troupes des taliban n'étaient pas autorisées à piller et se montraient au début remarquablement disciplinées lorsqu'elles occupaient de nouvelles villes ; tout changea après la défaite de Mazar, en 1997.

La majorité des combattants taliban ne touchent pas de solde ; il appartient à leur commandant de leur verser une somme d'argent convenable lorsqu'ils partent en permission. Ceux qui reçoivent un salaire régulier sont les soldats professionnels qui appartenaient autrefois à l'armée communiste. Ces conducteurs de chars, artilleurs, pilotes et mécaniciens pachtounes s'apparentent davantage à des mercenaires, car ils ont combattu dans les armées de quiconque exerçait le pouvoir à Kaboul.

De nombreux membres de la *shura* militaire sont également ministres en activité, ce qui rend encore plus chaotique l'administration de Kaboul. Ainsi le mollah Mohammed Abbas, ministre de la Santé, était le commandant adjoint du corps expéditionnaire taliban piégé dans le nord après la défaite de Mazar. Évacué et envoyé à Hérat pour organiser une nouvelle offensive, il ne retrouva son poste au ministère que six mois plus tard - à la consternation des agences humanitaires des Nations unies qui traitaient avec lui. Le mollah Ehsanullah Ehsan, gouverneur de la Banque d'État, commandait un corps d'élite de 1 000 soldats kandahari, et l'on imagine le peu d'attention qu'il accordait à ses responsabilités financières avant d'être tué à Mazar en 1997. Le mollah Abdul Razaq, gouverneur de Hérat fait prisonnier à Mazar en 1997, puis libéré, mène des offensives militaires dans tout le pays depuis 1994. Presque tous les membres des *shura* de Kandahar et Kaboul, sauf ceux qui souffrent de handicaps physiques, ont exercé les fonctions de chef militaire à un moment ou un autre.

D'une certaine manière, cela donne à la hiérarchie des taliban une souplesse remarquable, puisqu'ils endossent tous la double fonction d'administrateur et de général, qui leur permet de rester en contact avec leurs soldats. L'administration en a néanmoins énormément souffert, en particulier à Kaboul. Aucune décision n'est prise au ministère tant que le ministre est au front. Ce système interdit aux ministres taliban à la fois d'être compétents et de se livrer au parrainage pour asseoir leur pouvoir au niveau local. Le mollah Omar renvoie en un clin d'œil au front tout ministre qui gagne trop de pouvoir politique. Mais cette confusion aboutit dans la pratique à priver le pays de gouvernement et à le livrer à un mouvement dépourvu de direction clairement définie.

Le secret excessif dont s'entourent les taliban n'incite guère à la confiance les citadins, la presse étrangère, les organisations humanitaires et la communauté internationale. Même après la prise de Kaboul, les taliban ont refusé de livrer la moindre information sur le type de gouvernement qu'ils comptaient installer ou leurs projets en matière d'économie. Leur insistance à obtenir la reconnaissance de la communauté internationale alors qu'il n'existait à l'évidence aucun gouvernement bien défini ne fit qu'accroître les doutes quant à leur capacité à gouverner. Mohammed Stanakzai, le porte-parole de la *shura* de Kaboul, un Ghilzai de la province de Logar, ancien policier formé en Inde qui parlait anglais jouait le rôle d'intermédiaire entre les taliban, les organismes humanitaires des Nations unies et la presse. Il apparut assez vite que l'affable Stanakzai n'avait aucun pouvoir véritable et ni même aucun accès au mollah Omar pour lui faire parvenir des messages ou obtenir des réponses. Sa fonction n'avait donc aucun sens puisque les organisations humanitaires ignoraient si leurs messages parvenaient à Omar.

Les taliban aggravèrent la confusion en purgeant la bureaucratie de Kaboul, dont les petits fonctionnaires étaient en poste depuis 1992. Ils remplacèrent tous les Tadjiks, les Ouzbeks et les Hazara haut placés par des Pachtounes, qualifiés ou pas. Cette perte de compétences bloqua le fonctionnement des ministères.

À l'intérieur des ministères, l'éthique professionnelle des taliban dépassait l'imagination. Quelle que soit la gravité de la crise politique ou militaire, les bureaux du gouvernement à Kaboul et à Kandahar n'ouvrent que quatre heures par jour, de huit heures à midi. Les taliban se rendent ensuite à la prière avant de passer l'après-midi à faire la sieste. Ils consacrent la nuit à de longues réceptions ou à des conciles. Les bureaux des ministres sont vides de dossiers, et ceux du gouvernement sont désertés par le public. Ainsi, alors que plusieurs centaines de cadres et de bureaucrates taliban étaient mobilisés pour forcer la population masculine à porter la barbe, personne n'était disponible dans les ministères pour répondre aux demandes d'information. Le public cessa d'en attendre quoi que ce soit, tandis que le manque de représentation locale dans les administrations urbaines fit apparaître les taliban comme une force d'occupation plutôt que comme des administrateurs désireux de se gagner le cœur et l'esprit de la population.

Les taliban n'ont pas encore indiqué comment, et quand, ils se décideront à mettre sur pied un gouvernement représentatif et permanent, s'il y aura ou non une constitution ou comment le pouvoir politique sera réparti. Chaque dirigeant taliban a un avis différent sur la question. « Les taliban veulent bien négocier avec l'opposition, mais à condition qu'aucun parti politique ne prenne part à la discussion. La plupart des taliban sont issus des partis politiques, et nous savons quels conflits ceux-ci peuvent créer. L'islam est contre tous les partis politiques », me dit un ministre. « Plus tard, quand nous aurons la paix, les gens pourront choisir leur propre gouvernement, mais il faut d'abord désarmer l'opposition », me dit un autre ministre. D'autres veulent un gouvernement exclusivement formé de taliban.

Le pouvoir est entièrement concentré dans les mains du mollah Omar depuis 1996, tandis que la *shura* de Kandahar est consultée de plus en plus rarement. Wakil Ahmad, le confident du mollah Omar, tient un discours sans ambiguïté : « Les décisions sont fondées sur l'avis de l'*amir al-mominin*. Nous estimons que la consultation n'est pas nécessaire. Nous pensons agir en conformité avec la charia. Nous nous rangeons à l'avis de l'émir, même si aucun de nous ne partage son opinion. Il n'y aura pas de chef d'État. À sa place, il y aura un *amir al-mominin*. Le mollah Omar sera la plus haute autorité et le gouvernement ne pourra appliquer aucune décision sans son accord. Les élections générales sont incompatibles avec la charia, et donc nous les rejetons. »

Le mollah Omar s'appuie moins sur le gouvernement de Kaboul pour faire appliquer ses décisions que sur les oulémas de Kandahar et la police religieuse de Kaboul. Le *mawlawi* Saïd Mohammed Pasanai, président de la Cour suprême islamique de Kandahar, a enseigné à Omar les fondements de la charia pendant le djihad ; il est devenu l'un de ses principaux conseillers. Il s'attribue le mérite d'avoir mis fin à l'anarchie totale qui régnait dans le pays en instituant les châtiments islamiques. « Nous avons des juges qui président treize hautes cours dans treize provinces, et partout règnent la paix et la sécurité pour le peuple », me déclarait-il en 1997. Pasanai, qui est âgé de 80 ans environ, précise qu'il a distribué les châtiments islamiques dans les villages de la région pendant près d'un demi-siècle, et qu'il a conseillé les moudjahidin dans l'application de la charia pendant le djihad.

La Cour suprême islamique de Kandahar est devenue la plus importante cour du pays, en raison de ses liens avec Omar. La Cour nomme les juges islamiques, ou *qazi*, et leurs adjoints dans les provinces ; elle les réunit une ou deux fois par an à Kandahar pour discuter de divers cas et de l'application de la charia. Un système parallèle existe à Kaboul, où sont basés le ministère de la Justice et la Cour suprême d'Afghanistan. La Cour suprême de Kaboul juge environ quarante dossiers par semaine et comprend huit départements qui traitent des lois relatives au commerce, aux affaires et au droit civil et pénal, mais elle n'a de toute évidence pas autant de pouvoir que la Cour suprême de Kandahar. Si l'on en croit le procureur général, le mawlawi Jalilullah Maulvizada, « toutes les lois sont islamisées. Les lois contraires à l'islam sont supprimées. Il nous faudra plusieurs années pour étudier toutes les anciennes lois et les changer ou les abroger ».

L'aggravation de la situation économique et l'aliénation politique des régions contrôlées par les taliban, ajoutées à leurs lourdes pertes militaires, ont provoqué des divisions internes croissantes. En janvier 1997, les taliban furent confrontés à une révolte contre la conscription dans leur bastion de Kandahar. Au moins quatre recruteurs des taliban furent tués par des villageois qui refusaient de s'engager dans l'armée. Les taliban furent chassés de plusieurs villages de Kandahar après des échanges de coups de feu qui firent des victimes de part et d'autre. Les anciens des villages déclarèrent que leurs jeunes hommes risquaient la mort s'ils allaient à l'armée. « Les taliban nous avaient promis la paix, mais ils ne nous ont donné que la guerre », me dit l'un d'eux. En juin, les taliban exécutèrent dix-huit déserteurs dans la prison de Kandahar. Il y eut des mouvements similaires dans les provinces de Wardak et de Paktia. La conscription forcée contribue à l'impopularité des taliban et les oblige à enrôler davantage de recrues parmi les étudiants des madrasas pakistanaises et les réfugiés afghans installés au Pakistan.

Dans l'intervalle, les divergences qui couvaient entre les *shura* de Kandahar et de Kaboul ont pris un tour plus dramatique après la visite à Kaboul de Bill Richardson, l'envoyé américain, en avril 1998. Le mollah Rabbani, chef de la *shura* de Kaboul, accepta d'appliquer le programme proposé par Richardson pour se voir désavoué dès le lendemain par le mollah Omar. Rabbani partit pour un de ses congés prolongés et certains prétendirent qu'il avait été arrêté. En octobre 1998, les taliban arrêtèrent à Djalalabad, la plus grande ville de l'est de l'Afghanistan, plus de soixante personnes soupçonnées d'une tentative de coup d'État préparée par d'anciens officiers fidèles au général Shahnawaz Tanai, le général pachtoune qui avait déserté l'armée de Najibullah en 1990 pour rejoindre les moudjahidin. Ses officiers pachtounes soutenaient les taliban depuis 1994, et beaucoup avaient servi dans leur armée. En décembre, un étudiant fut abattu et plusieurs autres blessés lors de troubles à la faculté de médecine de l'université Nangarhar, à Djalalabad. Des grèves et des manifestations antitaliban eurent lieu dans la ville.

Le mécontentement croissant à Djalalabad semblait encouragé par les partisans du mollah Rabbani, un homme plus modéré qui s'était constitué une base politique dans la ville. Les puissants marchands de Djalalabad qui organisaient la contrebande à partir du Pakistan voulaient aussi que les taliban adoptent une attitude plus libérale. Après les incidents de Djalalabad, le mollah Rabbani fut à nouveau rappelé de Kaboul à Kandahar et disparut de la scène pendant plusieurs mois. En 1998, la *shura* de Kaboul souhaitait assouplir la politique des taliban pour que les agences des Nations unies reviennent à Kaboul et que les villes puissent profiter du flot de l'aide humanitaire. Les chefs taliban des *shura* de Kaboul et de Djalalabad sentaient monter le mécontentement populaire causé par l'augmentation des prix, la pénurie de nourriture et la réduction de l'aide humanitaire. Le mollah Omar et la direction de Kandahar refusèrent pourtant toute expansion des activités humanitaires des Nations unies, qu'ils finirent par forcer à partir.

Au cours de l'hiver 1998-1999, plusieurs cas de vol et de pillage par des soldats taliban illustrèrent la montée de l'indiscipline causée par les difficultés économiques. L'incident le plus grave se déroula à Kaboul en janvier 1999 ; six soldats taliban eurent le bras droit et le pied gauche amputés pour pillage. Les membres coupés furent ensuite pendus à des arbres du centre-ville, exposés aux yeux de la population jusqu'à leur putréfaction. Bien que certaines divergences internes augmentent les spéculations sur le manque de cohésion du mouvement des taliban, qui pourraient conduire à une guerre civile intertaliban, la domination et les pouvoirs accrus du mollah Omar lui permettent de garder le contrôle total du mouvement.

Les taliban, comme les moudjahidin avant eux, ont donc opté pour la suprématie d'un seul, sans organisation capable de tenir compte d'autres groupes ethniques ou d'autres points de vue. La lutte entre taliban modérés et partisans de la ligne dure est désormais souterraine, car aucun chef taliban n'ose contredire Omar ou s'opposer à lui. Une telle situation risque d'aboutir à une explosion finale à l'intérieur du mouvement - une guerre civile interne qui ne pourra que diviser à nouveau les Pachtounes et causera des souffrances supplémentaires aux gens ordinaires.

Chapitre 8
UN GENRE OCCULTÉ :
LES FEMMES, LES ENFANTS ET LA CULTURE
DES TALIBAN

Personne n'a envie de voir à quoi ressemble le bureau spartiate du *mawlawi* Qalamuddin, au centre de Kaboul. Une moitié de la population ne risque d'ailleurs pas d'y mettre les pieds, puisque le *mawlawi* interdit l'accès du bâtiment aux femmes. L'aspect physique et le nom de Qalamuddin suffisent à provoquer la peur dans toute la ville : ce Pachtoune est un géant aux mains et aux pieds énormes, aux yeux noirs et au long nez épaté, dont la barbe noire en broussaille touche le bureau quand il parle. Chef de la police religieuse des taliban, il a édicté une série de règlements qui ont changé du tout au tout le style de vie de la population autrefois insouciante de Kaboul et forcé les femmes afghanes à disparaître entièrement de la vie publique.

Le *mawlawi* Qalamuddin dirige l'Amr Bil Marouf Wa Nahi An al-Munkar, ou ministère de la Promotion de la vertu et la Prévention du vice. Lui-même préfère l'appeler ministère de l'Observance religieuse. Les gens de la rue se contentent de donner aux milliers de jeunes zélotes du ministère, qui se promènent armés de fouets, de longues matraques et de kalachnikovs, le nom de police religieuse ou d'autres qualificatifs plus désobligeants. En ce jour d'été 1997 où je lui rendis visite pour un de ces entretiens dont il est avare, il venait de publier de nouvelles règles qui interdisaient aux femmes de porter des hauts talons, de faire du bruit en marchant ou de se maquiller. « Les vêtements élégants et autres accessoires féminins sont interdits dans les hôpitaux. Les femmes ont le devoir de se comporter avec dignité et de marcher calmement, et d'éviter de faire du bruit en faisant claquer leurs chaussures sur le sol. » Tels étaient les termes du décret. On se demande, puisque toutes les femmes s'enveloppent désormais des pieds à la tête dans leur *burkha (voir Annexe 1)*, comment les zélotes pourraient voir leur maquillage ou leurs chaussures.

Le nouvel édit reprenait officiellement les restrictions précédentes qui interdisent le travail des femmes, en y ajoutant l'interdiction de travailler pour des organisations humanitaires occidentales, sauf dans le secteur médical : « Les femmes n'ont pas le droit de travailler, sauf dans le secteur médical. Les femmes qui travaillent dans le secteur médical n'ont pas le droit de s'asseoir à côté du chauffeur. Aucune femme afghane n'a le droit d'être transportée dans le même véhicule que des étrangers. » Il est devenu impossible d'assurer l'enseignement des garçons à Kaboul, puisque la plupart des professeurs sont des femmes qui n'ont plus le droit de travailler. Une génération entière d'Afghans grandit donc sans aucune instruction. Plusieurs milliers de familles cultivées ont fui Kaboul pour le Pakistan simplement parce que leurs enfants ne pouvaient plus y recevoir d'instruction.

Un peu nerveux, j'ai demandé à Qalamuddin ce qui justifie d'interdire aux femmes de travailler et d'aller à l'école. « Notre peuple nous reprochera de ne pas instruire les femmes, et nous trouverons un moyen d'assurer leur éducation, mais pour le moment nous avons de graves problèmes », répondit-il. Comme tant de mollahs, il parle d'une voix étonnamment basse eu égard à sa corpulence, et j'ai dû faire un effort pour le comprendre. « Il y a des problèmes de sécurité. Rien n'a encore été prévu pour le transport, les établissements scolaires et les équipements séparés nécessaires à l'éducation des femmes. Les femmes doivent être complètement séparées des hommes. Il y a parmi nous des hommes incapables de se conduire correctement avec les femmes. Nous avons perdu deux millions de personnes pendant la guerre contre les Soviétiques parce que nous n'avions pas la charia. Nous nous sommes battus pour la charia et cette organisation va maintenant la faire appliquer. Je la ferai appliquer coûte que coûte, » déclara Qalamuddin avec emphase.

Au début de l'occupation de Kaboul, la police religieuse bastonnait en public les hommes dont la barbe n'était pas assez longue ou les femmes qui ne portaient pas la *burkha* selon les règles. « Nous demandons à notre personnel de ne pas battre les gens dans la rue. Nous donnons seulement des conseils sur la meilleure façon de respecter la charia. Par exemple, si quelqu'un est sur le point d'emboutir une autre voiture en faisant une marche arrière, nous lui conseillons de ne pas reculer », ajouta Qalamuddin avec un large sourire, manifestement fier de la modernité de sa métaphore.

Son département fonctionne sur le modèle d'une organisation gouvernementale analogue existant en Arabie saoudite ; il a recruté plusieurs milliers d'hommes jeunes, dont une majorité vaguement formée dans des madrasas pakistanaises. C'est aussi le meilleur service de renseignement des taliban - étrange rappel du KHAD, son tentaculaire homologue du régime communiste dans les années 1980. Le KHAD, plus tard rebaptisé WAD, employait de 15 000 à 30 000 espions professionnels et 100 000 informateurs rétribués. Qalamuddin reconnaît qu'il a plusieurs milliers d'informateurs dans l'armée, les ministères, les hôpitaux et les organisations humanitaires occidentales. « Nos agents ont tous l'expérience des questions religieuses. Nous sommes une organisation indépendante et nos instructions ne viennent ni du ministère de la Justice ni de la Cour suprême. Nous obéissons aux ordres de l'*amir*, le mollah Omar. »

Les décrets de Qalamuddin, régulièrement diffusés sur Radio Charia (ex-Radio Kaboul), couvrent le moindre aspect du comportement en société. L'un d'eux traite des événements sportifs, d'abord interdits par les taliban. « Tous les spectateurs, s'ils encouragent les sportifs, doivent chanter *"Allah u-Akbar"* ["Dieu est grand"] et s'abstenir de frapper dans leurs mains. Si un match coïncide avec l'heure de la prière, il doit être interrompu. Joueurs et spectateurs doivent alors prier ensemble. » Le cerf-volant, loisir autrefois très apprécié des habitants de Kaboul au printemps, reste interdit, de même que la pratique du sport par les femmes.

Les taliban considèrent que remettre en question ces décrets, qui n'ont aucune validité dans le Coran, équivaut à remettre en question l'islam, même si le prophète Mahomet s'est d'abord attaché à émanciper les femmes. « Le signe suprême et caractéristique de l'islam était l'émancipation des femmes, d'abord proclamée, puis - plus lentement - en voie de réalisation », analyse Fernand Braudel. Mais les taliban ne permettent pas même aux journalistes musulmans de mettre en doute ces décrets ou de discuter des différentes interprétations du Coran. Aux volontaires étrangers, ils assènent simplement : « Vous n'êtes pas musulmans, donc vous n'avez pas le droit de parler de l'islam. » Les taliban ont raison, leur interprétation du Coran est la bonne et tout le reste est faux, exprime la faiblesse humaine et le manque de piété. « La constitution est la charia, donc nous n'avons pas besoin de constitution. Les gens aiment l'islam, voilà pourquoi ils soutiennent tous les taliban et apprécient ce que nous faisons », me dit le procureur général, le *mawlawi* Jalilullah Maulvizada.

Les souffrances des femmes et de toute la société afghane ont certes commencé bien avant l'arrivée des taliban. Vingt années de guerre continue ont détruit la société civile, la communauté du clan et la structure familiale qui représentaient un secours précieux dans la dureté du paysage économique. L'Afghanistan possède l'un des indices de développement humain les plus bas au monde. Le taux de mortalité infantile y est de 163 pour 1 000, l'un des plus élevés au monde comparé aux 70 pour 1 000 d'autres pays en voie de développement. Un enfant sur quatre meurt avant son cinquième anniversaire, contre un sur quarante dans les pays en voie de développement.

Une effroyable proportion de femmes (1 700 sur 100 000) meurt en couches. L'espérance de vie des hommes et des femmes est de 43 ou 44 ans, contre 61 ans dans les autres pays en voie de développement. Seuls 29 % de la population ont accès à la santé et 12 % à l'eau potable, contre respectivement 80 % et 70 % dans les PVD. Les enfants meurent de maladies bénignes et faciles à prévenir, comme la rougeole ou la diarrhée, par manque d'équipements sanitaires et d'eau non souillée.

L'analphabétisme, qui affectait 90 % des filles et 60 % des garçons, était un problème majeur avant même l'arrivée des taliban. Des régions rurales entières d'Afghanistan n'ont plus une seule école depuis la guerre. La politique sexiste des taliban n'a donc fait qu'aggraver une situation critique. Dans les trois mois qui ont suivi la prise de Kaboul, les taliban ont fermé 63 écoles de la ville, fréquentées par 103 000 filles, 148 000 garçons et 11 200 professeurs, dont 7 800 femmes. Ils ont également fermé l'université, renvoyant à leurs foyers quelque 10 000 étudiants, dont 4 000 femmes. En décembre 1998, l'UNICEF signalait que le système d'éducation nationale se trouvait dans un état de délabrement total : 9 filles sur 10 et 2 garçons sur 3 n'étaient pas scolarisés.

Le monde extérieur ignorait à peu près complètement la situation désespérée du peuple afghan. Alors que la guerre avait suscité l'intérêt et des aides au cours des années 1980, l'Afghanistan cessa de focaliser l'attention mondiale dès que les Soviétiques retirèrent leurs troupes en 1989. Les contributions des pays riches, qui n'atteignaient même pas les obligations budgétaires minimales de l'effort d'aide humanitaire, diminuèrent comme peau de chagrin, jusqu'à un niveau proprement scandaleux.

En 1996, les Nations unies avaient demandé 124 millions de dollars pour leur programme annuel d'aide humanitaire à l'Afghanistan ; elles n'avaient reçu que 65 millions à la fin de l'année. En 1997, elles demandèrent 133 millions et n'en reçurent que 56, soit 42 % ; l'année suivante, elles reçurent 53 millions seulement - soit 34 % - sur les 157 millions demandés. En 1999, les Nations unies révisèrent leurs attentes à la baisse et demandèrent 113 millions seulement. Ainsi que l'écrit Barnett Rubin, un spécialiste : « Si la situation de l'Afghanistan est affreuse aujourd'hui, ce n'est pas parce que le peuple de l'Afghanistan est mauvais. L'Afghanistan n'est pas uniquement le miroir des Afghans : c'est le miroir du monde. "Si tu n'aimes pas l'image que tu vois dans le miroir, ne casse pas le miroir, casse ton visage", dit un vieux proverbe perse. »

Lorsque les femmes de Kaboul se regardaient dans un miroir, même avant la prise de la ville par les taliban, elles ne voyaient que désespoir. En 1996, j'ai rencontré Bibi Zohra dans une minuscule boulangerie de Kaboul. Veuve, elle dirigeait un groupe de jeunes femmes qui préparaient le *nan*, le pain sans levain que mangent tous les Afghans, pour les veuves, les orphelins et les invalides. Environ 400 000 personnes à Kaboul dépendaient de ces boulangeries créées par le WPF, le Programme alimentaire mondial, dont 25 000 familles dirigées par des veuves de guerre et 7 000 familles par des hommes invalides. La cahute en terre de Zohra était grêlée de marques de balles et d'obus. Elle avait été détruite par les roquettes des forces de Hekmetyar en 1993 avant d'être bombardée par les taliban en 1995.

Cette femme qui devait subvenir aux besoins de ses six enfants et de ses parents avait fait don au WPF de la minuscule parcelle où se dressait jadis sa maison pour y installer une boulangerie. « Regardez mon visage, est-ce que vous n'y lisez pas la tragédie de nos vies et de notre pays ? me demanda-t-elle. La situation empire tous les jours. Nous sommes devenus des mendiants dont la survie dépend des Nations unies. Ce n'est pas notre façon de faire en Afghanistan. Les femmes sont épuisées, déprimées et anéanties. Nous n'attendons qu'une chose, la paix, nous prions pour la paix à chaque minute de la journée. »

La situation des enfants, notamment ceux de Bibi Zohra, était pire encore. Des petits Afghans squelettiques jouaient tristement sur les nouvelles balançoires d'un terrain de jeux aménagé dans le quartier à moitié détruit de Microyan par l'organisation Save the Children. Le sol était jonché des débris de la guerre - vieilles douilles d'obus, char détruit avec un trou béant à l'emplacement de la tourelle, arbres couchés par les tirs de roquette. « Les femmes et les enfants supportent le plus gros du conflit, m'expliqua Sofie Elieussen, la directrice de Save the Children. Les femmes doivent faire face au manque de nourriture et à la malnutrition de leurs enfants. Elles souffrent d'hystérie, de traumatisme et de dépression parce qu'elles ignorent quand surviendra le prochain tir de roquettes. Comment les enfants pourraient-ils se référer à l'affection et à l'autorité de leur mère quand ils ont vu des adultes s'entretuer et des mères incapables de subvenir à leurs besoins les plus fondamentaux ? Il y a tant de stress que les enfants ne se font même pas confiance entre eux et que les parents ont cessé de communiquer avec leurs enfants ; ils n'essaient même plus de leur expliquer ce qui se passe. »

Une étude menée par le docteur Leila Gupta pour l'UNICEF a montré que la plupart des enfants de Kaboul ont été témoins de violences extrêmes et ne s'attendent pas à survivre. Les deux tiers des enfants interrogés avaient vu des gens tués par des roquettes, des cadavres ou des morceaux de corps humains. Plus de 70 % avaient perdu un membre de leur famille et ne faisaient plus confiance aux adultes. « Ils souffrent tous d'images récurrentes, de cauchemars et de solitude. Beaucoup ont dit qu'ils pensaient que leur vie ne valait plus la peine d'être vécue, rapporte le docteur Gupta. Toutes les normes de la vie de famille ont été détruites par la guerre. Lorsque les enfants cessent d'avoir confiance en leurs parents, ou lorsque les parents ne peuvent plus assurer leur sécurité, les enfants n'ont plus aucun point d'ancrage dans le monde réel.

Les enfants ont été aspirés dans ce conflit plus que dans n'importe quelle autre guerre civile au monde. Tous les chefs de guerre utilisaient des enfants-soldats, parfois âgés de 12 ans à peine, des orphelins sans espoir de trouver une famille, de recevoir une éducation ou d'obtenir un travail ailleurs que dans une armée. Les taliban, à travers leurs liens avec les madrasas pakistanaises, ont encouragé des milliers d'enfants à s'enrôler et à se battre. Des unités entières se composaient d'enfants qui chargeaient les batteries d'artillerie, portaient les munitions, gardaient les installations, et combattaient aussi. Il est significatif de noter qu'un important effort international pour fixer l'âge minimal des soldats à 18 ans au lieu de 15 actuellement s'est heurté à l'opposition des États-Unis, du Pakistan, de l'Iran et de l'Afghanistan. Un rapport présenté en 1999 par Amnesty International affirme que le monde compte plus de 300 000 enfants-soldats. La situation des femmes et des enfants allait s'aggraver encore après la prise de Kaboul par les taliban.

Toues les femmes de Kaboul que j'ai rencontrées en 1995-1996 - à cette époque les journalistes pouvaient facilement rencontrer des femmes et leur parler dans la rue, les magasins et les bureaux - savaient que leurs vies déjà précaires ne pouvaient que se dégrader si les taliban prenaient la capitale. Nasiba Gul, une superbe jeune célibataire de 27 ans qui souhaitait ardemment s'intégrer au monde moderne, était une de ces femmes. Diplômée de l'université de Kaboul en 1990, elle avait un bon travail dans une ONG. Vêtue d'une jupe longue et chaussée de talons hauts, elle prenait rarement la peine de se voiler le visage, se contentant de jeter un petit foulard sur ses cheveux pour se déplacer en ville. « Les taliban veulent simplement écraser les femmes. Aucune femme, même la plus pauvre ou la plus conservatrice, ne veut que les taliban dirigent l'Afghanistan », me dit Nasiba. « L'islam dit que les femmes sont les égales des hommes et qu'on leur doit le respect. Mais les actes des taliban dressent les gens contre l'islam », ajouta-t-elle. Les craintes de Nasiba étaient justifiées, car les femmes disparurent de la vie publique dès que les taliban s'emparèrent de Kaboul. Nasiba, forcée d'abandonner son travail, s'exila au Pakistan.

Les chefs taliban étaient tous issus des provinces pachtounes les plus pauvres, les plus conservatrices et les plus illettrées du sud de l'Afghanistan. Dans le village du mollah Omar, les femmes avaient toujours été entièrement voilées et aucune fille n'était jamais allée à l'école, car il n'y en avait pas. Omar et ses compagnons transposèrent à l'ensemble du pays leur propre milieu et leur propre expérience - ou manque d'expérience - des femmes, et justifièrent leur politique par le Coran. Certaines organisations humanitaires affirmèrent d'abord qu'il s'agissait d'une tradition culturelle afghane digne de respect. Mais ce pays si divers ethniquement, aux niveaux de développement contrastés, ne possédait aucune norme culturelle ou traditionnelle concernant le rôle des femmes dans la société. Aucun dirigeant afghan n'avait jamais imposé de code vestimentaire comme le port de la barbe ou la *burkha*.

Le reste de l'Afghanistan n'avait rien à voir avec le Sud. Les Pachtounes afghans de l'Est, très influencés par ceux du Pakistan, étaient fiers d'envoyer leurs filles à l'école et beaucoup continuèrent à le faire après l'arrivée des taliban, soit dans les écoles des villages, soit en envoyant leur famille au Pakistan. Des organisations humanitaires comme le Comité suédois y soutenaient quelque 600 écoles primaires fréquentées par 150 000 élèves, dont 30 000 filles. Lorsque les anciens des tribus pachtounes exigèrent une instruction pour leurs filles, les gouverneurs taliban ne purent, ou ne voulurent, élever aucune objection. Plusieurs milliers de filles pachtounes étudiaient dans les camps de réfugiés afghans du Pakistan. En dehors de la ceinture pachtoune, tous les autres groupes ethniques encourageaient fortement l'éducation des filles. La force de l'Afghanistan résidait dans sa diversité ethnique et les femmes y tenaient autant de rôles que le pays compte de tribus et de nationalités.

Les villes étaient plus contrastées encore. Kandahar a toujours été conservatrice, mais l'élite féminine de Hérat parlait autrefois le français et copiait la mode de la cour du shah à Téhéran. À Kaboul, 40 % des femmes travaillaient, que ce soit sous le régime communiste ou le gouvernement des moudjahidin après 1992. Dès qu'elles acquéraient un vernis d'éducation et trouvaient un emploi, les femmes échangeaient leurs vêtements traditionnels contre la jupe, le maquillage et les talons hauts. Elles allaient au cinéma, faisaient du sport, chantaient et dansaient aux mariages. Le simple bon sens aurait dû dicter aux taliban un relâchement de leur politique sexiste en fonction des réalités prévalentes dans les régions dont ils prenaient le contrôle. Au lieu de cela, ils traitèrent Kaboul comme un puits d'iniquité, Sodome et Gomorrhe où les femmes durent, par la force, se conformer aux critères de comportement des taliban. Les habitants du Nord étaient pour eux des musulmans impurs qui devaient être réislamisés, contre leur gré si nécessaire.

Le rigorisme des taliban résulte également de leur propre dynamique politique interne et de la nature de leur base de recrutement. Les orphelins déracinés, le sous-prolétariat de la guerre et des camps de réfugiés qui les rejoignaient avaient été élevés dans une société exclusivement masculine. Dans le milieu des madrasas, l'oppression des femmes et leur exclusion virtuelle étaient à la fois un symbole de virilité et une réaffirmation de l'engagement des étudiants envers le djihad. En niant le rôle des femmes, les taliban s'octroyaient une sorte de fausse légitimité parmi ces éléments. « Ce conflit contre les femmes est enraciné non dans l'islam ou les normes culturelles, mais dans les idéaux et les idéologies politiques. Les taliban forment une nouvelle génération d'hommes musulmans qui sont les produits d'une culture de la guerre et qui ont passé la plus grande partie de leur vie adulte complètement isolés de leurs propres communautés. Dans la société afghane, les femmes ont toujours été des instruments de régulation sociale ; elles sont donc des symboles forts de la culture afghane », m'expliquait Simi Wali, qui dirigeait une ONG afghane.

Les chefs taliban m'ont souvent répété que s'ils donnaient aux femmes plus de liberté ou la possibilité d'aller à l'école, ils perdraient le soutien de leur base, déçue par une direction prête à renoncer à ses principes sous la pression. Ils prétendaient aussi que leurs recrues, affaiblies et corrompues par la perspective de relations avec l'autre sexe, se battraient avec moins de zèle. L'oppression des femmes est devenue le point de référence du radicalisme islamique des taliban, l'expression de leur volonté de « nettoyer » la société et de raffermir le moral des troupes. Le problème des femmes est devenu le thème principal de leur résistance aux tentatives des Nations unies et des gouvernements occidentaux pour leur faire accepter un compromis et modérer leur politique. S'ils transigeaient, les taliban devraient reconnaître la défaite et admettre qu'ils sont dans l'erreur depuis le début ; le défi, au contraire, est un signe de victoire.

Les taliban les plus durs retournent les arguments de l'Occident contre celui-ci. Ils affirment que c'est à l'Occident de tempérer sa position pour s'adapter au point de vue des taliban, et non aux taliban de reconnaître l'universalité des droits de l'homme. « Examinons le genre d'éducation que veulent les Nations unies. C'est une politique d'infidèles qui donne tant de liberté obscène aux femmes qu'elle mènerait immanquablement à l'adultère et à la destruction de l'islam. Tous les pays islamiques où l'adultère devient courant sont détruits et passent sous la domination des infidèles parce que leurs hommes deviennent comme les femmes et que les femmes ne peuvent se défendre elles-mêmes. Tous ceux qui nous parlent doivent le faire dans le cadre de l'islam. Le très saint Coran ne peut s'adapter aux exigences des gens, c'est aux gens de s'adapter aux exigences du très saint Coran », expliquait ainsi le *mawlawi* Jalilullah Maulvizada, le procureur général. Les taliban sont en revanche incapables d'expliquer comment une religion aussi profondément enracinée que l'islam peut être à ce point mise en danger par l'adultère.

Toutes les tribus pachtounes se conforment au *Pachtounwali*, code social qui donne à la *djirga* tribale le droit de statuer à partir d'un arsenal traditionnel de lois et de châtiments, particulièrement en matière de querelles sur la possession de terres ou de femmes, et de meurtre. La ligne de démarcation entre *Pachtounwali* et charia a toujours été très floue chez les Pachtounes. De fait, les châtiments des taliban trouvent plutôt leur origine dans le *Pachtounwali*. Ce code qui s'appliquait à des degrés divers dans la ceinture pachtoune ne gouvernait certainement pas les pratiques d'autres groupes ethniques. La détermination des taliban à leur imposer de force une charia mêlée de *Pachtounwali* n'a fait qu'élargir le fossé qui sépare les ethnies du pays. Les non-Pachtounes y ont vu une tentative d'imposer les lois des Pachtounes du Kandahar à l'Afghanistan tout entier.

Quel que soit le contexte politique, les taliban ont refusé tout compromis. Chacune de leur défaite a entraîné un durcissement féroce de leur politique sexiste, comme si des mesures plus rigoureuses à l'encontre des femmes pouvaient raffermir le moral des soldats vaincus. Chaque victoire entraînait un durcissement similaire, puisqu'il fallait montrer l'étendue du pouvoir des taliban aux populations nouvellement conquises. La politique d'« engagement », visant à amener les taliban à modérer leur politique, prônée par la communauté internationale n'a porté aucun fruit. Leurs promesses réitérées d'autoriser l'éducation des femmes une fois la guerre finie sont de plus en plus vaines. La prise de Hérat en 1995 a fourni les premiers signes, pour les Afghans et le monde extérieur, indiquant que les taliban ne céderaient pas sur la question des femmes. Hérat, cœur de l'islam médiéval dans toute la région, était une ville de mosquées et de madrasas traditionnellement libérale. Dans ce foyer d'art et d'artisanat islamique - miniatures, musique, danse, tissage de tapis - circulaient une foule d'histoires sur les femmes aussi belles que redoutables.

Les Hérati racontent encore l'histoire de la reine Gowhar Shad, la belle-fille du conquérant Timur, qui, après la mort de celui-ci, déplaça la capitale des Timourides de Samarkand à Hérat en 1405. La reine inspecta un jour, avec ses deux cents suivantes « aux lèvres de rubis », un ensemble comprenant une mosquée et une madrasa qu'elle faisait construire aux abords de Hérat. On avait demandé aux étudiants de la madrasa (ou *taliban*) de quitter les lieux pendant la visite de la reine et de son entourage, mais un étudiant s'était endormi dans sa chambre. Il fut réveillé par une exquise suivante. Quand elle rejoignit la reine, la dame échevelée, qui haletait des fatigues de l'amour, ne pouvait donner le change. Au lieu de punir l'étudiant et la suivante, la reine ordonna à toutes ses suivantes d'épouser les étudiants lors d'une cérémonie collective, afin qu'elle puisse les bénir et s'assurer qu'ils ne céderaient plus à la tentation. Elle donna à chaque étudiant des vêtements et un salaire et ordonna que maris et femmes se retrouvent une fois par semaine aussi longtemps que les étudiants travailleraient avec application. Ce genre d'histoire illustre la tradition libérale et humaniste de l'islam, et de l'éducation des madrasas de Hérat.

Les taliban ne connaissaient ni l'histoire ni les traditions de Hérat. Ils arrivèrent décidés à transformer les femmes en recluses. Ils empêchèrent les gens de se rendre aux sanctuaires des saints soufis, qui étaient nombreux à Hérat. Ils anéantirent les années d'efforts du commandant moudjahidin Ismaël Khan pour éduquer la population en fermant toutes les écoles pour filles. La plupart des écoles pour garçons fermèrent également puisque leurs professeurs étaient des femmes. Ils établirent une ségrégation sexuelle dans les rares hôpitaux qui fonctionnaient encore, fermèrent les bains publics et interdirent aux femmes de se rendre au bazar. Les femmes de Hérat furent les premières à se révolter contre les excès des taliban. Le 17 octobre 1996, plus de cent femmes protestèrent contre la fermeture des bains publics de la ville devant les bureaux du gouverneur. Elles furent rouées de coups et arrêtées par la police religieuse, qui fit le tour de toutes les maisons pour avertir les hommes de garder leurs femmes enfermées.

La presse internationale et les Nations unies préférèrent passer ces événements sous silence, mais plusieurs ONG occidentales comprirent enfin les implications profondes qu'ils auraient sur leurs activités futures. Après de longues discussions internes et de vaines négociations avec les taliban de Hérat, l'UNICEF et Save the Children suspendirent leurs programmes d'éducation parce que les filles en étaient exclues. Leur initiative ne dissuada pas les taliban, qui avaient vite compris que certains organismes des Nations unies n'étaient pas disposés à se battre sur la question de la discrimination sexuelle. De plus, ils avaient réussi à diviser la communauté humanitaire. Les différents organismes des Nations unies négocièrent sans position commune, grevant la politique de leur organisation. Chacun tenta de conclure de son côté un marché avec les taliban ; les Nations unies transigèrent avec leurs principes tandis que les restrictions imposées aux femmes montaient encore d'un cran. « Les Nations unies sont sur une pente glissante. Elles pensent satisfaire la communauté internationale et les taliban en faisant de petites concessions. En réalité, elles ne satisfont ni l'une ni les autres », me dit le directeur d'une ONG européenne.

Le monde ne comprit la portée de la politique sexiste des taliban qu'après la chute de Kaboul en 1996. Les Nations unies ne pouvaient plus ignorer la question après l'énorme battage médiatique international occasionné par la pendaison de l'ancien président Najibullah et du traitement réservé aux femmes de Kaboul. Les protestations de dirigeants tels que Boutros Boutros-Ghali, alors secrétaire général des Nations unies, les directeurs de l'UNICEF, de l'UNESCO, du HCR et la Commission européenne des droits de l'homme restèrent sans réponse. Les instituts de beauté et les salons de coiffure pour dames de Kaboul furent fermés, ainsi que les bains publics pour femmes - le seul endroit où l'on trouvait encore de l'eau chaude.

Les couturiers reçurent l'ordre de ne plus prendre les mesures des femmes, mais de retenir les mensurations de leurs clientes régulières. Les magazines de mode furent détruits. « Mettez du vernis sur vos ongles, prenez une photo d'un ami, jouez de la flûte, battez la mesure avec les mains, invitez un étranger pour le thé, et vous avez enfreint un décret des taliban », écrivit un journaliste américain.

Le scandale fut à la mesure de la désastreuse absence de politique des Nations unies, qui n'était pas apparue au grand jour avant Kaboul, et l'organisation subit les critiques cinglantes des mouvements féministes. Les organismes de l'ONU furent obligés d'élaborer une position commune. Une déclaration évoqua « le maintien et l'avancement de l'égalité et de la dignité inhérentes à chaque peuple » et la « non-discrimination entre sexes, races, groupes ethniques ou religieux ». Cependant, le même document affirmait également que « les organismes internationaux éprouvent le plus grand respect pour les coutumes et cultures locales ». C'était une des classiques formules de compromis de l'ONU, qui permettait aux taliban de continuer à tergiverser en promettant d'autoriser l'éducation des femmes après la guerre. En octobre 1996, les Nations unies durent suspendre huit projets qui procuraient des revenus aux femmes de Kaboul parce qu'elles n'avaient plus le droit d'y travailler.

Les dix-huit mois suivants furent consacrés à d'interminables séances de vaines négociations entre les Nations unies, les ONG, les gouvernements occidentaux et les taliban ; il devenait clair qu'un groupe d'oulémas intransigeants de Kandahar était déterminé à se débarrasser purement et simplement des Nations unies. Les taliban serrèrent un peu plus la vis. Ils fermèrent les écoles à domicile que quelques filles pouvaient encore fréquenter et interdirent aux femmes de se rendre dans les hôpitaux publics. En mai 1997, la police religieuse passa à tabac cinq femmes qui travaillaient pour l'ONG américaine Care International et exigea que tous les projets d'aide reçoivent l'aval non seulement du ministère concerné, mais également des ministères de l'Intérieur, de la Santé publique, de la Police, et du Département pour la promotion de la vertu et la prévention du vice. Les taliban exigèrent ensuite que toutes les femmes musulmanes qui venaient participer à des projets humanitaires en Afghanistan soient accompagnées d'un parent masculin. Finalement, en juillet 1997, ils demandèrent à 35 ONG et organismes des Nations unies d'abandonner leurs bureaux pour emménager dans des locaux choisis par eux dans le bâtiment en ruines de l'Institut polytechnique. L'Union européenne suspendit son aide humanitaire et toutes les organisations quittèrent Kaboul.

Le sort des femmes d'Afghanistan fait souvent oublier que les hommes, en particulier les non-Pachtounes, ne sont pas mieux traités dans les villes par les taliban. Tous les hommes de Kaboul ont eu six petites semaines pour se faire pousser la barbe, même si le système pileux de certains groupes ethniques, comme les Hazara, est assez peu fourni. Les barbes doivent avoir au moins la longueur d'un poing, d'où l'apparition de plaisanteries sur le fait que les poils de barbe constituent le plus gros commerce d'import-export de l'Afghanistan, ou qu'un homme n'a pas besoin de visa pour entrer dans le pays puisqu'une barbe suffit. La police religieuse armée de ciseaux se tenait à tous les coins de rue pour couper les cheveux trop longs et tabasser les coupables. Les hommes devaient porter leurs pantalons bouffants, ou *shalwar*, au-dessus de la cheville et tout le monde devait dire ses cinq prières quotidiennes.

Les taliban ont aussi pris des mesures autoritaires contre l'homosexualité. Les Pachtounes de la région de Kandahar étaient connus pour leurs relations avec les jeunes garçons, et les viols commis par les chefs de guerre furent l'un des principaux motifs invoqués par le mollah Omar pour mobiliser les taliban. Mais l'homosexualité ne disparut pas, punie par des châtiments pour le moins bizarres, sinon inhumains. Deux soldats surpris en plein rapport homosexuel furent arrêtés à Kaboul en avril 1998 ; ils furent copieusement passés à tabac, puis attachés et promenés dans toute la ville à l'arrière d'une camionnette, le visage badigeonné d'huile de vidange. Les hommes accusés de sodomie subissent un châtiment « islamique », inédit, qui consiste à faire s'écrouler un mur sur leur corps.

En février 1998, trois hommes condamnés à mort pour sodomie à Kandahar furent conduits au pied d'un haut mur de brique et de terre, qui fut ensuite démoli par un char. Ils restèrent enterrés sous les décombres pendant une demi-heure ; l'un d'eux survécut. « Son éminence l'*amir al-mominin* [le mollah Omar] a assisté au châtiment des trois sodomites de Kandahar », écrivit *Anis*, le journal des taliban. En mars 1998, deux hommes furent tués de la même manière à Kaboul. « Nos sages religieux ne sont pas d'accord sur le châtiment qui convient pour l'homosexualité », déclara le mollah Mohammed Hassan, ce qui donne une idée du genre de débat qui occupe les taliban. « Certains disent que nous devrions précipiter ces pécheurs du haut d'un toit, d'autres que nous devrions creuser un trou au pied d'un mur, les y enterrer puis faire tomber le mur sur eux. »

Les taliban ont également interdit toutes les formes possibles de divertissement, déjà rares dans un pays pauvre et démuni comme l'Afghanistan. Les Afghans étaient de grands amateurs de cinéma, mais films, télévision, cassettes vidéo, musique et danse ont tous été interdits. « Bien sûr, nous comprenons que les gens aient besoin de se divertir, mais ils peuvent aller dans les parcs et regarder les fleurs, cela leur apprendra beaucoup de choses sur l'islam », me dit le mollah Mohammed Hassan. Selon le mollah Abdul Hanifi, ministre de l'Éducation, les taliban « sont opposés à la musique parce qu'elle crée une fatigue de l'esprit qui entrave l'étude de l'islam ». Les chants et les danses accompagnant les mariages qui sont depuis des siècles d'importantes festivités sociales ont été interdits. La majorité des chanteurs et des musiciens qui en vivaient ont fui au Pakistan.

Personne n'a le droit d'accrocher un tableau, un portrait ou une photographie chez soi. Mohammed Mashal, un des plus grands artistes d'Afghanistan, peignait une grande fresque retraçant cinq cents ans de l'histoire de Hérat ; cet homme de 82 ans a été forcé de regarder les taliban effacer son œuvre à la peinture blanche. En bref, on peut dire que les taliban n'admettent pas l'idée même de culture. La fête traditionnelle de Nawroz, qui célèbre le nouvel an, a été jugée anti-islamique et interdite. Nawroz est le premier jour du calendrier solaire perse, où les gens se rendent sur les tombes de leurs proches. On les en a empêchés par la force. Le 1er mai, jour férié communiste, a été supprimé ; Ashura, le mois de deuil des musulmans chiites, a été interdit pendant un moment, et même les festivités de l'Aït, la principale fête musulmane de l'année, ont été réduites.

La plupart des Afghans sont démoralisés par le fait que le monde islamique ne s'est pas risqué à condamner l'extrémisme des taliban. Le Pakistan, l'Arabie saoudite et les émirats du Golfe n'ont jamais publié une seule déclaration sur la nécessité de l'instruction des femmes ou du respect des droits de l'homme en Afghanistan. Ils n'ont jamais remis en cause l'interprétation de la charia par les taliban. Les pays musulmans d'Asie sont eux aussi restés silencieux. De manière assez surprenante, c'est l'Iran qui a pris la défense des droits des femmes dans l'islam. « Par leur politique fossilisée, les taliban empêchent les filles d'aller à l'école et les femmes de travailler à l'extérieur, tout cela au nom de l'islam. Y a-t-il quelque chose de pire que de se livrer à la violence et à l'étroitesse d'esprit, de limiter les droits des femmes et d'abaisser l'islam ? » demandait l'ayatollah Ahmad Jannati dès 1996. Les critiques de l'Iran contre la politique des taliban ont pris un tour plus amer après la mort des diplomates iraniens de Mazar en 1998.

À Mazar se trouve le tombeau de Rabia Balkhi, une belle et tragique poétesse du Moyen Âge. Elle fut la première femme de son époque à composer des poèmes d'amour en perse et mourut tragiquement, les poignets ouverts par son frère qui voulait la punir d'avoir dormi avec son amant, un esclave. Agonisante, elle écrivit son dernier poème avec son propre sang. Les jeunes Ouzbeks, filles et garçons, traitent son tombeau avec la plus grande dévotion depuis des siècles et vont y prier pour le succès de leurs amours. Après la prise de Mazar, les taliban ont interdit l'accès à son tombeau. L'amour, même pour une sainte médiévale, est désormais interdit.

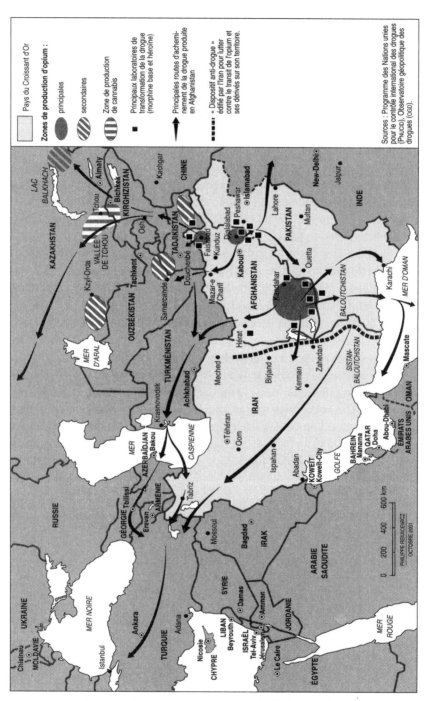

Les chemins de la drogue à travers le Croissant d'or

Chapitre 9
DOPÉE À L'HÉROÏNE :
L'ÉCONOMIE DES TALIBAN ET LA DROGUE

À 3 kilomètres à peine du centre de Kandahar, les champs de pavot s'étendent à perte de vue. Au printemps 1997, les fermiers s'occupaient soigneusement les jeunes pousses vertes, rappelant un peu des feuilles de laitue, des plants repiqués quelques semaines plus tôt. Ils binaient méticuleusement la terre pour arracher les mauvaises herbes, pulvérisaient de l'engrais et réparaient les canaux d'irrigation détruits par l'armée soviétique dans les années 1980. Dans quelques semaines surgirait entre les feuilles une fleur rouge vif qui s'épanouirait avant que ses pétales ne tombent, révélant une capsule durcie.

Quatre mois après les semailles, les capsules sont prêtes à être fendues à l'aide de fines lames artisanales pour recueillir l'or liquide. Le fermier presse doucement chaque capsule entre ses doigts jusqu'à ce qu'une substance gluante, d'un blanc laiteux, suinte de la fente. Le lendemain, l'opium est solidifié en une gomme brunâtre qu'il faut gratter avec une petite truelle. Cette opération se répète tous les deux jours jusqu'à ce que la plante cesse de produire de la gomme. L'opium brut est alors entassé et pressé en galettes conservées à l'humidité dans des sacs en plastique jusqu'à l'arrivée des trafiquants. La meilleure qualité d'opium, généralement obtenue sur des terres bien irriguées, a une couleur brun foncé et une texture collante. C'est le *tor*, qui lubrifie les finances de tous les seigneurs de la guerre afghans, mais particulièrement des taliban.

« Nous sommes plus que reconnaissants aux taliban, me dit Wali Jan, un vieux fermier édenté occupé à désherber son champ. Les taliban nous ont apporté la sécurité pour que nous puissions faire pousser nos pavots en paix. J'ai besoin de cette récolte pour nourrir les quatorze membres de ma famille ». Le rétablissement de la paix et de la sécurité dans les campagnes a donné un coup de fouet à la culture du pavot. Wali Jan produit 45 kilos d'opium brut par an sur sa petite parcelle, soit un revenu d'environ 1 300 dollars - une petite fortune pour un fermier afghan. Il sait que l'héroïne raffinée atteint 50 fois ce prix à Londres ou à New York, mais il se satisfait largement de ce qu'il en tire. Les effets de cette manne sont visibles partout, car il y a plus de reconstruction dans les villages qui entourent Kandahar que partout ailleurs en Afghanistan.

Les taliban ont trouvé une justification islamique qui autorise les fermiers comme Wali Jan à cultiver encore plus d'opium, même si le Coran interdit aux musulmans de produire ou de consommer des stupéfiants. Abdul Rashid, chef de l'unité antidrogues de Kandahar, m'a expliqué la nature unique de son travail. Il a le droit d'imposer une interdiction stricte de la culture du haschich, « parce qu'il est consommé par les Afghans et les musulmans ». Mais, ajouta-t-il sans une ombre d'ironie, « l'opium est permis parce qu'il est consommé par les kafirs [infidèles] de l'Occident, et non par les Afghans et les musulmans ». D'autres impératifs expliquent l'essor de la culture du pavot. « Nous laissons les gens cultiver le pavot parce que les fermiers en tirent un bon prix. Nous ne pouvons pas les forcer à cultiver du blé, car il y aurait une révolte contre les taliban si nous interdisions la culture du pavot. Alors nous cultivons le pavot et nous importons le blé du Pakistan. »

Le gouverneur Mohammed Hassan justifie cette politique singulière par un autre tour de passe-passe. « Les drogues sont mauvaises et nous voudrions remplacer le pavot par une autre culture de rapport, mais ce n'est pas possible actuellement parce que nous n'avons pas obtenu la reconnaissance internationale. » Deux années durant, le mollah Omar offrit régulièrement aux États-Unis et aux Nations unies de faire cesser la culture du pavot en échange de la reconnaissance internationale de son gouvernement - c'était la première fois qu'un mouvement qui contrôlait 90 % d'un pays offrait une telle option à la communauté internationale.

Les taliban ont vite senti la nécessité d'organiser l'économie de la drogue pour en tirer des revenus. En s'emparant de Kandahar, ils avaient affirmé qu'ils élimineraient toutes les drogues, ce qui encouragea les diplomates américains à entrer immédiatement en contact avec eux. Il fallut quelques mois aux taliban pour comprendre qu'ils avaient besoin des revenus du pavot et que l'interdiction de sa culture mettrait les fermiers en colère. Ils commencèrent donc à exiger un impôt islamique, le *zakat*, de tous les trafiquants d'opium. Le Coran stipule que tout musulman doit verser aux pauvres 2,5 % de ses revenus disponibles, mais les taliban n'eurent aucun scrupule à prélever 20 % de la valeur d'un chargement d'opium au titre du *zakat*. Certains commandants et gouverneurs de province imposaient par ailleurs leurs propres taxes pour remplir leurs coffres et nourrir leurs soldats. Certains sont d'ailleurs devenus d'importants trafiquants ou emploient des membres de leur famille comme intermédiaires.

Dans le même temps, l'offensive des taliban contre le haschich, produit de consommation courante des chauffeurs de camion, s'avéra extrêmement efficace - prouvant si besoin est qu'il est possible d'appliquer tout aussi strictement une interdiction de l'opium. Plusieurs centaines de sacs de haschich saisis chez des cultivateurs et des trafiquants furent entreposés dans deux hangars à Kandahar. Les gens normaux se disaient trop effrayés pour consommer du haschich après l'interdiction des taliban. Pour ceux qui continuaient à le faire clandestinement, les taliban avaient une approche inédite pour soigner la dépendance. « Quand nous attrapons des trafiquants ou des consommateurs de haschich, nous les interrogeons et nous les frappons sans pitié pour découvrir la vérité, expliqua Abdul Rashid. Ensuite nous les plongeons plusieurs heures dans l'eau glacée, deux à trois fois par jour. C'est un excellent moyen. » Rashid pénétra ensuite dans la prison et fit tirer de leur cellule plusieurs prisonniers terrorisés. Ils confirmèrent sans hésitation l'efficacité du traitement de choc des taliban. « Quand on me frappe ou qu'on me jette dans l'eau glacée, j'oublie le haschich », me dit Bakht Mohammed, un commerçant et trafiquant de drogue qui purgeait une peine de trois mois.

Entre 1992 et 1995, l'Afghanistan produisait la quantité considérable de 2 200 à 2 400 tonnes d'opium par an, ce qui la plaçait au deuxième rang des pays producteurs d'opium brut, juste derrière la Birmanie. En 1996, il en produisait 2 600 tonnes. Les représentants du Programme de lutte contre la drogue des Nations unies (UNDCP) affirment que la province de Kandahar produisait à elle seule 120 tonnes d'opium sur 3 160 hectares de champs de pavot en 1996 - une augmentation énorme par rapport à 1995, année où elle produisait 79 tonnes sur 2 460 hectares. En 1997, alors que le contrôle des taliban s'étendait à Kaboul et au Nord, la production d'opium augmenta encore de 25 %, pour atteindre 2 800 tonnes. Les réfugiés pachtounes qui arrivaient par dizaines de milliers du Pakistan pour s'installer dans les zones contrôlées par les taliban exploitaient sur leurs terres la plus facile et la plus lucrative de toutes les cultures de rapport.

Selon l'UNDCP, les fermiers touchent moins de 1 % de l'ensemble des bénéfices générés par le commerce de l'opium ; 2,5 % restent aux mains des trafiquants afghans et pakistanais et 5 % sont répartis dans les pays à travers lesquels l'héroïne transite sur le chemin de l'Occident. Trafiquants et revendeurs européens et américains se partagent le reste des bénéfices. Même avec un retour sur investissement aussi bas, on estime que 1 million de fermiers afghans gagnent au moins 100 millions de dollars grâce à la culture du pavot. Ainsi, les taliban ramassent au moins 20 millions de dollars en taxes, et sans doute plus encore en dessous de table.

Depuis 1980, tous les chefs de guerre des moudjahidin utilisaient l'argent de la drogue pour financer leurs campagnes militaires et se remplir les poches. Ils achetaient nouvelles jeeps, maisons et entreprises à Peshawar, et ouvraient des comptes en banque à l'étranger. Certes, ils refusaient d'admettre publiquement qu'ils se livraient au trafic de drogue, mais ils ne se gênaient pas pour accuser leurs rivaux moudjahidin. Pourtant, personne n'eut autant de culot, ou d'honnêteté, que les taliban lorsqu'ils déclarèrent qu'ils n'avaient pas l'intention de réguler le marché de la drogue. En 1997, l'UNDCP et les États-Unis estimèrent que 96 % de l'héroïne afghane était produit dans des régions contrôlées par les taliban.

Les taliban ont fait plus qu'étendre la zone disponible pour la production d'opium. Leurs conquêtes ont également profité aux routes commerciales. Des convois de Landcruisers Toyota lourdement armés quittent plusieurs fois par mois la province de Helmand, où sont cultivés 50 % de la production d'opium de l'Afghanistan, pour un voyage long et difficile. Certains convois traversent les déserts du Baloutchistan vers le sud et les ports de la côte de Makran, au Pakistan ; d'autres pénètrent dans l'ouest de l'Iran et rejoignent l'est de la Turquie en évitant Téhéran ; d'autres encore se dirigent vers le nord-est et le Turkménistan. En 1997, les trafiquants ont commencé à envoyer leurs cargaisons d'opium par avion de Kandahar et Djalalabad vers des villes portuaires du Golfe comme Abu Dhabi et Sharjah.

L'Asie centrale a été très durement touchée par l'explosion du trafic d'héroïne afghan. La mafia russe, dont les liens avec l'Afghanistan ont été tissés pendant l'occupation soviétique, utilisait ses réseaux pour transporter l'héroïne d'Asie centrale vers l'Europe en passant par la Russie et les pays baltes. Le Tadjikistan et le Kirghizistan ont établi d'importantes routes de l'opium et sont devenus eux-mêmes de gros producteurs. Alors que l'opium afghan était raffiné dans des laboratoires pakistanais, la lutte antidrogue au Pakistan et la multiplication des routes commerciales ont encouragé les trafiquants à créer leurs propres laboratoires en Afghanistan. L'anhydride acétique, un produit chimique indispensable à la transformation de l'opium en héroïne, est désormais introduit en fraude depuis l'Asie centrale.

La situation est d'autant plus ironique que l'explosion de la production d'héroïne a commencé au Pakistan, et non en Afghanistan. Entre 1980 et 1989, le Pakistan est devenu l'un des plus gros pays producteurs d'opium, avec 800 tonnes par an, soit 70 % de la production mondiale d'héroïne. Un gigantesque trafic de stupéfiants s'était développé à l'ombre des canaux d'approvisionnement clandestins des moudjahidin mis en place par la CIA et l'ISI, bénéficiant par là même d'un vernis de légitimité. « Pendant les années 1980, corruption, opérations clandestines et stupéfiants se sont enchevêtrés à tel point qu'il est difficile de séparer le trafic de stupéfiants du Pakistan de questions plus complexes de sécurité régionale et de guerre insurrectionnelle », affirmait en 1992 une étude marquante sur l'échec de la politique antidrogue des États-Unis. Comme au Vietnam, où la CIA choisit de fermer les yeux sur le trafic de drogue de la guérilla anticommuniste qu'elle finançait, les États-unis choisirent d'ignorer la collusion croissante entre moudjahidin, trafiquants de drogue pakistanais et éléments de l'armée en Afghanistan.

Les exemples de collusion qui apparaissaient au grand jour dans les années 1980 n'étaient que le sommet de l'iceberg. En 1983, le général Akhtar Abdur Rahman, chef de l'ISI, dut changer d'affectation tous ses hommes en poste à Quetta à cause de leur implication dans une affaire de trafic de drogue et de revente des armes fournies par la CIA à l'intention des moudjahidin. En 1986, le major Zahouruddin Afridi fut arrêté en possession de 220 kilos d'héroïne pure alors qu'il se rendait de Karachi à Peshawar - la plus grosse prise de l'histoire du Pakistan. Deux mois plus tard, le lieutenant de l'armée de l'air Khalilur Rehman était arrêté sur la même route en possession de 220 kilos d'héroïne. Il avoua froidement que c'était sa cinquième mission. Ces deux prises auraient atteint à elles seules une valeur de 600 millions de dollars dans les rues américaines, soit l'équivalent du montant total de l'aide américaine au Pakistan cette année-là. Les deux officiers emprisonnés à Karachi s'évadèrent mystérieusement. « Les affaires Afridi-Rehman indiquent l'existence d'un syndicat de l'héroïne lié à l'Afghanistan à l'intérieur de l'armée et de l'ISI », écrivit Lawrence Lifschultz.

Le Département antidrogue (DEA) américain employait 17 officiers à temps plein au Pakistan pendant les années 1980 ; ils identifièrent 40 grands syndicats de l'héroïne, parfois dirigés par de hautes personnalités du gouvernement. Aucun syndicat ne fut démantelé au cours de cette période. Il y avait de toute évidence un conflit d'intérêts entre la CIA, qui ne voulait pas de révélations embarrassantes sur les liens qui unissaient les « héroïques » moudjahidin aux autorités pakistanaises et aux parrains de la drogue, et le DEA. Plusieurs membres du DEA demandèrent leur mutation et il y eut au moins une démission parce que la CIA les empêchait de faire leur travail.

Pendant le djihad, moudjahidin et officiers de l'armée communiste de Kaboul saisirent tous leur chance. La logistique de leurs opérations était d'une simplicité remarquable. Les convois d'ânes, de chameaux et de camions qui amenaient des armes en Afghanistan repartaient à vide. Ils transportèrent désormais de l'opium brut. Les pots-de-vin versés aux chefs pachtounes par la CIA et l'ISI pour qu'ils autorisent le passage des convois d'armes à travers le territoire de leur tribu servirent bientôt à acheter ces mêmes chefs pour que la drogue puisse circuler vers le Pakistan. La Cellule nationale de logistique, une compagnie de transport de l'armée qui acheminait les armes fournies par la CIA du port de Karachi à Peshawar et à Quetta, était souvent utilisée par les trafiquants influents pour convoyer l'héroïne en sens inverse vers Karachi, d'où elle serait exportée. Dans les années 1980, ce circuit de l'héroïne ne pouvait pas fonctionner à l'insu de certains officiers hauts placés, du gouvernement et de la CIA, sans doute tous complices. Tout le monde préféra fermer les yeux car il s'agissait d'abord de vaincre l'Union soviétique. La lutte contre la drogue ne figurait pas au programme.

Ce n'est qu'en 1992, avec la nomination du général Asif Nawaz à la tête des armées du Pakistan, que les militaires entreprirent une action concertée pour déraciner la mafia des stupéfiants qui s'était développée à l'intérieur des forces armées. Or l'argent de l'héroïne avait déjà infiltré l'économie, la politique et la société pakistanaises. Les agences antistupéfiants occidentales d'Islamabad suivaient à la trace les barons de la drogue, dont certains devinrent membres de l'Assemblée nationale pendant les premiers gouvernements des Premiers ministres Benazir Bhutto (1988-1990) et Nawaz Sharif (1990-1993). Ces barons de la drogue financèrent certains candidats du Parti du peuple pakistanais de Benazir Bhutto et de la Ligue musulmane du Pakistan de Nawaz Sharif. L'industrie et le commerce fonctionnaient de plus en plus grâce à l'argent blanchi de la drogue et le marché noir, qui représentait de 30 à 50 % de l'économie pakistanaise, était largement alimenté par cet argent.

Les États-Unis et l'Occident ne commencèrent à faire pression sur Islamabad pour réduire la production d'opium au Pakistan qu'après le retrait soviétique de l'Afghanistan. Pendant les dix années qui suivirent (1989-1999) le Pakistan toucha une aide de 100 millions de dollars pour participer à la lutte antistupéfiants. La culture du pavot subit une réduction spectaculaire - de 800 tonnes à 24 en 1997, pour atteindre 2 tonnes en 1999. Les projets de cultures de substitution dans la Province de la frontière du nord-ouest rencontrèrent un succès considérable. Cependant, trafiquants et mafia des transports n'avaient pas disparu ; l'arrivée des taliban et l'augmentation consécutive de la production d'héroïne en Afghanistan leur redonnèrent un élan considérable. Le Pakistan ne produisait plus d'héroïne, mais il devint la plaque tournante des exportations de drogue des taliban. Les trafiquants, chauffeurs de camion, leurs contacts dans les madrasas et au gouvernement, de même que la chaîne d'approvisionnement en armes, carburant et nourriture qui alimentait les taliban se mirent à assurer le trafic de drogue - reprenant le rôle des filières d'armement des moudjahidin dans les années 1980.

Le Pakistan retombait dans ses mauvaises habitudes. En février 1998, l'administration Clinton accusa Islamabad de faire le minimum pour diminuer la production et les exportations d'héroïne. Les États-Unis refusèrent de certifier que le Pakistan réduisait la production de narcotiques, mais laissèrent faire, pour des raisons de sécurité nationale. Cependant, le problème de la drogue ne se limitait plus au Pakistan et à l'Afghanistan. Les voies d'exportation se multipliaient dans toutes les directions et la consommation de drogue dans la région augmenta de concert. En 1998, 58 % des opiacés étaient consommés dans la région même et seuls 42 % étaient exportés. Le Pakistan, qui n'avait aucun héroïnomane en 1979, en comptait 650 000 en 1986, 3 millions en 1992 et un chiffre estimé à 5 millions en 1999. Cette toxicomanie et l'argent de la drogue ont aggravé les problèmes de délit, d'ordre public et le chômage et ont permis à des groupes extrémistes ou sectaires de s'armer.

En Iran, le gouvernement reconnaissait l'existence de 1,2 million de toxicomanes en 1998, mais certaines autorités de Téhéran m'avouèrent que le chiffre approchait les 3 millions - alors que l'Iran applique une des politiques antistupéfiants les plus sévères au monde ; tout individu pris en possession de quelques grammes d'héroïne y risque automatiquement la peine de mort. En outre, l'Iran consent beaucoup plus d'efforts que le Pakistan pour écarter la menace de la drogue. Depuis 1980, l'Iran a perdu 2 500 hommes de ses forces de sécurité dans des opérations militaires contre les convois chargés de drogue en provenance d'Afghanistan. Après la fermeture des frontières avec l'Afghanistan, en septembre 1998, les forces de sécurité iranienne saisirent 5 tonnes d'héroïne en une semaine. Les taliban durent affronter une crise financière majeure causée par la quasi-interruption des exportations d'héroïne, et donc des taxes afférentes.

La consommation d'héroïne a également augmenté en Ouzbékistan, au Tadjikistan, au Turkménistan et au Kirghizistan, devenus des maillons de la chaîne d'exportation. En 1998, la douane confisquait 1 tonne d'opium et 200 kilos d'héroïne à la frontière Tadjikistan-Afghanistan. En janvier 1999, lors d'une conférence internationale, le président Imomali Rakhmanov déclara que le trafic de drogue entre l'Afghanistan et le Tadjikistan, son pays, atteignait 1 tonne par jour et que la toxicomanie augmentait. L'Ouzbékistan confirma une augmentation de 11 % du trafic en provenance d'Afghanistan en 1998.

J'ai vu des revendeurs proposer de l'héroïne ouvertement devant les hôtels cinq étoiles d'Ashkhabad, la capitale du Turkménistan ; dans le hall de ces hôtels, Turkmènes au luxe tapageur et mafieux russes accompagnés de petites amies encore plus voyantes parlaient de leurs « voyages d'affaires » à la frontière afghane. En 1997, les autorités saisirent 2 tonnes d'héroïne et 38 tonnes de haschich. En 1999, le Turkménistan était devenu, grâce à sa politique de conciliation avec les taliban, la principale voie d'exportation de l'héroïne afghane, et certains représentants corrompus du gouvernement turkmène profitaient largement du trafic. Le président kirghize Askar Akayev me dit en janvier 1999 que son pays était devenu « une plaque tournante du trafic de drogue, responsable de l'augmentation de la criminalité ». Akayev ajouta que la guerre contre la drogue ne pourrait être gagnée tant que la paix ne règnerait pas en Afghanistan, et que la guerre civile était devenue le premier facteur déstabilisant de la région.

L'explosion de l'héroïne en provenance d'Afghanistan affecte désormais la situation politique et économique de la région entière. Elle paralyse des sociétés, fausse l'économie d'États déjà fragiles et crée une nouvelle narco-élite qui contraste de manière saisissante avec la pauvreté croissante de la population. « La drogue détermine la politique de cette région comme jamais auparavant », affirmait un ambassadeur occidental à Islamabad. « Nous la mettons sur le même plan que d'autres menaces comme le fondamentalisme islamique, le terrorisme et l'effondrement potentiel de l'économie de certains de ces pays. »

L'aggravation de la situation a incité la communauté internationale à engager des pourparlers avec les taliban. Après six mois de négociations secrètes, l'UNDCP conclut un accord avec les taliban en octobre 1997. Ceux-ci acceptaient d'arrêter la culture du pavot en échange de subventions pour les fermiers qui se lançaient dans une culture de substitution. Pino Arlacchi, le directeur de l'UNDCP, demanda 25 millions de dollars pour les dix années du programme d'éradication de la culture du pavot dans les zones contrôlées par les taliban. « L'héroïne afghane fournit 80 % du marché européen et 50 % du marché mondial. Nous parlons d'éliminer la moitié de l'héroïne de cette planète », s'enthousiasma Arlacchi. L'UNDCP promit d'introduire de nouvelles cultures de rapport, d'améliorer l'irrigation, de construire de nouvelles usines et de financer l'application de la loi.

Mais l'accord ne fut jamais appliqué par les taliban ; il tomba purement et simplement en pièces après le retrait des agences des Nations unies en 1998. Six mois plus tard, Arlacchi se montrait moins optimiste : « L'Afghanistan est l'une des régions les plus sensibles et les plus délicates au monde, mais nous avons besoin d'une solution politique plus large pour contrôler la production de drogue », me dit-il. Quant aux résultats de l'appel de fonds lancé par l'UNDCP aux pays riches, ils laissaient eux aussi à désirer. Entre 1993 et 1997, l'UNDCP n'a reçu que la moitié des 16,4 millions de dollars demandés pour la lutte contre la drogue en Afghanistan.

Les taxes sur les exportations d'opium sont devenues le principal pourvoyeur de revenus des taliban et de leur économie de guerre. En 1995, l'UNDCP estimait à 50 milliards de roupies par an (1,35 milliard de dollars) le revenu des exportations de drogue du Pakistan et de l'Afghanistan. En 1998, leur montant avait doublé pour atteindre 3 milliards de dollars. L'argent de la drogue payait les armes, les munitions et le carburant nécessaires à la guerre. Il payait la nourriture et les uniformes des soldats ainsi que les salaires, le transport et les petits avantages que la direction des taliban octroyait à ses combattants. La seule chose que l'on puisse dire en faveur des taliban, c'est que ces revenus ne remplissaient pas, comme par le passé, les poches des dirigeants, qui continuaient à mener une vie extrêmement frugale. En revanche, ils enrichissaient considérablement les trafiquants afghans et pakistanais.

À côté du trafic de drogue, la traditionnelle contrebande afghane à partir du Pakistan et, désormais, des pays du Golfe s'est beaucoup développée sous les taliban, causant des ravages dans l'économie des pays voisins. Le transit de marchandises par l'Afghanistan est la plus importante source de revenu officiel des taliban ; on estime qu'il génère 3 milliards de dollars par an pour l'économie afghane. L'administration des douanes de Kandahar, Kaboul et Hérat a refusé de révéler ses gains journaliers, mais ils sont certainement énormes puisque 300 camions environ traversent quotidiennement Kandahar pour se rendre en Iran et en Asie centrale, et 200 autres qui montent vers le nord passent à Djalalabad et à Kaboul. Le commerce illégal des biens de consommation, de nourriture et de carburant paralyse les industries, réduit les revenus de l'État et crée des pénuries d'alimentation périodiques dans tous les états voisins - affectant leur économie plus que le djihad ne le fit jamais.

Les revenus douaniers prélevés sur la contrebande passent par la banque centrale d'Afghanistan, qui essaie de s'implanter dans toutes les capitales de province. Mais aucune comptabilité ne montre combien d'argent entre et comment il est dépensé. Ces revenus « officiels » des taliban n'incluent pas le budget de la guerre, dérivé des revenus de la drogue, de l'aide du Pakistan et de l'Arabie saoudite parmi d'autres, qui est accumulé et dépensé directement par le mollah Omar à Kandahar. « Nous avons les revenus des douanes, des mines et du *zakat*, mais d'autres sources de revenus destinées à l'effort de guerre ne passent par la banque centrale d'Afghanistan », admet le *mawlawi* Arifullah Arif, ministre des Finances adjoint.

Comme le mollah Omar subvient directement aux besoins de la guerre grâce aux coffres de métal remplis de billets qu'il cache sous son lit, il est presque impossible d'établir le budget de la nation - même si l'Afghanistan disposait d'experts, ce qui n'est pas le cas. Le ministère des Finances n'a aucun économiste ou financier qualifié. Le ministre et ses adjoints sont des mollahs formés dans des madrasas et tous les administrateurs compétents ont été chassés. Le ministère des Finances avait établi un budget annuel - de février 1997 à janvier 1998 - équivalent à 100 000 dollars qui était censé couvrir l'administration du pays tout entier et les programmes de développement. Ce montant ne couvre en fait que les salaires des fonctionnaires, ce qui donne une idée de l'indigence des fonds officiels.

Certains mollahs formés au commerce tentent bien d'encourager l'industrie et les investissements étrangers, mais la direction des taliban ne semble pas décidée à soutenir sérieusement leurs efforts. « Nous voulons faire de l'Afghanistan un État moderne, et nous avons d'énormes ressources en minerai, en gaz et en pétrole, qui devraient intéresser les investisseurs étrangers », déclare le *mawlawi* Ahmed Jan, ministre des Mines et de l'Industrie, qui a quitté son commerce de tapis en Arabie saoudite pour se joindre aux taliban et diriger les industries de l'Afghanistan. « Avant que nous ne prenions le contrôle du Sud, aucune usine ne fonctionnait dans le pays. Nous avons réouvert les mines et les fabriques de tapis avec l'aide des négociants pakistanais et afghans. » Il admet volontiers que peu de membres de la puissante *shura* de Kandahar s'intéressent aux problèmes économiques, parce qu'ils sont trop impliqués dans la guerre.

Afin d'encourager les investissements, Ahmed Jan offre gratuitement les terrains de construction aux étrangers, pakistanais de préférence. Mais la destruction des infrastructures du pays obligerait tout investisseur à construire aussi ses propres routes, lignes électriques et habitations. Seuls quelques transporteurs pakistanais et afghans basés à Peshawar et à Quetta, déjà impliqués dans la contrebande ou le lucratif et illégal trafic de bois, semblent s'intéresser à des projets comme l'exploitation minière.

Le pays n'a plus ni classe instruite ni professions libérales. Tous les professionnels, depuis les opérateurs du téléphone jusqu'aux électriciens et aux mécaniciens, ont quitté le pays dans une des nombreuses vagues de réfugiés qui ont fui les villes depuis 1992. La plupart des taliban qui dirigent les départements des finances, de l'économie et du secteur social sont des mollahs issus des milieux commerçants - des hommes d'affaires, transporteurs et contrebandiers pour qui la construction de la nation ne se justifie que par la perspective de développer le marché de la contrebande et des transports à travers la région.

Le mollah Abdul Rashid, un commandant taliban de Helmand à l'air redoutable, est l'un de ces hommes ; il a acquis une certaine notoriété en avril 1997, en capturant une patrouille pakistanaise venue du Baloutchistan qui avait pénétré sur le territoire afghan pour y poursuivre une bande de passeurs de drogue. Il envoya les soldats arrêtés à Kandahar, déclenchant une dispute avec le Pakistan. Il dirige également les carrières de marbre des taliban à Helmand. La carrière, qui emploie 500 ouvriers équipés de simples pioches, n'a ni ingénieur, ni équipement, ni électricité. Les techniques d'exploitation se limitent à l'utilisation d'explosifs pour faire sauter (et abîmer) le marbre.

L'appétit d'investissements étrangers des taliban a été aiguisé par la compétition entre deux compagnies pétrolières, l'argentine Bridas et l'américaine Unocal, qui se sont battues pour construire un pipeline du Turkménistan au Pakistan à travers le sud de l'Afghanistan *(voir chapitres 12 et 13)*. Le pipeline a attiré quelques hommes d'affaires truculents et prêts à prendre des risques, comme ces entrepreneurs pakistanais et afghans qui installent des stations-service dans la province de Kandahar et le long de la route de Hérat. Ils ont également promis de construire des routes. En 1999, un groupe basé aux États-Unis a fourni aux taliban un réseau de téléphonie mobile entre Kaboul et Kandahar. De telles activités ne contribuent pas à restaurer une économie normale. Leur unique objectif consiste à augmenter les trafics des taliban et à faciliter la vie des trafiquants et des transporteurs.

Les investissements sérieux et l'aide à la reconstruction ne commenceront certainement pas tant que la guerre durera et que le gouvernement sera incapable d'assurer un minimum de stabilité et de respect du bien public. En attendant, l'Afghanistan ressemble à un trou noir économique qui envoie des ondes d'insécurité et de chaos à une région déjà confrontée à de multiples crises. Les infrastructures de l'Afghanistan sont en ruines. Les équipements publics de base qui existent dans n'importe quel pays en voie de développement ont disparu. Il n'y a pas d'eau courante et guère d'électricité, de téléphones, de routes carrossables ou de fourniture régulière d'énergie. La pénurie d'eau, de nourriture, de logements et d'autres produits de première nécessité est grave. Quant aux biens disponibles, ils sont trop chers pour la plupart des gens.

Les millions de mines enterrées pendant la guerre posent d'insurmontables problèmes de réaménagement dans les villes et les campagnes, en grevant l'agriculture et l'irrigation des régions les plus fertiles. Depuis 1979, 400 000 Afghans ont été tués et 400 000 autres blessés par l'explosion de mines ; 13 % des familles afghanes - une proportion effroyable - ont eu un parent tué ou handicapé par des mines ; plus de 300 personnes sont tuées ou mutilées tous les mois. Certes, les Nations unies et les ONG emploient environ 4 000 démineurs qui s'efforcent de nettoyer le pays aussi vite que possible, mais il faudra sans doute encore dix ans avant que les grandes villes soient sécurisées. En 1998, après six années de dur labeur, seuls 250 des 750 kilomètres carrés que compte de Kaboul avaient été déminés.

Si l'on excepte les mines, la bataille que livrent quotidiennement la plupart des Kabouli consiste à trouver suffisamment de vieux billets afghans pour acheter leur nourriture. Certes, les magasins regorgent de marchandises de contrebande en provenance d'Iran et du Pakistan, mais personne n'a assez d'argent pour les payer. Les salaires des médecins afghans qui n'ont pas fui Kaboul équivalent à 5 dollars par mois. Ils ne survivent que grâce aux subventions du CICR. Le salaire moyen tourne autour de 1 à 3 dollars par mois. À cause de la misère et du chômage, un pourcentage élevé de la population urbaine dépend entièrement des agences des Nations unies pour sa survie ; 50 % des 1,2 million d'habitants de Kaboul reçoivent une aide alimentaire des organisations humanitaires occidentales.

Cette situation pose aux Nations unies un dilemme persistant : l'aide qu'elles fournissent entretient la guerre parce qu'elle donne aux chefs de guerre une bonne excuse pour ne pas prendre la responsabilité de la population civile. Les taliban ont toujours affirmé qu'ils n'étaient pas responsables de la population et qu'Allah pourvoirait à ses besoins. Pourtant, les souffrances des Afghans ordinaires ne feraient qu'augmenter si les Nations unies et les ONG interrompaient totalement leurs opérations de secours, notamment celles des groupes vulnérables que sont les veuves et les orphelins.

La situation économique s'est notablement dégradée en 1998. Le nord de l'Afghanistan a été touché par trois tremblements de terre dévastateurs, le siège du Hazarajat a entraîné une famine généralisée dans le centre de l'Afghanistan, des inondations ont submergé villages et récoltes dans le Kandahar et la population des villes a pâti du retrait des organisations humanitaires après les bombardements américains d'août 1998. Les effets de la malnutrition étaient visibles dans les rues de Kaboul pendant l'hiver

1998-1999 ; la plupart des gens n'avaient pas même les moyens de faire un repas par jour ou de chauffer leurs maisons. Il y a pourtant quelques signes encourageant, si seulement la paix revenait. Le WPF a estimé que la production céréalière atteindrait 3,85 millions de tonnes en 1998, soit 5 % de plus qu'en 1997, ce qui en ferait la meilleure année de production depuis 1978.

Ces améliorations reflètent la restauration de la loi et de l'ordre dans les régions rurales sous contrôle des taliban, l'arrêt des combats et le retour des réfugiés sur leurs terres. Bien qu'il reste encore 1,2 million de réfugiés afghans au Pakistan et 1,4 million en Iran, plus de 4 millions de réfugiés sont retournés chez eux entre 1992 et 1999. Les taliban et les agences des Nations unies ont cependant dû importer 750 000 tonnes de blé en 1998 pour faire face à la pénurie dans les villes. Il est évident que ces ravages économiques ne datent pas des taliban. Ils les ont hérités de la guerre civile que se sont livrée toutes les factions après 1992. Mais aucune de ces factions, taliban inclus, n'a prêté une quelconque attention aux besoins de la population civile.

Il n'est donc pas surprenant de constater que les pays occidentaux souffrent de « la lassitude du donateur » - ce manque d'enthousiasme pour la contribution humanitaire - alors que la guerre civile continue à faire rage entre chefs de guerre irresponsables. « Le niveau de souffrance du peuple afghan est véritablement abominable », reconnaît Alfredo Witschi-Cestari, coordinateur des Nations unies pour l'Afghanistan jusqu'en 1998. « À mesure que les années passent, les fonds n'arrivent plus qu'au goutte-à-goutte. Nous récoltons moins de la moitié de ce que nous demandons. » Les chefs de guerre ne se préoccupent pas le moins du monde de l'éventuelle reconstruction du pays. Le trou noir de l'économie afghane s'agrandit, aspirant dans ses profondeurs de plus en plus d'habitants de l'Afghanistan et des régions voisines.

Chapitre 10
LE DJIHAD PLANÉTAIRE :
LES « ARABO-AFGHANS » ET OUSSAMA
BEN LADEN

À Torkham, le poste frontière situé à l'entrée de la passe de Khyber, entre l'Afghanistan et le Pakistan, une simple chaîne sépare les deux pays. Du côté pakistanais se tiennent les élégants Scouts des frontières, des paramilitaires portant turban et uniforme gris. C'était en avril 1989, le retrait des Soviétiques d'Afghanistan venait de se terminer. Je regagnais le Pakistan par la route de Kaboul, mais la barrière était fermée. Épuisé par mon voyage, je me suis couché dans l'herbe, du côté afghan, et j'ai attendu.

Tout à coup, sur la route, un camion plein de moudjahidin est arrivé et s'est arrêté. Mais il ne transportait pas des Afghans. Coiffés de turbans grossièrement enroulés et vêtus de *shalwar* mal taillés, c'étaient des Arabes à la peau claire, des hommes aux yeux bleus originaires d'Asie centrale, des Chinois basanés. Ils étaient bardés de munitions et munis de kalachnikovs. À part un Afghan qui faisait office de guide et d'interprète, pas un des trente étrangers ne parlait le pachtou, le dari ou même l'ourdou. En attendant que la barrière s'ouvre, nous nous sommes mis à bavarder.

Le groupe était constitué de Moros philippins, d'Ouzbeks d'Asie centrale, d'Arabes venus d'Algérie, d'Égypte, d'Arabie saoudite et du Koweït, et d'Ouïgours originaires du Xinjiang chinois. Leur escorte était un membre de l'Hezb e-Islami de Gulbuddin Hekmatyar. En formation dans un camp proche de la frontière, ils partaient en week-end à Peshawar, où ils espéraient recevoir du courrier, se changer et faire un bon repas. Ils étaient venus participer au djihad avec les moudjahidin et s'initier au maniement des armes, à la fabrication de bombes et à la tactique militaire afin de ramener le djihad chez eux.

Ce soir-là, la Première ministre Benazir Bhutto donnait un dîner pour les journalistes à Islamabad. Parmi les invités se trouvait le lieutenant général Hamid Gul, chef de l'ISI et le plus fervent idéologue islamique de l'armée depuis la mort de Zia. Le général Gul jubilait face au retrait soviétique. Je lui ai demandé s'il ne jouait pas avec le feu en invitant des musulmans extrémistes venus d'autres pays islamiques, ostensiblement des alliés du Pakistan. Ces extrémistes ne risquaient-ils pas de créer des dissensions dans leurs pays, et de mettre en danger la politique étrangère du Pakistan ? « Nous sommes engagés dans le djihad, et c'est la première brigade islamique internationale de l'époque moderne. Les communistes ont leurs brigades internationales, l'Occident a l'OTAN, pourquoi les musulmans ne pourraient-ils pas s'unir pour former un front commun ? » répondit le général. C'était la première et la seule justification qu'on m'ait jamais fournie pour l'existence de ceux qu'on appelait déjà les Arabo-Afghans, même si aucun d'entre eux n'était Afghan et si beaucoup n'étaient pas Arabes.

Trois ans auparavant, en 1986, le chef de la CIA, William Casey, avait intensifié la guerre contre l'Union soviétique en prenant trois mesures importantes, mais alors secrètes. Il avait persuadé le Congrès de fournir aux moudjahidin des missiles Stinger pour abattre les avions soviétiques et d'envoyer des conseillers américains pour former les guérilleros. Jusque-là, les États-Unis n'avaient employé aucune arme ni aucun fonctionnaire dans l'effort de guerre. La CIA, le MI6 britannique et l'ISI se mirent d'accord sur un plan de provocations visant à déclencher des guérillas dans les Républiques socialistes soviétiques du Tadjikistan et de l'Ouzbékistan, le « ventre mou » musulman de l'URSS, où les troupes envoyées en Afghanistan recevaient leur approvisionnement. Cette tâche fut confiée au dirigeant moudjahidin préféré de l'ISI, Gulbuddin Hekmatyar. En mars 1987, de petites unités franchirent l'Amou-Darya depuis des bases situées dans le nord de l'Afghanistan et lancèrent leurs premiers tirs de roquettes contre des villages du Tadjikistan. Casey fut ravi et, lors d'un voyage secret au Pakistan, il se rendit en Afghanistan avec le président Zia pour rencontrer les groupes moudjahidin.

Troisième point, Casey offrit le soutien de la CIA à une vieille initiative de l'ISI : recruter des musulmans extrémistes du monde entier pour venir combattre au Pakistan aux côtés de moudjahidin afghans. L'ISI encourageait ce processus depuis 1982 ; les autres pays intéressés avaient tous leurs raisons d'être favorables à cette idée. Le président Zia voulait cimenter l'unité islamique, faire du Pakistan le leader du monde musulman et former une opposition islamique en Asie centrale. Washington voulait prouver que tout le monde musulman luttait contre l'Union soviétique avec les Afghans et leurs bienfaiteurs américains. Et les Saoudiens voyaient là l'occasion de promouvoir le wahhabisme et de se débarrasser de extrémistes frustrés. Personne ne prévoyait que les volontaires auraient leurs propres ambitions, qui finiraient par détourner leur haine des Soviets pour la diriger vers leurs propres régimes et vers les Américains.

Le Pakistan avait déjà donné à toutes ses ambassades l'ordre de délivrer un visa, sans poser de questions, à quiconque désirait venir combattre aux côtés des moudjahidin. Au Moyen-Orient, la Fraternité musulmane, la Ligue musulmane mondiale implantée en Arabie saoudite, et les extrémistes islamiques palestiniens organisèrent le recrutement. L'ISI et le Jamaat e-Islami pakistanais créèrent des comités d'accueil pour héberger et former les militants et les encourager à rejoindre l'un des groupes moudjahidin, généralement le Hezb e-Islami. Le financement venait directement des services secrets saoudiens. Oliver Roy a parlé d'une « joint-venture entre les Saoudiens, la Fraternité musulmane et le Jamaat e-Islami, réunis par l'ISI ».

Entre 1982 et 1992, quelque 35 000 extrémistes musulmans issus de 43 pays islamiques du Moyen-Orient, d'Afrique du Nord et de l'Est, d'Asie centrale et d'Extrême-Orient reçurent leur baptême du feu avec les moudjahidin afghans. Des dizaines de milliers d'autres vinrent étudier dans les centaines de nouvelles *madrassas* fondées par le gouvernement militaire de Zia au Pakistan et le long de la frontière afghane. Finalement, plus de 100 000 extrémistes musulmans se trouvèrent en contact direct avec le Pakistan et l'Afghanistan et devaient être influencés par le djihad.

Dans les camps proches de Peshawar et en Afghanistan, ces militants se rencontrèrent pour la première fois, étudièrent, se formèrent et combattirent ensemble. Pour la plupart d'entre eux, c'était la première occasion de découvrir les mouvements islamiques d'autres pays, et de forger les liens tactiques et idéologiques qui leur serviraient à l'avenir. Les camps devinrent les universités de l'extrémisme islamique à venir. Aucun des services secrets impliqués ne prit en compte les conséquences qu'aurait ce rassemblement de milliers d'extrémistes islamiques. « Dans une vision mondiale de l'histoire, qu'est-ce qui comptait le plus ? Les taliban ou la chute de l'Empire soviétique ? Quelques musulmans excités ou la libération de l'Europe centrale et la fin de la guerre froide ? » demanda Zbigniew Brzezinski, l'ancien conseiller national sur la sécurité des États-Unis. La population américaine en découvrit les conséquences seulement lorsque des militants islamiques formés en Afghanistan posèrent une bombe dans le World Trade Center de New York en 1993, faisant six morts et un millier de blessés.

Selon Samuel Huntington, « la guerre engendra une coalition dangereuse d'organismes islamistes désireux de promouvoir l'islam contre toutes les forces non musulmanes. Elle laissa derrière elle quantité de combattants expérimentés, de camps de formation et de facilités logistiques, un réseau complexe, trans-islamique, de relations personnelles et institutionnelles, une masse d'équipement militaire, dont 300 à 500 missiles Stinger disparus dans la nature, et surtout, un sentiment grisant de puissance et d'assurance, le désir d'avancer vers de nouvelles victoires ».

La plupart de ces extrémistes calculaient que, si le djihad afghan avait vaincu une superpuissance, l'Union soviétique, ils pourraient peut-être vaincre également l'autre superpuissance, les États-Unis, et leurs propres régimes. La logique de ce raisonnement fondait sur une constatation simple : le djihad afghan avait, à lui seul, réduit à néant l'État soviétique. C'était négliger toutes les autres raisons internes qui avaient entraîné l'effondrement du système. Alors que les États-Unis y voyaient la faillite du communisme, beaucoup de musulmans n'y virent qu'une victoire pour l'islam. Pour les militants, cette idée était exaltante et rappelait la déferlante musulmane qui s'était abattue sur le monde aux VIIe et VIIIe siècles. Une nouvelle 'Ummah* islamique pourrait naître des sacrifices et du sang d'une nouvelle génération de martyrs, avec de nouvelles victoires à la clé.

Parmi ces milliers de recrues étrangères se trouvait un jeune étudiant saoudien, Oussama ben Laden, fils du magnat de la construction yéménite Mohammed ben Laden, ami intime du feu roi Faisal et dont l'entreprise s'était fabuleusement enrichie grâce aux contrats de rénovation et d'agrandissement des mosquées de La Mecque et de Médine. L'ISI voulait depuis longtemps que le prince Turki ben Faisal, chef de l'Istakhbarat, les services secrets saoudiens, confie à un prince royal le contingent saoudien, afin de prouver aux musulmans l'engagement de la famille royale dans le djihad. Jusque-là, seuls des Saoudiens pauvres, étudiants, chauffeurs de taxis ou bédouins, s'étaient joints au combat. Mais aucun prince saoudien n'était prêt à venir vivre à la dure dans les montagnes afghanes. Ben Laden n'était pas un prince, mais il était assez proche de la monarchie et certainement assez riche pour mener le contingent saoudien. Ben Laden, le prince Turki et le général Gul allaient devenir d'excellents amis et s'allier autour de la cause commune.

Pour les Arabo-Afghans, le centre vital était les bureaux de la Ligue musulman mondiale et de la Fraternité musulmane à Peshawar, dirigés par Abdullah Azam, Palestinien de Jordanie que Ben Laden avait rencontré à l'université de Djeddah et qu'il révérait comme son chef. Azam et ses deux fils furent assassinés par un attentat à la bombe à Peshawar en 1989. Au cours des années 1980, Azam avait forgé des liens étroits avec Hekmatyar et Abdul Rasul Sayyaf, érudit islamique afghan, que les Saoudiens avaient envoyé à Peshawar pour promouvoir le wahhabisme. L'argent saoudien arrosait Azam et le Makhtab al-Khidmat, ou Centre de services, qu'il avait créé en 1984 pour aider les nouvelles recrues et recevoir les dons d'organisations caritatives islamiques. Les versements effectués par les services secrets saoudiens, le Croissant rouge, la Ligue musulmane mondiale ainsi que les dons privés émanant des mosquées et des princes saoudiens étaient acheminés par le Makhtab. Dix ans plus tard, celui-ci deviendrait le centre d'un réseau d'organisation radicales qui participèrent aux attentats du World Trade Center et des ambassades américaines en Afrique en 1998.

Avant d'arriver en Afghanistan, Ben Laden avait mené une vie sans histoires. Il était né vers 1957, le dix-septième des cinquante-sept enfants de son père, un Yéménite. Sa mère, l'une des nombreuses épouses de Mohammed ben Laden, était une Saoudienne. Il avait préparé une maîtrise d'administration commerciale à l'université Abdul Aziz de Djeddah, mais il avait vite bifurqué vers les études islamiques. Barbu, grand et mince, il mesure 1,95 m ; il dominait d'une tête ses camarades qui se rappellent un étudiant calme et pieux mais dont la personnalité n'avait rien d'exceptionnel.

Son père soutenait moralement et financièrement la lutte afghane ; quand Ben Laden décida d'y prendre part, sa famille réagit avec enthousiasme. Il se rendit d'abord à Peshawar en 1980 et rencontra les leaders moudjahidin. Il revint fréquemment avec des dons saoudiens pour la cause, puis en 1982, il décida de s'installer à Peshawar. Il fit venir les ingénieurs de l'entreprise paternelle et du matériel lourd destiné à construire des routes et des dépôts pour les moudjahidin. En 1986, il bâtit le complexe souterrain de Khost, subventionné par la CIA comme dépôt d'armes, lieu de formation et centre médical pour les moudjahidin, au pied des montagnes proches de la frontière pakistanaise. Pour la première fois, il monta son propre camp de formation pour les Arabo-Afghans, qui considéraient désormais ce Saoudien dégingandé, riche et charismatique, comme leur leader.

« Pour contrer ces Russes athées, les Saoudiens m'ont choisi comme leur représentant en Afghanistan, devait déclarer plus tard Ben Laden. Je me suis établi au Pakistan, dans la zone frontalière. J'y recevais les volontaires venus du royaume saoudien et de tous les pays arabes et musulmans. J'ai créé mon premier camp où ces volontaires étaient formés par des officiers pakistanais et américains. Les armes étaient fournies par les Américains, l'argent par les Saoudiens. J'ai découvert qu'il ne suffisait pas de combattre en Afghanistan, mais qu'il fallait le faire sur tous les fronts, celui du communisme comme de l'oppression occidentale. »

Ben Laden affirma par la suite avoir pris part à des embuscades contre les troupes soviétiques, mais il consacra surtout sa fortune et les dons saoudiens à développer les projets moudjahidin et à propager le wahhabisme parmi les Afghans. Après la mort d'Azam en 1989, il reprit son organisation et fonda Al Qaida, « Base militaire » pour les Arabo-Afghans et leurs familles, afin de forger entre eux une alliance sur un socle large. Avec l'aide de Ben Laden, plusieurs milliers de militants arabes avaient établi des bases dans les provinces de Kunar, du Nouristan et du Badakhchan, mais les pratiques wahhabites extrêmes leur attirèrent la haine de la majorité des Afghans. En outre, en s'alliant avec les moudjahidin pachtounes les plus favorables au wahhabisme, les Arabo-Afghans s'aliénèrent les non-Pachtounes et les musulmans chiites.

Ahmad Shah Massoud critiquera plus tard les Arabo-Afghans. « Ma faction n'avait pas de bonnes relations avec les Arabo-Afghans durant les années du djihad. En revanche, ils avaient de très bonnes relations avec les factions d'Abdul Rasul Sayyaf et de Gulbuddin Hekmatyar. Quand ma faction est entrée à Kaboul en 1992, les Arabo-Afghans combattirent contre nous avec les forces d'Hekmatyar. Nous leur demanderons [aux Arabes] de quitter notre pays. Ben Laden fait plus de mal que de bien », déclara Massoud en 1997, après avoir été chassé de Kaboul par les taliban.

En 1990, déçu par les querelles internes des moudjahidin, Ben Laden regagna l'Arabie saoudite pour travailler dans l'entreprise familiale. Il fonda une association de secours pour les vétérans arabo-afghans, dont 4 000 s'étaient établis à La Mecque et à Médine, et il versa de l'argent aux familles des morts. Après l'invasion du Koweït par l'Irak, il fit pression sur la famille royale pour que soit organisées une défense populaire du royaume et une force composée de vétérans de la guerre afghane afin de combattre l'Irak. Le roi Fahd préféra faire venir les Américains. Ce fut un grand choc pour Ben Laden. Quand les 540 000 soldats américains commencèrent à arriver, Ben Laden se mit à critiquer ouvertement la famille royale ; il tenta de persuader les oulémas saoudiens de créer des fatwas, des lois religieuses, contre les non-musulmans installés dans le pays.

Ben Laden se fit plus véhément quand 20 000 soldats américains restèrent en Arabie saoudite après la libération du Koweït. En 1992, il eut un entretien houleux avec le ministre de l'intérieur, le prince Naif, qu'il qualifia de traître à l'islam. Naif se plaignit au roi Fahd, et Ben Laden fut déclaré persona non grata. Néanmoins, il avait encore des alliés au sein de la famille royale, et il conserva ses liens avec les services secrets saoudiens et l'ISI.

En 1992, Ben Laden partit pour le Soudan, où il prit part à la révolution islamique fomentée par le leader charismatique Hassan Turabi. Les critiques perpétuelles de Ben Laden finirent par sembler insupportables à la famille royale fait sans précédent, la citoyenneté saoudienne lui fut retirée en 1994. C'est au Soudan, grâce à sa fortune et à ses contacts, que Ben Laden rassembla autour de lui les vétérans de la guerre afghane, dégoûtés par la victoire américaine sur l'Irak et par l'attitude des élites dirigeantes arabes qui permettaient aux troupes américaines de rester dans le Golfe. Face à la pression croissante des États-Unis et de l'Arabie saoudite, les autorités soudanaises demandèrent à Ben Laden de quitter le pays.

En mai 1996, Ben Laden revint en Afghanistan, arrivant à Djalalabad en charter avec des dizaines de militants arabes, de gardes du corps et de membres de sa famille, dont trois épouses et treize enfants. Il vécut sous la protection de la *shura* de Djalalabad juqu'à la prise de Kaboul et de Djalalabad par les taliban en septembre 1996. En août 1996, il avait publié sa première déclaration de djihad contre les Américains qui « occupaient » l'Arabie saoudite : « Les murs de l'oppression et de l'humiliation ne peuvent être démolis que par une pluie de balles. » Devenu l'ami du mollah Omar, il s'installa à Kandahar en 1997, sous la protection des taliban.

La CIA disposait désormais d'une cellule spéciale chargée d'étudier ses activités et ses liens avec d'autres militants islamiques. En août 1996, un rapport du ministère des Affaires étrangères notait que Ben Laden était « l'un des principaux soutiens financiers des activités extrémistes islamiques dans le monde ». Selon ce rapport, Ben Laden finançait des camps terroristes en Somalie, en Égypte, au Soudan, au Yémen et en Afghanistan. En avril 1996, le président Clinton signa la loi antiterroriste qui permettait aux États-Unis de geler les avoirs des organisations terroristes. Elle servit en premier lieu à bloquer l'accès de Ben Laden à sa fortune, estimée à 250 ou 300 millions de dollars. Quelques mois plus tard, les services secrets égyptiens déclaraient que Ben Laden était en train de former un millier de militants, une deuxième génération d'Arabo-Afghans, pour déclencher une révolution islamique dans les pays arabes.

Début 1997, la CIA envoya une équipe à Peshawar pour tenter d'enlever Ben Laden. Les Américains recrutèrent des Afghans et des Pakistanais pour les aider mais la tentative avorta. Cette activité américaine à Peshawar persuada Ben Laden d'aller s'établir dans la région de Kandahar, plus sûre. Le 23 février 1998, lors d'un rassemblement au camp de Khost, tous les groupes associés à Al Qaida publièrent une manifeste au nom du « Troisième Front international islamique pour le djihad contre les juifs et les croisés ». On y lisait que « depuis plus de sept ans les États-Unis occupent les terres d'islam dans le plus saint des lieux, la péninsule arabe, pillent ses richesses, donnent des ordres à ses dirigeants, humilient le peuple, terrorisent ses voisins et transforment ses bases en avant-poste de la lutte contre les peuples musulmans ».

Une *fatwa* fut lancée. « L'ordre de tuer les Américains et leurs alliés, civils et militaires, est un devoir individuel pour tout musulman susceptible de l'accomplir dans un pays où cela est possible ». Ben Laden définissait ainsi une politique qui ne visait pas seulement la famille royale saoudienne ou les Américains, mais qui demandait la libération de tout le Moyen-Orient musulman. En 1998, alors que la guerre aérienne des États-Unis contre l'Irak s'intensifiait, Ben Laden appela tous les musulmans à « affronter, combattre et tuer » les Américains et les Britanniques.

Pourtant, c'est à cause des attentats d'août 1998 dans les ambassades américaines au Kenya et en Tanzanie, qui firent 220 morts, que le nom de Ben Laden devint célèbre dans le monde musulman et en Occident. Treize jours après, ayant accusé Ben Laden de cette attaque, les États-Unis lancèrent 70 missiles de croisière, en guise de représailles, contre les camps de Ben Laden entourant Khost et de Djalalabad. Plusieurs camps confiés par les taliban aux groupes extrémistes arabo-afghans et pakistanais furent atteints. Le camp d'Al Badr, contrôlé par Ben Laden, et les camps Khalid bin Walid et Muawia, dirigés par le Harakat ul-Ansar pakistanais étaient les cibles principales. Le Harakat utilisait ses camps pour former ses militants à combattre les troupes indiennes au Cachemire. Sept étrangers furent tués : trois Yéménites, deux Égyptiens, un Saoudien et un Turc, ainsi que sept Pakistanais et vingt Afghans.

En novembre 1998, les États-Unis offrirent une récompense de 5 millions de dollars pour la capture de Ben Laden. Les Américains furent galvanisés quand Ben Laden prétendit que son devoir islamique était d'acquérir des armes chimiques et qu'il dirigerait contre les États-Unis. « Ce serait un péché pour les musulmans de ne pas tenter de posséder les armes qui empêcheront les infidèles de faire du mal aux musulmans. L'hostilité envers les Américains est un devoir religieux et nous espérons en être récompensés par Dieu. »

Quelques semaines après les attentats en Afrique, l'administration Clinton avait diabolisé Ben Laden au point de l'accuser de toutes les atrocités récemment commises contre les États-Unis dans le monde musulman. Un tribunal new-yorkais le rendit responsable de la mort de 18 soldats américains à Mogadiscio, en Somalie, en 1993, de 5 appelés lors d'un attentat à Riyad, en 1995, et de celle de 19 autres soldats à Dhahran en 1996. Il était aussi soupçonné d'avoir participé aux attentats d'Aden en 1992, du World Trade Center en 1993, à un complot visant à assassiner le président Clinton aux Philippines en 1994, et d'avoir voulu faire exploser une douzaine d'avions civils américains en 1995. Parmi les experts américains, beaucoup doutaient qu'il ait pu être impliqué dans toutes ces opérations.

Mais l'administration Clinton, empêtrée dans l'affaire Lewinsky, avait désespérément besoin de faire diversion et voulait trouver une explication simple à tous les actes terroristes non revendiqués. Ben Laden devint le centre de ce que Washington présentait comme une conspiration planétaire contre les États-Unis. Ce que Washington n'était pas prêt à admettre, c'est que le djihad afghan, avec le soutien de la CIA, avait engendré des dizaines de mouvements fondamentalistes à travers le monde musulman, menées par des militants qui en voulaient moins aux Américains qu'à leurs propres régimes corrompus et incompétents. Dès 1992-1993, les leaders égyptiens et algériens avaient conseillé à Washington de relancer sa présence diplomatique en Afghanistan afin de rétablir la paix et de chasser les Arabo-Afghans. Washington fit la sourde oreille et continua à se désintéresser de l'Afghanistan, malgré l'intensification de la guerre civile.

Les craintes algériennes étaient justifiées, car c'est en Algérie qu'eut lieu la première grande éruption liée aux Arabo-Afghans. En 1991, le Front islamique de salut remporta le premier tour des élections parlementaires, obtenant 60 % des sièges à travers le pays. L'armée algérienne annula ces résultats, donna les pleins pouvoirs au Président en janvier 1992 et, en deux mois, une guerre civile éclata, qui avait fait 70 000 victimes en 1999. Mais le FIS n'était rien, comparé au Djihad islamique, plus extrémiste, qui changea de nom en 1995 pour devenir le Groupe islamique armé. Le GIA était mené par des Afghans algériens, des vétérans algériens de la guerre afghane, des néowahhabites ; leurs ambitions devaient plonger l'Algérie dans un bain de sang, déstabiliser l'Afrique du Nord et entraîner le développement de l'extrémisme islamique en France. L'Algérie n'était qu'un avant-goût de ce qui allait venir. Les attentats perpétrés en Égypte par les groupes islamiques furent aussi reliés aux vétérans égyptiens formés en Afghanistan.

Ben Laden connaissait beaucoup des responsables de ces actes violents à travers le monde musulman, parce qu'ils avaient vécu et combattu ensemble en Afghanistan. Son organisation, conçue pour venir en aide aux vétérans de la guerre afghane, maintenait le contact avec eux. Il a pu subventionner certaines de leurs opérations, mais il ne savait sans doute pas ce qu'ils préparaient tous. Ben Laden a toujours occupé une position incertaine la constellation islamique. Il n'est ni un érudit islamique ni un enseignant, et il n'a donc pas le droit de formuler des *fatwa*, même s'il le fait. En Occident, ses cris de « Mort à l'Amérique » ont été considérés comme des *fatwa*, alors qu'ils n'ont aucun poids moral dans le monde musulman.

Les Arabo-Afghans qui l'ont connu durant le djihad disent qu'il n'avait aucune conception particulière de ce qu'il fallait faire dans le monde musulman. En ce sens, il n'est pas le Lénine de la révolution islamique, et il n'est pas l'idéologue internationaliste que Che Guevara fut pour les révolutions du tiers monde.

Les anciens associés de Ben Laden le décrivent comme profondément influençable, toujours en quête de mentors qui connaissaient mieux que lui l'islam et le monde moderne. À la longue liste des mentors de sa jeunesse s'ajoutèrent ensuite Aiman al-Zawahiri, chef du Djihad islamique exilé en Égypte, et les deux fils de Sheikh Omar Abdel Rahman, prédicateur égyptien aveugle à présent détenu dans une prison américaine pour l'attentat du World Trade Center de 1993, et jadis à la tête d'El Gamaa Islamiyya, interdit en Égypte. Durant le djihad afghan, il rencontra des figures importantes du Front islamique national au Soudan, du Hezbollah au Liban et du Hamas, le mouvement islamique radical palestinien, à Gaza. À Kandahar, il avait avec lui les musulmans tchétchènes, bengladeshi, philippins, algériens, kenyans, pakistanais et africano-américains, dont la plupart était plus instruits et plus informés que lui, mais qui ne pouvaient quitter l'Afghanistan parce qu'ils étaient recherchés par les États-Unis. Ce dont ils avaient besoin, c'était de l'asile et de l'appui financier que Ben Laden pouvait leur offrir.

Après les attentats en Afrique, les États-Unis lancèrent une opération véritablement planétaire. Plus de 80 militants islamiques furent arrêtés dans une douzaine de pays, dans une zone allant de la Tanzanie aux Philippines, en passant par le Kenya, le Soudan, le Yémen, le Pakistan, le Bengladesh et la Malaisie. En décembre 1998, les autorités indiennes arrêtèrent des militants bengladeshi accusés d'avoir préparé un attentat au consulat américain à Calcutta. Sept ressortissants afghans utilisant de faux passeports italiens furent arrêtés en Malaisie et accusés de vouloir lancer une série d'attentats à la bombe. Selon le FBI, les militants qui avaient kidnappé 16 touristes occidentaux au Yémen en décembre 1998 étaient financés par Ben Laden. En février 1999, les autorités du Bengladesh affirmaient que Ben Laden avait envoyé 1 million de dollars au Harkat ul-Djihad de Dhaka, dont certains membres avaient été formés et avaient combattu en Afghanistan. Les leaders du HJ disaient vouloir transformer le Bengladesh en État islamique sur le mode taliban.

À des milliers de kilomètres de là, à Nouakchott, capitale de la Mauritanie, plusieurs militants furent arrêtés ; ils avaient également été formés en Afghanistan grâce à Ben Laden et ils étaient soupçonnés de préparer des attentats. Lors du procès des 107 membres d'Al Djihad dans un tribunal militaire du Caire, les officiers des services secrets égyptiens attestèrent que Ben Laden avait subventionné Al Djihad. En février 1999, la CIA affirma, en pénétrant le réseau de communication par satellite de Ben Laden, avoir empêché ses partisans de mener à bien sept attentats contre les installations américaines en Arabie saoudite, en Albanie, en Azerbaïdjan, en Ouganda, au Tadjikistan, en Uruguay et en Côte-d'Ivoire. L'administration Clinton dépensa 6,7 milliards de dollars en 1999 pour combattre le terrorisme, tandis que le budget consacré au contre-terrorisme du FBI passait de 118 millions à 286 millions de dollars, avec un personnel de 2 650 agents, soit deux fois plus qu'en 1998.

Mais c'est le Pakistan et l'Arabie saoudite, les premiers sponsors des Arabo-Afghans, qui furent le plus pénalisés. En mars 1997, trois militants arabes et deux Tadjiks furent abattus par la police après une bataille de trente-six heures dans un camp de réfugié afghan près de Peshawar. Membres du Tafkir, groupe radical wahhabite, ils préparaient un attentat visant la réunion des chefs d'État islamiques à Islamabad.

Avec l'encouragement du Pakistan, des taliban et de Ben Laden, les Arabo-Afghans s'étaient inscrits au parti pakistanais Harkat ul-Ansar pour lutter au Cachemire contre les troupes indiennes. À cause du recrutement d'Arabes qui introduisaient les règles wahhabites dans la vallée du Cachemire, les militants kashmiri se sentirent offensés. En 1996, le gouvernement américain avait déclaré que l'Ansar était une organisation terroriste, et ce dernier avait alors changé de nom pour devenir Harkat ul-Moudjahidin. Toutes les victimes pakistanaises des tirs de missiles américains sur Khost appartenaient à l'Ansar. En 1999, l'Ansar déclara vouloir imposer le style vestimentaire wahhabite dans la vallée du Cachemire, en interdisant jeans et blousons. Le 15 février 1999, il tua et blessa trois opérateurs de la télévision par câble du Cachemire pour avoir relayé les émissions occidentales par satellite. L'Ansar avait jusque-là respecté les traditions libérales des musulmans du Cachemire mais les activités des Arabo-Afghans amoindrirent la légitimité du mouvement kashmiri et favorisèrent la propagande indienne.

Le Pakistan rencontra une difficulté lorsque Washington demanda au premier ministre Nawaz Sharif d'aider à arrêter Ben Laden. À cause des contacts étroits de l'ISI avec Ben Laden, et parce qu'il aidait à financer et à former les militants kashmiri qui utilisaient les camps de Khost, Sharif se trouva très embarrassé lorsqu'il se rendit à Washington en décembre 1998. Il esquiva la question, mais d'autres fonctionnaires pakistanais furent plus téméraires, en rappelant à leurs homologues américains qu'ils avaient les uns et les autres contribué à la montée de Ben Laden dans les années 80, et des taliban dans les années 1990. Lors d'une interview, Ben Laden lui-même rappela qu'il avait reçu le soutien constant de certains membres des services secrets pakistanais. « Quant au Pakistan, il y a certaines branches du gouvernement qui, par la grâce de Dieu, répondent aux sentiments islamiques des masses pakistanaises. Cela se traduit par la sympathie et la coopération. Pourtant, d'autres branches tombent dans le piège des infidèles. Nous prions Dieu pour qu'Il les remette dans le droit chemin. »

Le soutien accordé à Ben Laden par certains éléments de l'establishment pakistanais était une autre des contradictions de la politique afghane du Pakistan, étudiée au chapitre 14. Les États-Unis étaient le plus proche allié du Pakistan, entretenant des liens étroits avec l'armée et l'ISI. Mais les taliban et Ben Laden accueillaient et formaient les militants kashmiri soutenus par le Pakistan, et Islamabad n'avait aucun intérêt à mettre un terme à cette pratique. Même si les Américains tentèrent plusieurs fois de persuader l'ISI de coopérer pour livrer Ben Laden, l'ISI refusa, mais il aida les États-Unis à arrêter plusieurs des partisans de Ben Laden. Sans l'appui du Pakistan, les États-Unis ne pouvaient espérer organiser un enlèvement grâce à leurs commandos ou des frappes aériennes plus précises, puisque c'est à partir du territoire pakistanais que de tels raids seraient lancés. En même temps, les États-Unis n'osaient pas révéler que le Pakistan soutenait les taliban, car ils comptaient encore sur la collaboration de l'ISI.

Le dilemme saoudien était pire encore. En juillet 1998, le prince Turki s'était rendu à Kandahar et, quelques semaines après, 400 nouveaux camions arrivèrent pour les taliban, portant encore leurs plaques de Dubayy. Les Saoudiens financèrent aussi la conquête du Nord par les taliban au cours de l'automne. Jusqu'aux attentats en Afrique et malgré la pression des États-Unis pour qu'ils mettent fin à leur soutien, les Saoudiens continuèrent à subventionner les taliban et gardèrent le silence sur le besoin d'extrader Ben Laden. La vérité sur le silence saoudien était plus complexe encore. Ils préféraient laisser Ben Laden seul en Afghanistan parce que son arrestation et son procès par les Américains risquait de dévoiler les relations étroites qu'il entretenait avec des membres de la famille royale et certains membres des services secrets saoudiens, ce qui aurait pu s'avérer très embarrassant. Les Saoudiens voulaient Ben Laden soit mort, soit captif des taliban, mais pas capturé par les Américains.

Après les attentats d'août 1998 en Afrique, les États-Unis renforcèrent leur pression sur les Saoudiens. Le prince Turki se rendit de nouveau à Kandahar, cette fois pour persuader les taliban de livrer Ben Laden. Au cours de leur entrevue, le mollah Omar refusa et offensa le prince Turki en insultant la famille royale. Ben Laden a décrit lui-même ce qui s'était passé : « Le prince demanda au mollah Omar de nous livrer à l'Arabie ou de nous chasser d'Afghanistan. Le régime saoudien n'a pas à demander qu'on lui livre Oussama ben Laden. Turki était venu comme s'il était un envoyé du gouvernement américain. » Furieux d'avoir été insultés, les Saoudiens suspendirent leurs relations diplomatiques avec les taliban et cessèrent ostensiblement toute aide, même s'ils ne revinrent pas sur leur reconnaissance du gouvernement taliban.

Ben Laden jouissait désormais d'une influence considérable sur les taliban, mais cela n'avait pas toujours été le cas. Les contacts des taliban avec les Arabo-Afghans et leur idéologie panislamique étaient inexistants avant la prise de Kaboul en 1996. Le Pakistan avait présenté Ben Laden aux leaders taliban à Kandahar, parce qu'il voulait garder pour les militants kashmiri les camps de formation de Khost, à présent entre les mains des taliban. La force de persuasion du Pakistan, les élites instruites parmi les taliban, également panislamiques, et l'attrait de contributions financières encouragèrent les leaders taliban à rencontrer Ben Laden et à lui confier les camps de Khost.

En partie pour sa propre sécurité, en partie pour garder le contrôle sur lui, les taliban installèrent Ben Laden à Kandahar en 1997. Il vécut d'abord comme un invité payant. Il construisit une maison pour la famille du mollah Omar et fournit des subsides à d'autres dirigeants taliban. Il promit de goudronner la route allant de l'aéroport à Kandahar et de bâtir des mosquées, des écoles et des barrages, mais rien ne fut possible puisque ses avoirs étaient gelés. Tandis que Ben Laden vivait luxueusement dans une immense demeure à Kandahar avec sa famille, des amis militants et tout un personnel domestique, le comportement arrogant des Arabo-Afghans arrivés avec lui et leur incapacité à concrétiser un seul de leurs projets leur valurent la rancœur de la population locale. Les habitants de Kandahar trouvaient que les largesses arabes bénéficiaient aux leaders taliban plutôt qu'au peuple.

Ben Laden s'attira encore la faveur des dirigeants taliban en envoyant plusieurs centaines d'Arabo-Afghans participer aux offensives de 1997 et de 1998 dans le nord. Ces combattants wahhabites aidèrent les taliban lors des massacres de Hazara chiites. Plusieurs centaines d'Arabo-Afghans, en garnison à Rishkor, à l'extérieur de Kaboul, luttèrent contre Massoud. De plus en plus, les objectifs de Ben Laden semblaient dominer la réflexion des leaders taliban. Les interminables conversations qu'ils avaient avec lui finirent par porter leur fruit. Jusqu'à son arrivée, les taliban n'étaient pas particulièrement hostiles aux États-Unis ou à l'Occident ; ils se contentaient de demander la reconnaissance de leur gouvernement.

Pourtant, après les attentats en Afrique, les taliban devinrent de plus en plus venimeux à l'encontre des Américains, de l'ONU, des Saoudiens et des régimes musulmans du monde entier. Leurs déclarations reflétaient de plus en plus le ton de défi que Ben Laden avait adopté. Tandis que les États-Unis leur demandaient de plus en plus instamment de leur livrer Ben Laden, les taliban répondaient qu'il était contraire à la tradition afghane de chasser un invité. Lorsqu'il apparut que Washington préparait une nouvelle frappe militaire contre Ben Laden, les taliban tentèrent de conclure un accord avec les États-Unis : le laisser quitter le pays en échange de la reconnaissance du régime. Jusqu'à l'hiver 1998, les taliban considérèrent Ben Laden comme un atout qui leur permettait de négocier avec les Américains.

Le ministère américain des Affaires étrangères ouvrit une ligne téléphonique par satellite afin de parler directement avec le mollah Omar. Les experts, aidés par un interprète, eurent de longues conversations avec Omar ; les deux camps proposèrent plusieurs solutions, mais en vain. Début 1999, les taliban commencèrent à comprendre qu'aucun compromis n'était possible et ils se mirent à voir Ben Laden comme un handicap pour eux. Les États-Unis avaient fixé un ultimatum pour février 1999 : si Ben Laden n'avait pas été livré à cette date, les taliban en subiraient les conséquences. Ils le firent donc disparaître discrètement de Kandahar. Cela leur permit de gagner un peu de temps, mais la question était loin d'avoir avancé.

Pour les Arabo-Afghans, le renversement était complet. Après avoir été de simples accessoires dans le djihad afghan et la Guerre froide des années 1980, ils avaient occupé le centre de la scène pour les Afghans, les pays voisins et l'Occident dans les années 1990. Les États-Unis payaient le prix pour avoir négligé l'Afghanistan entre 1992 et 1996, tandis que les taliban abritaient le mouvement fondamentaliste islamique le plus hostile et le plus militant que le monde ait connu dans l'après-guerre froide. L'Afghanistan était désormais un véritable havre pour l'internationalisme et le terrorisme islamiques, face auquel les Américains et l'Occident ne savaient quelle attitude adopter.

Troisième partie
Le nouveau « Grand Jeu »

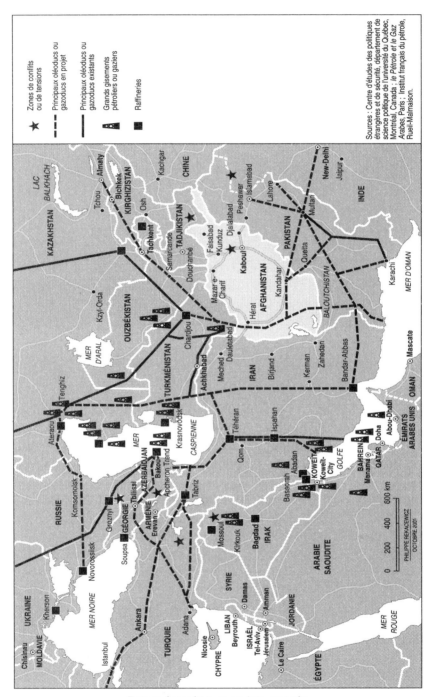

Sources : Centre d'études des politiques étrangères et de sécurité, département de science politique de l'université du Québec, Montréal, Canada ; *le Pétrole et le Gaz Arabes*, Paris ; Institut français du pétrole, Rueil-Malmaison.

Légende :

★ Zones de conflits ou de tensions

┅ Principaux oléoducs ou gazoducs en projet

── Principaux oléoducs ou gazoducs existants

Grands gisements pétroliers ou gaziers

■ Raffineries

UKRAINE — Chisinau, MOLDAVIE, Kherson

RUSSIE — Komsomolsk, Novorossiisk, Grozny

LAC BALKHACH

KAZAKHSTAN — Almaty, Tchou, Bichkek, KIRGHIZISTAN, Osh, Kachgar, CHINE

Tachkent, Samarcande, Kzyl-Orda, **OUZBÉKISTAN**, Chardjou, Douchanbé, **TADJIKISTAN**

MER D'ARAL

Tenghiz, Atyraou, **TURKMÉNISTAN**, Achkhabad, Daouletabad

AFGHANISTAN — Mazar-e-Charif, Hérat, Faisabad, Kunduz, Djalalabad, Kaboul, Kandahar, Peshawar, Islamabad

PAKISTAN — Quetta, BALOUTCHISTAN, Lahore, Multan, Karachi

INDE — New-Delhi, Jaipur

MER D'OMAN

IRAN — Meched, Birjand, Kerman, Zahedan, Bandar-Abbas, Téhéran, Ispahan, Qom, Abadan, Basserah

MER CASPIENNE

Krasnovodsk, Komsomolsk

Tbilissi, **GÉORGIE**, Soupsa, **ARMÉNIE**, Erevan, **AZERBAÏDJAN**, Bakou, Apcheron Trend, Tabriz

MER NOIRE

TURQUIE — Ankara, Adana, Istanbul

SYRIE — Damas, **LIBAN**, Beyrouth, **CHYPRE**, Nicosie, **ISRAËL**, Tel-Aviv, Jérusalem, **JORDANIE**, Amman

IRAK — Mossoul, Kirkouk, Bagdad

ARABIE SAOUDITE

KOWEIT — Koweit-City, GOLFE, **BAHREIN**, Manama, **QATAR**, Doha, Abou-Dhabi, **ÉMIRATS ARABES UNIS**, **OMAN**, Mascate

MER ROUGE

ÉGYPTE — Le Caire

0 200 400 600 km

PHILIPPE REKACEWICZ OCTOBRE 2001

Enjeux énergétiques en Asie centrale

Chapitre 11
DICTATEURS ET ROIS DU PÉTROLE :
LES TALIBAN, L'ASIE CENTRALE, LA RUSSIE,
LA TURQUIE ET ISRAËL

À Achkhabad, capitale du Turkménistan, un immense aéroport international a été terminé en 1996. Ce luxueux terminal a été construit en prévision d'une ruée des compagnies aériennes occidentales sur les déserts fertiles en pétrole de cette république, mais il reste désespérément vide. Quelques mois après son inauguration, une moitié du bâtiment a été fermée parce que son entretien coûtait trop cher, et le reste, qui accueille à peine quelques vols par semaines, est resté quasi inutilisé jusqu'en 1999.

À Sarakhs, à la frontière entre Turkménistan et l'Iran, la construction d'une gare flambant neuve, avec murs et guichets recouverts de marbre, a pris fin en 1995. Le sable rouge et les dunes mouvantes du Karakoum entourent l'édifice et la chaleur y est insupportable. La gare était le terminus turkmène d'une nouvelle ligne ferroviaire construite par les Iraniens, qui relie Mechhed, dans le nord-est de l'Iran, à Achkhabad - première voie de communication directe entre l'Asie centrale et les pays du Sud après soixante ans d'isolement. Pourtant, avec seulement deux trains de passagers et de marchandises qui arrivent d'Iran chaque semaine, la gare reste fermée pendant une bonne partie de la semaine.

Les liens avec le monde extérieur sont une des premières priorités pour toutes les républiques d'Asie centrale (RAC) depuis qu'elles ont obtenu leur indépendance en décembre 1991, mais dix ans plus tard, il apparaît qu'on circulait davantage à l'époque des chameaux et de la Route de la soie qu'aujourd'hui. Ces monuments extravagants, fruits d'ambitions grandioses et de rêves irréalistes, ont été conçus par le président turkmène Saparmourad Niyazov, qui consacre une faible partie des modestes finances de son pays à subvenir aux besoins des 4,2 millions d'habitants du Turkménistan, et l'essentiel à l'entretien de son culte personnel. Ces mirages du désert illustrent également la déception d'un pays qui espérait devenir, comme Niyazov me l'avait dit en décembre 1991, « le nouveau Koweït ».

Depuis l'indépendance, et comme d'autres RAC pétrolières, le

Turkménistan attend en vain que ses ressources atteignent les marchés extérieurs. Bloqués dans leurs territoires et cernés par des puissances potentiellement jalouses et hostiles (la Russie, l'Iran, l'Afghanistan et l'Ouzbékistan), les États d'Asie centrale manœuvrent sans relâche pour que soient construits des pipelines qui mettraient un terme à leur isolement, qui les libéreraient de la dépendance économique vis-à-vis de la Russie et qui leur rapporterait des devises pour renflouer leurs économies après les ravages causés par la rupture avec l'Union soviétique. Pendant soixante-dix ans, toutes leurs voies de communication (routes, chemins de fer et oléoducs) avaient été tournées vers l'est, vers la Russie. Désormais, ils veulent établir des liens avec le Golfe, l'océan Indien, la Méditerranée et la Chine.

Depuis quelques années, les ressources énergétiques de la mer Caspienne et de l'Asie centrale (que nous appellerons ici la « région de la Caspienne » et qui inclut le Kazakhstan, le Turkménistan, l'Azerbaïdjan et l'Ouzbékistan), décrites comme inépuisables, enflamment les imaginations. Au début des années 1990, les États-Unis estimaient les réserves de pétrole de la Caspienne à 100 ou 150 milliards de barils. Ce chiffre était exagéré et les estimations ont été réduites de moitié, revenant même à 50 milliards de barils. Les réserves avérées de la région de la Caspienne sont comprises entre 16 et 32 milliards de barils, à comparer aux 22 milliards des États-Unis et aux 17 milliards de la mer du Nord - soit 10 à 15 fois moins que les réserves totales du Moyen-Orient.

Néanmoins, la Caspienne est la dernière région pétrolifère à s'ouvrir au monde, ce qui suscite l'enthousiasme débridé des compagnies pétrolières internationales. Les compagnies occidentales se sont successivement intéressées à la Sibérie occidentale en 1991-1992, au Kazakhstan en 1993-1994, à l'Azerbaïdjan en 1995-1997, et finalement au Turkménistan en 1997-1799. Entre 1994 et 1998, 24 compagnies appartenant à 13 pays ont signé des contrats dans la région de la Caspienne. Le Kazakhstan possède la plus vaste réserve de pétrole, estimée à 85 milliards de barils, mais seulement 10 à 16 milliards avérés. L'Azerbaïdjan aurait un potentiel de 27 milliards, mais entre 4 et 11 milliards prouvés, tandis que le Turkménistan est crédité de 32 milliards de barils, dont 1,5 milliard seulement sont assurés. Les réserves possibles de l'Ouzbékistan sont estimées à 1 milliard de barils.

Les réserves de gaz de la région de la Caspienne sont estimées entre 236 et 335 trillions de pieds cubiques, à comparer aux réserves de 300 trillions des États-Unis. Le Turkménistan héberge la onzième réserve de gaz au monde, avec 159 trillions possibles, l'Ouzbékistan 110 trillions, le

Kazakhstan 88 trillions, tandis que l'Azerbaïdjan et l'Ouzbékistan disposent chacun de 35 trillions de pieds cubiques.

Les dirigeants de l'Asie centrale sont dorénavant obsédés par les projets de pipelines, de routes, et par tout les aspects géopolitiques qui s'y rattachent. En 1996, la région de la Caspienne produisait 1 million de barils par jour, dont seulement 300 000 étaient exportés, principalement du Kazakhstan. Seulement la moitié (140 000 barils par jour) de ces exportations provenaient de l'ex-Union soviétique. La production caspienne ne représentait encore qu'environ 4 % de la production mondiale totale. La production de gaz naturel de la région en 1996 totalisait 3,3 trillions de pieds cubiques, mais seulement 0,8 trillion étaient exportés hors de l'ex-Union soviétique, principalement du Turkménistan. Il y avait un besoin urgent, presque désespéré, de pipelines.

On a comparé la lutte des grandes puissances pour le pétrole de la Caspienne à la situation du Moyen-Orient dans les années 1920. Mais l'Asie centrale est aujourd'hui un marigot où s'affrontent des intérêts encore plus complexes. Des puissances comme la Russie, la Chine et les États-Unis, les voisins comme l'Iran, le Pakistan, l'Afghanistan et la Turquie, les États d'Asie centrale eux-mêmes, et surtout les compagnies pétrolières, protagonistes essentiels, rivalisent au sein de ce que j'ai baptisé en 1997 le nouveau « Grand Jeu ». Cette expression a été reprise par les gouvernements, les experts et les compagnies pétrolières.

J'ai visité l'Asie centrale pour la première fois en 1989, durant la perestroïka lancée par Mikhaïl Gorbatchev. Convaincu que la question ethnique en Afghanistan deviendrait explosive après le retrait des troupes soviétiques, j'ai voulu comprendre les origines ethniques des Ouzbeks, des Turkmènes et des Tadjiks afghans et découvrir leurs pays d'origine. Je suis fréquemment revenu dans cette zone pour explorer ces vastes territoires et mieux connaître une soupe ethnique et politique de plus en plus complexe et volatile à mesure que l'Union soviétique se démantelait. Par hasard, je me trouvais à Achkhabad lorsque les leaders d'Asie centrale s'y sont réunis le 12 décembre 1991 pour discuter du démembrement de l'Union soviétique et de leur indépendance.

Tous étaient des nationalistes réticents, pleins de crainte à la perspective de perdre la sécurité et le soutien du système soviétique et de devoir affronter seuls le monde extérieur. En quelques mois, tandis que leurs économies s'effondraient, l'importance de leurs ressources pétrolières et le besoin de pipelines devinrent évidents. Ils prirent contact avec les compagnies occidentales, profitant des négociations en cours entre le Kazakhstan et la compagnie américaine Chevron. Mes visites postérieures ont donné lieu à un livre sur l'Asie centrale ; cependant, voyant l'Afghanistan se désintégrer dans la guerre civile, j'ai conclu que cela aurait des répercussions sur l'Asie centrale et que la question des pipelines déterminerait l'avenir géopolitique de toute la zone.

L'expression « nouveau Grand Jeu » fait référence à un précédent historique. Au XIXᵉ siècle, les Britanniques, à partir de l'Inde, et la Russie tsariste menaient une guerre non déclarée en Asie centrale et en Afghanistan. « Le Turkestan, l'Afghanistan, la Transcaspienne, la Perse, pour beaucoup de gens ces mots n'évoquent que des contrées lointaines, ou le souvenir d'étranges vicissitudes et de romantisme moribond. Pour moi, j'avoue que ce sont les pièces d'un échiquier où l'on joue pour dominer le monde », écrivit Lord Curzon avant de devenir vice-roi des Indes en 1898. Ces empires étaient en plein expansion : les Anglais traversèrent l'Inde jusque l'Afghanistan et les armées du tsar conquirent l'Asie centrale.

Le centre de gravité pour ces deux puissances était l'Afghanistan. La Grande-Bretagne craignait un assaut russe lancé sur Hérat depuis la région turkmène, qui aurait menacé le Béloutchistan britannique, tandis que l'or de Moscou aurait tourné les dirigeants de Kaboul contre eux. Les Russes craignaient que les Britanniques ne sapent leur influence en Asie centrale en soutenant les dirigeants de Boukhara et de Kokand, et la révolte des tribus musulmanes. Comme aujourd'hui, la véritable bataille portait sur les voies de communication, les deux empires nourrissant de gigantesques projets de voies ferrées. Les Russes construisirent des chemins de fer à travers l'Asie centrale jusqu'à leurs frontières avec l'Afghanistan, la Perse et la Chine, tandis que les Britanniques construisaient des lignes à travers l'Inde jusqu'à la frontière de l'Afghanistan.

Le Grand Jeu d'aujourd'hui se joue entre des empires en expansion ou en contraction. La Russie, affaiblie et ruinée, cherche à garder le contrôle sur ce qu'elle considère encore comme ses frontières en Asie centrale et à maîtriser le flux de pétrole de la Caspienne par le biais des pipelines qui traversent son territoire ; les États-Unis s'introduisent dans la région en relançant de vieux projets d'oléoducs qui contourneraient la Russie. L'Iran, la Turquie et le Pakistan construisent leur propres voies de communication avec la région, chacun souhaitant devenir le point de passage privilégié des futurs pipelines, vers l'est, l'ouest ou le sud. La Chine veut assurer la stabilité du Xinjiang, région agitée, peuplée par les mêmes ethnies musulmanes que l'Asie centrale, s'assurer les ressources énergétiques nécessaires à sa rapide croissance économique et développer son influence politique dans une région frontalière critique. Les États d'Asie centrale ont leurs propres rivalités, leurs préférences et leurs impératifs stratégiques. Par-dessus tout cela plane la concurrence féroce qui oppose compagnies pétrolières américaines, européennes et asiatiques.

Mais l'instabilité de l'Afghanistan et l'avance des taliban ajoutent une nouvelle dimension à cette rivalité planétaire, le pays restant, comme au XIXe siècle, le pivot du nouveau Grand Jeu. Les États et les compagnies ont dû choisir entre affronter ou courtiser les taliban, en se demandant si ces derniers seraient un atout ou un obstacle pour les pipelines d'Asie centrale destinés à alimenter les nouveaux marchés de l'Asie du Sud.

L'Afghanistan a été pendant des siècles le verrou de l'Asie centrale. La zone comprenant aujourd'hui le Tadjikistan, le sud de l'Ouzbékistan et le nord de l'Afghanistan formait autrefois une sorte de ceinture, un territoire continu, dirigé alternativement et par intermittences par des émirs ou par des rois, depuis Boukhara ou Kaboul. L'armée de l'émir de Boukhara était constituée de mercenaires afghans. Les chefs tribaux poursuivis par leurs ennemis, les bandits et les mollahs cherchaient refuge dans les territoires voisins, franchissant une frontière inexistante. (En décidant en 1997 de mettre à la disposition d'Ahmad Shah Massoud la base aérienne de Kouliab, dans le sud du pays, où arrivait l'armement fourni par l'Iran et la Russie, le Tadjikistan n'a fait que prolonger ces liens traditionnels.) L'Afghanistan se trouvera séparé de l'Asie centrale après la Révolution russe de 1917, quand l'Union soviétique ferma ses frontières avec ses voisins musulmans. Leur réouverture, en 1991, annonçait le début du nouveau Grand Jeu.

L'Afghanistan a aujourd'hui des frontières communes avec le Turkménistan, le Tadjikistan et l'Ouzbékistan, mais seul le Turkménistan dispose de ressources énergétiques importantes. Le long des montagnes du Pamir, les 5 millions d'habitants du Tadjikistan partagent une frontière longue de plus de 1 000 kilomètres avec l'Afghanistan, dont ils sont séparés par l'Amou-Darya. Un quart de la population afghane est tadjik. D'autres Tadjiks sont dispersés à travers les RAC, 200 000 autres vivent en Chine, dans la province du Xinjiang. Seul grand groupe ethnique de la région qui ne soit pas d'origine türk, les Tadjiks descendent des premières tribus persanes installées en Asie centrale entre 1500 et 1000 av. J.-C., mais ils furent ensuite poussés vers la périphérie par une série d'invasions turciques venues de Mongolie.

Le Tadjikistan était autrefois le centre militaire et économique de la région. Il servit de porte à la Route de la soie et aux envahisseurs türks qui se dirigeaient à l'ouest, vers l'Iran, la Russie et l'Europe, et au sud vers l'Afghanistan et l'Inde. En 1868, la Russie annexa la partie nord du Tadjikistan actuel, qui devint une partie du Turkestan. Tandis que le Grand Jeu s'intensifiait, les Anglais et les Russes tracèrent la frontière entre l'Afghanistan et l'Asie centrale en 1884, quand la Russie annexa le sud du Tadjikistan.

Lorsqu'il créa les cinq RAC en 1924-1925 en traçant une série de lignes arbitraires sur une carte, Staline remit à l'Ouzbékistan Boukhara et Samarkand, deux grands centres de la culture et de l'histoire tadjiks, créant ainsi une rivalité qui s'est perpétuée entre le Tadjikistan et l'Ouzbékistan. Le Tadjikistan moderne est privé des populations et des centres économiques qui ont jadis fait la gloire des Tadjiks. Staline créa également la Région autonome du Gorno-Badakhchan, dans les montagnes du Pamir, qui englobe 44 % du territoire du Tadjikistan, mais seulement 3 % de sa population. Alors que les Tadjiks sont des musulmans sunnites, le Gorno-Badakhchan contient divers groupes ethniques pamiri, dont beaucoup sont chiites, notamment les ismaélites, secte disciple de l'Aga Khan, dont une partie s'est retrouvée au Badakhshan afghan voisin.

Quelques mois après la révolution de 1917, des groupes de guérilla musulmane apparurent en Asie centrale, en rébellion contre les bolcheviks. Ceux-ci les appelaient *basmatchi*, terme péjoratif signifiant « bandits ». Le mouvement défendait l'islam, le nationalisme et l'anticommunisme. Soixante ans après, la même inspiration motive les moudjahidin d'Afghanistan. Décidés à saper la puissance soviétique, les Anglais aidèrent les Basmatchi en 1919, en payant les dirigeants de Kaboul qui envoyèrent des caravanes de chameaux chargée d'armes et de munitions. Des milliers de Basmatchi tadjiks se réfugièrent dans le nord de l'Afghanistan tandis que leur lutte se poursuivit jusqu'en 1929, lorsqu'ils finirent par être écrasés par les bolcheviks. En 1980, on assista au même scénario lorsque les États-Unis encouragèrent les moudjahidin afghans à entrer en Asie centrale pour attaquer les postes militaires soviétiques. En retour, les troupes soviétiques taxèrent souvent les moudjahidin de « Basmatchi ».

Le Tadjikistan resta une république misérable, sous-développée, à la périphérie de l'Union soviétique. Son budget dépendait des subsides de Moscou. Après 1991, les tensions entre Ouzbeks et Tadjiks ainsi que les rivalités entre Tadjiks éclatèrent. Il en résulta une guerre civile (1992-1997), opposant le gouvernement néocommuniste et les différentes forces islamistes, qui dévasta le pays. Une fois de plus, des milliers de rebelles et de réfugiés tadjiks trouvèrent asile dans le nord de l'Afghanistan, tandis que les forces gouvernementales tadjiks étaient soutenues par les troupes russes. Le président Boris Eltsine déclara en 1993 que la frontière afghano-tadjik était « en fait la frontière de la Russie » et que les 25 000 soldats russes étaient là pour défendre la Russie, réaffirmant le rôle de Moscou en Asie centrale.

Finalement, le gouvernement néocommuniste et l'opposition islamiste acceptèrent un traité de paix préparé par l'ONU, mais aucun des deux camps n'était capable de recréer l'identité nationale qui remédierait aux divisions des clans tadjiks ; ces fractures internes et le fait que le Tadjikistan « manquait d'une intelligentsia indigène pour élaborer un nationalisme qui assure la cohésion du peuple et son attachement à la patrie » rendaient le pays sensible aux influences de l'Afghanistan. Les protagonistes de la guerre civile coopérèrent tous avec Massoud, qui devint pour beaucoup un symbole du nationalisme tadjik, puisqu'il combattait les taliban. Ceux-ci ajoutèrent à l'aura de Massoud en l'accusant de vouloir diviser l'Afghanistan en créant un « grand Tadjikistan » par l'annexion de la province afghane du Badakhshan. Massoud a toujours nié ces accusations. Pour le Tadjikistan, les taliban représentaient un fondamentalisme opposé au spiritualisme soufi, modéré, de l'Asie centrale, tandis que l'expansionnisme pachtoune allait à l'encontre des aspirations tadjiks.

En Ouzbékistan, le militantisme islamique, en partie alimenté par l'Afghanistan, est le principal défi que doit affronter le Président Islam Karimov. Les Ouzbeks (l'ethnie la plus nombreuse, la plus agressive et la plus influente de la région) occupent aujourd'hui le cœur du monde islamique et le centre nerveux politique de l'Asie centrale. L'Ouzbékistan a des frontières avec toutes les RAC et avec l'Afghanistan. Les villes principales, Samarkand et Boukhara, ont accueilli des civilisations très diverses depuis deux mille cinq cents ans et sont devenues le deuxième centre d'enseignement islamique après l'Arabie. La Boukhara médiévale comptait 360 mosquées et 113 madrasas ; en 1900 encore, 10 000 jeunes gens étudiaient dans une centaine de madrasas en activité. La vallée du Ferghana, longue de 400 kilomètres, avec sa longue tradition d'érudition et de lutte islamiques (les Basmatchis), est la région agricole la plus riche d'Asie centrale et le noyau de l'opposition à Karimov.

Les Ouzbeks font remonter leur généalogie aux Mongols de Gengis Khan, dont une branche, le clan des Shaybani, conquit en 1500 l'Ouzbékistan actuel et le nord de l'Afghanistan. Mahmoud ibn Wali, historien du XVIᵉ siècle, a décrit les premiers Ouzbeks comme « célèbres pour leur mauvais caractère, leur rapidité, leur témérité et leur audace » et fiers de leur image de hors-la-loi. Depuis, rien n'a vraiment changé quant à la volonté de puissance des Ouzbeks. L'Ouzbékistan est la plus grande des RAC, avec 22 millions d'habitants. Et avec quelque 6 millions d'Ouzbeks vivant dans les autres RAC, où ils forment d'importantes minorités (surtout au Tadjikistan, au Turkménistan et au Kazakhstan), Karimov dispose d'alliés pour mener à bien son projet de dominer la région. Deux millions d'Ouzbeks habitent le nord de l'Afghanistan, du fait des migrations survenues avant et pendant la rébellion des Basmatchis. En Chine, 25 000 Ouzbeks résident dans la province de Xinjiang.

Bien avant le retrait des troupes soviétiques d'Afghanistan, Moscou et Tachkent cultivaient leurs relations avec les Ouzbeks afghans afin de créer dans le nord du pays un « cordon sanitaire » géré par les Ouzbeks laïques. Pendant près de dix ans, cette politique a été couronnée de succès. Le général Rachid Dostom contrôlait six provinces et, avec l'aide militaire de Moscou et de Tachkent, tint à distance les moudjahidin, puis les taliban. Karimov tenta de forger une alliance antitaliban entre les RAC et la Russie après 1994. Cependant, avec la chute de Mazar en 1998, la politique de Karimov s'est effondrée et les taliban sont devenus les voisins immédiats de l'Ouzbékistan. Depuis, l'influence ouzbek en Afghanistan s'est estompée puisque Karimov ne voulait pas soutenir le Tadjik Massoud.

Karimov a également essayé, en vain, de s'imposer au Tadjikistan, où 24 % de la population est ouzbek. En 1992, il a accordé son soutien militaire au gouvernement tadjik pour réprimer la rébellion islamique. En 1996, alors que les pourparlers de paix étaient en cours, Karimov voulut forcer les deux camps à donner un plus grand rôle à la minorité ouzbek en soutenant les soulèvements locaux dans le nord du Tadjikistan. Karimov reste opposé au projet tadjik d'instaurer une coalition unissant le gouvernement et les rebelles, qui pourrait, en faisant apparaître les islamistes sous un jour favorable, donner des idées à la population ouzbek.

Karimov dirige d'une main de fer un État autoritaire et policier ; la guerre civile en Afghanistan et au Tadjikistan lui a servi à justifier la répression dans son pays. La principale forme d'opposition à Karimov vient de groupes islamiques radicaux sans existence officielle, dont certains wahabbites, qui sont retranchés dans la vallée du Ferghana. Beaucoup de ces militants ouzbeks ont étudié en secret en Arabie saoudite et au Pakistan, ou se sont formés dans les camps moudjahidin afghans au cours des années 1980. Ils ont ensuite développé des liens avec les taliban.

Karimov a édicté les lois les plus sévères de toutes les RAC contre le fondamentalisme islamique, limitant l'enseignement des madrasas et la taille des barbes, et il rejette la responsabilité de tous les troubles sur les « wahabbites », terme commode que les autorités ouzbeks utilisent de plus en plus pour désigner toute forme d'activisme islamique. En Ouzbékistan, la moitié de la population a moins de 18 ans, le chômage et l'inflation montent en flèche : l'agitation grandit donc parmi la jeunesse ouzbek. Le régime refuse de tenir compte de l'insatisfaction économique et sociale des jeunes. Même si l'Ouzbékistan est l'État le plus puissant d'Asie centrale, il est confronté à la polarisation politique et religieuse la plus intense. Les échecs de Karimov en Afghanistan et au Tadjikistan n'ont fait qu'encourager le militantisme islamique.

Néanmoins, l'Ouzbékistan est un des acteurs essentiels du nouveau Grand Jeu. Il produit assez de pétrole et de gaz pour sa consommation intérieure et pourra bientôt en exporter. À l'origine, l'Ouzbékistan a été négligé par les compagnies pétrolières qui se battaient pour signer des contrats avec ses voisins de Tachkent. Karimov était jaloux de les voir attirer les capitaux étrangers, alors même qu'il refusait d'assouplir la législation économique pour séduire les investisseurs occidentaux. Quand Tachkent exportera son énergie, son intérêt sera de peser pour que les pipelines desservent l'Ouzbékistan, mais il faudra compter avec son refus de voir prospérer ses voisins.

Les 500 000 Turkmènes d'Afghanistan sont eux aussi arrivés du fait de la guerre civile des années 1920 en Union soviétique. La première migration fut celle de la tribu Esari au début du XIXᵉ siècle, suivie par la tribu Tekke après l'échec de sa révolte contre les bolcheviks. Le Turkménistan est une terre de désert et de montagnes désolées, habitées par des tribus nomades qui résistèrent farouchement mais finirent par succomber aux conquérants perses, türks et finalement russes. Avant le XIXᵉ siècle, les frontières n'avaient pas de signification pour les Turkmènes, qui se déplaçaient librement à travers toute cette zone. Quelque 300 000 Turkmènes vivent encore en Iran, 170 000 en Irak, 80 000 en Syrie et plusieurs milliers en Turquie.

Les Tekke, la principale tribu turkmène, commencèrent à résister à l'avancée russe sur leur territoire en 1870 et balayèrent l'armée russe du fort de Geok Tepe en 1881. Six mille cavaliers turkmènes furent tués un an plus tard par les Russes, en représailles. En 1916, les Turkmènes, dirigé par leur leader charismatique, Mohammed Qurban Junaid Khan, se lancèrent dans une nouvelle rébellion, longue et sanglante, contre la Russie tsariste puis contre les bolcheviks, qui se prolongea jusqu'à leur défaite en 1927, lors que Junaid Khan se réfugia en Afghanistan.

Durant l'ère soviétique, le Turkménistan fut totalement négligé par Moscou. La république avait le plus fort taux de chômage, le plus haut taux de mortalité infantile et le plus bas taux d'industrialisation de toute l'URSS, Tadjikistan mis à part. Pendant que Moscou investissait dans l'industrie du pétrole et du gaz en Sibérie, les réserves pétrolières du Turkménistan restaient inexploitées. Néanmoins, 47 % des revenus du Turkménistan en 1989 provenaient de la vente de 3,2 trillions de pieds cubiques de gaz à d'autres républiques soviétiques. L'effondrement de l'URSS a transformé les clients du Turkménistan en États indépendants mais sans le sou, qui ne pouvaient plus payer leur facture. « Nous ignorons absolument qui achètera notre gaz désormais et comment celui-ci sera payé », me confiait le ministre des affaires étrangères, Avde Kouliyev, en décembre 1991.

Le problème du Turkménistan tenait à sa position : coincé entre l'Iran (les États-Unis n'accepteraient jamais qu'un pipeline traverse l'Iran), l'Afghanistan en pleine guerre civile, et la Russie qui voulait limiter les exportations de gaz turkmène vers l'ouest parce que cela aurait fait concurrence au gaz sibérien. En 1992, l'Ukraine, l'Arménie et bientôt la Russie elle-même refusèrent de payer leurs dettes. Moscou avait un moyen de pression puisque tout le gaz turkmène était pompé grâce au vaste réseau de pipelines soviétiques, à présent entre les mains de la Russie. Le président Niyazov suspendit l'approvisionnement de ses voisins quand le Turkménistan eut accumulé plus de 1 milliard de dollars d'impayés et la production tomba à 0,73 trillions de pieds cubiques en 1994, soit moins d'un quart de ce qu'elle était cinq ans auparavant.

Bien que les États-Unis aient décidé d'isoler l'Iran, le Turkménistan ne pouvait se permettre d'en faire autant, puisque l'Iran offrait l'accès le plus facile au sud et à la mer. Habile, Niyazov fit sa cour aux Américains, tout en cherchant l'aide de Téhéran pour construire des routes et des voies ferrées. En décembre 1997, les Iraniens achevèrent la construction d'un gazoduc de 190 kilomètres entre les gisements de Korpedje, dans l'ouest du Turkménistan, et Kord-Kuy, dans le nord-est de l'Iran. Le gaz turkmène qui passe par ce gazoduc est consommé dans le nord de l'Iran. C'est le seul pipeline récemment construit qui relie l'Asie centrale au le monde extérieur, après dix ans de projets avortés.

Niyazov tenta aussi de convaincre les compagnies pétrolières occidentales de construire des gazoducs qui l'auraient libéré du réseau russe. En avril 1992, le Turkménistan, la Turquie et l'Iran tombèrent d'accord pour construire un gazoduc vers la Turquie et vers l'Europe, d'un coût de 2,5 milliards de dollars. Ce projet, qui ne devint jamais réalité, fut plusieurs fois révisé car les États-Unis tentaient de bloquer tout passage à travers l'Iran. Finalement, en février 1999, le Turkménistan a signé un nouvel accord, cette fois avec un consortium américain, pour construire un gazoduc vers la

Turquie, qui passerait sous la mer Caspienne pour rejoindre l'Azerbaïdjan, en évitant l'Iran.

Voyant son économie s'effondrer, Niyazov chercha d'autres voies d'exportation. En 1994, il fut question d'un pipeline de 8 000 kilomètres, qui aurait transporté pétrole et gaz vers la Chine, mais le projet, évalué à 20 milliards de dollars, est resté à l'état d'ébauche. En 1994 également, la compagnie argentine Bridas, qui avait des concessions au Turkménistan, a proposé la construction d'un gazoduc passant à travers l'Afghanistan pour acheminer le gaz au Pakistan et en Inde. Avec l'appui de Washington, la compagnie américaine Unocal a soumis un projet similaire en 1995. La bataille entre les deux compagnies, dont il sera question dans les deux chapitres suivants, impliqua les taliban et les autres belligérants afghans. L'Afghanistan devint donc le pivot de la première bataille du nouveau Grand Jeu.

Affaibli, appauvri, dépourvu de troupes pour défendre ses longues frontières avec l'Iran, l'Afghanistan et son rival l'Ouzbékistan, le Turkménistan opta pour une politique étrangère neutre. Cela permettait aux Turkmènes de garder leurs distances par rapport à la Russie et de ne pas se laisser entraîner dans les pactes économiques et militaires nés de l'effondrement de l'Union soviétique. La neutralité permit aussi à Allahabad de ne pas prendre parti dans le conflit afghan et de refuser de rejoindre l'alliance antitaliban, ce qui irrita Moscou et Tachkent. Achkhabad avait fourni au régime communiste d'Afghanistan du diesel jusqu'à la chute de Kaboul en 1992. Il ravitailla de même Ismaël Khan qui contrôla Hérat jusqu'en 1995, puis les taliban. Le consulat turkmène à Hérat maintenait de bonnes relations avec les taliban, le consulat de Mazar faisait de même avec l'alliance antitaliban. Le Turkménistan fut la seule RAC à se concilier les taliban au lieu de s'opposer à eux.

Comme ses homologues d'Asie centrale, Niyazov était un véritable autocrate qui ne tolérait aucune opposition politique, soumettait les médias à la censure et maintenait le contrôle de l'État sur l'économie. Il élabora un culte de la personnalité à la Staline, exposant partout ses portraits et ses statues. Tout une branche du gouvernement se consacrait à la diffusion des effigies présidentielles. Comme son rival Karimov, Niyazov était orphelin. Tous deux avaient grandi dans les orphelinats d'État et étaient devenus très tôt membres du parti communiste, promus secrétaires généraux bien avant l'indépendance de leur pays. Leur éducation et leurs loyautés les portaient vers le défunt système communiste, mais tous deux apprirent à maîtriser le nouveau Grand Jeu.

Aucun pays de cette zone n'a bénéficié de l'effondrement de l'Union soviétique davantage que la Turquie. La Russie était depuis des siècles l'ennemi le plus puissant de la Turquie. De la fin du XVIIe siècle à la Première Guerre mondiale, la Turquie et la Russie s'affrontèrent au cours d'une douzaine de guerres ; cette rivalité poussera la Turquie à rejoindre l'OTAN et à tenter de devenir membre de l'Union européenne. Cependant, avec l'indépendance des RAC, la Turquie prit tout à coup conscience d'un legs historique bien plus ancien.

Jusque 1991, le panturquisme, l'idée d'une patrie « türk » ou « turcique » allant de la Méditerranée à la Chine, était un rêve romantique adopté par quelques érudits turcs et qui ne figurait guère à l'ordre du jour de la politique étrangère du pays. Soudain, après 1991, le panturquisme devint une réalité envisageable, partie intégrante de la politique étrangère turque. Les zones de langues du groupe turc formaient désormais une vaste ceinture, accessible et sans rupture, allant d'Istanbul au Xinjiang en passant par le Caucase et l'Asie centrale. Les RAC voyaient la Turquie comme un modèle de développement économique (musulman mais laïque), et la Turquie souhaitait étendre son influence dans la région pour devenir un acteur majeur sur la scène mondiale.

La Turquie se mit à envoyer une aide massive aux RAC et au Caucase, inaugurant des vols directs jusqu'aux capitales, diffusant des émissions télévisées par satellite, offrant des milliers de bourses aux étudiants, en formant leurs diplomates, leurs soldats et leurs banquiers et en lançant un sommet panturc annuel. Entre 1992 et 1998, les entreprises turques investirent plus 1,5 milliard de dollars dans la région, faisant de leur pays le principal État investisseur. La Turquie comprit aussi que, pour être efficace en Asie centrale, il lui fallait apaiser les Russes, ce qui fut fait en achetant du gaz et en développant le commerce avec la Russie, qui passa de 1,9 milliard de dollars en 1990 à 4,1 milliards en 1997. En 1997, les Turcs prirent très mal le rejet de leur demande d'entrée dans l'Union européenne, mais cela les incita également à nouer des liens plus étroits avec les États-Unis, la Russie, Israël et les pays de l'Asie centrale.

La Turquie est devenu un acteur majeur du nouveau Grand Jeu. Ses besoins en énergie et sa volonté d'étendre son influence ont poussé ses gouvernements successifs à vouloir en faire la principale route des exportations d'Asie centrale. Durant l'été 1997, les États-Unis et la Turquie ont soutenu l'idée d'un « couloir d'acheminement » pour un grand oléoduc reliant Bakou, en Azerbaïdjan, au port turc de Ceyhan, sur la Méditerranée, en traversant la Géorgie et le Caucase. Le Kazakhstan et le Turkménistan furent encouragés à y faire passer leur pétrole, faute de quoi, selon les États-Unis, la longue et coûteuse installation, de Bakou à Ceyhan, n'aurait pu être financièrement viable. Les Américains voulaient que le Turkménistan construise un gazoduc sous la mer Caspienne, parallèle au couloir Bakou-Ceyhan.

Les États-Unis poussaient aussi le Kazakhstan à s'engager dans la construction d'un pipeline sous-marin, sur le trajet duquel on pourrait également pomper le pétrole kazak. Les vastes réserves pétrolières du Kazakhstan étaient exploitées par deux grands consortiums occidentaux, à Tenghiz et à Karachagnak, tandis que la Chine exploitait un troisième gisement autour d'Uzen. Le Kazakhstan avait déjà prévu un oléoduc allant de Tenghiz au port russe de Novossibirsk, sur la mer Noire, avec le concours de Chevron, mais la route Bakou-Ceyhan permettrait d'éviter la Russie.

L'Azerbaijan International Operating Company, regroupant une douzaine de compagnies, qui dominait le développement pétrolier du pays, était opposé au projet Bakou-Ceyhan, trop onéreux, trop long, et particulièrement instable puisqu'il traversait la région kurde. En 1998, il était clair que les projets américains en Afghanistan seraient retardés, et le couloir Bakou-Ceyhan devint le principal support de la politique de Washington dans la région caspienne.

La controverse fit rage pendant deux ans jusqu'à la fin de 1998, quand les cours pétroliers internationaux sombrèrent à cause de la baisse de la demande liée à la crise économique en Asie. Les prix atteignirent un plancher record : 13 dollars le baril (contre 25 dollars en 1997), ce qui empêchait d'exploiter immédiatement le pétrole d'Asie centrale, coûteux à produire et à transporter, le seuil de rentabilité étant à 18 dollars le baril. Cependant, alors que la route Bakou-Ceyhan n'était plus viable commercialement, Washington en poursuivit la construction pour asseoir sa politique en Asie centrale.

La Turquie avait soutenu les moudjahidin afghans dans les années 1980, mais son rôle était resté limité. En revanche, dès l'adoption de la politique panturque, Ankara se mit à soutenir activement les minorités türks en Afghanistan, notamment les Ouzbeks. Ankara offrit un appui financier au général Dostom et, par deux fois, lui offrit un refuge dans son exil. La Turquie s'opposa violemment aux taliban, responsables des nouvelles tensions avec son allié le Pakistan. En outre, la menace des taliban avait permis à la Turquie de se rapprocher de son ennemi l'Iran.

La Turquie joua aussi un rôle dans le renversement de la politique israélienne en Afghanistan. À la suite des accords d'Oslo, signés en 1993, des liens militaires et stratégiques étroits s'étaient développés entre la

Turquie et Israël. Dans un premier temps, les Israéliens et particulièrement certains lobbies juifs aux États-Unis n'exprimèrent aucune critique envers les taliban. En accord avec le ministère américain des Affaires étrangères, Israël considérait les taliban comme une force anti-iranienne, utile pour saper l'influence de l'Iran en Afghanistan et en Asie centrale. En outre, le pipeline construit par Unocal en Afghanistan empêcherait l'Iran d'installer ses propres gazoducs dans la région.

Les services secrets israéliens, le Mossad, établirent un dialogue avec les taliban à travers leurs bureaux de liaison aux États-Unis, et avec les compagnies pétrolières. L'ISI pakistanais était favorable à ce dialogue. Même si le Pakistan ne reconnaissait pas l'État d'Israël, l'ISI avait développé des liens avec le Mossad, par le truchement de la CIA, durant le djihad afghan. Avec le soutien initial de la Turquie, Israël créa également des liens diplomatiques et économiques avec le Turkménistan, l'Ouzbékistan et le Kazakhstan. Les entreprises israéliennes investirent dans l'agriculture, l'industrie pétrolière et les communications.

Mais quand les États-Unis changèrent d'attitude face aux taliban, Israël en fit autant, au moment où les taliban accueillirent Ben Laden et encouragèrent le trafic de drogue. La Turquie persuada Israël que les taliban étaient une menace pour la sécurité de la région et pourraient exporter le fondamentalisme islamique en Asie centrale. Le projet Unocal s'étant évaporé, quand Israël comprit l'aversion que ses alliés d'Asie centrale ainsi que la Turquie éprouvaient face aux taliban, le Mossad se mit en contact avec l'alliance antitaliban. Israël souhaitait désormais éviter que les taliban ne prennent le contrôle de tout l'Afghanistan, même si l'appui qu'il recevait de l'Iran rendait Ahmad Shah Massoud toujours aussi suspect. Les taliban et l'Alliance du Nord allaient s'accuser mutuellement de bénéficier du soutien israélien.

Avec la chute des cours du pétrole en 1999, l'Iran restait l'élément imprévisible du nouveau Grand Jeu. L'Iran détient la deuxième réserve de gaz au monde et possède des réserves pétrolières avérées de 93 milliards de barils, avec une production courante de 3,6 millions de barils par jour. Quand les projets de pipelines disparurent du fait de la chute des cours, l'Iran incita les RAC à exporter leur pétrole via un oléoduc qui rejoindrait directement le Golfe via l'Iran, suivant un axe nord-sud. Ce pipeline pouvait être construit pour une somme dérisoire comparée au coût des projets turcs, parce que l'Iran disposait déjà d'un important réseau et qu'il suffirait d'ajouter quelques raccordements pour relier l'Iran à l'Azerbaïdjan. « La route iranienne est pour le pétrole d'Asie centrale la plus sûre, la plus économique et la plus commode. Le coût total pour l'Iran serait de 300 000 dollars, alors qu'un pipeline passant par la Turquie coûterait 3 milliards de dollars ! », soulignait à Téhéran Ali Majedi, adjoint du ministre du Pétrole iranien. En outre, l'Iran était en concurrence avec le Turkménistan pour construire un gazoduc d'exportation vers l'Inde et le Pakistan, parcours beaucoup plus attirant puisqu'il évitait l'Afghanistan.

Dans la première phase du programme, l'Iran proposa d'échanger son pétrole brut contre celui de l'Asie centrale. Depuis 1998, le brut du Kazakhstan et du Turkménistan est transporté à travers la mer Caspienne vers le port iranien de Neka, puis il est raffiné et consommé en Iran. En échange, l'Iran autorisait les compagnies à s'approvisionner en pétrole dans les ports iraniens du Golfe. Du fait du retard pris par les projets de pipelines, cette proposition plut aux compagnies pétrolières qui, malgré l'hostilité des États-Unis, se mirent à négocier d'autres échanges avec l'Iran. En mai 1998, deux compagnies américaines, Chevron et Mobil, qui disposent de concessions au Kazakhstan et au Turkménistan, demandèrent à l'administration Clinton une licence autorisant ces échanges avec l'Iran, requête qui embarrassa beaucoup Washington, puisqu'elle créait un précédent problématique pour l'avenir des sanctions américaines contre l'Iran.

En dernier lieu, la sécurité nécessaire à la construction de pipelines dépendait de la fin de la guerre civile afghane. « L'Afghanistan pose deux problèmes aux RAC : la peur et l'occasion à saisir, m'a déclaré le médiateur de l'ONU, Lakhdar Brahimi. La peur, parce que ces pays jeunes et encore fragiles redoutent que le conflit afghan ne déborde un jour de ses frontières. Soit il sera résolu, soit il gagnera les RAC. Ils veulent éviter ce genre de cadeaux de Kaboul, qu'il s'agisse du fondamentalisme islamique, du terrorisme ou de la drogue. L'occasion à saisir, parce que ces pays, qui veulent briser leur dépendance vis-à-vis de la Russie, cherchent au sud des voies de communication et des trajets possibles pour leurs pipelines. Ils veulent voir à Kaboul un gouvernement responsable et qui soit pour eux un bon voisin. Ils veulent ouvrir leurs frontières, et non les fermer. »

Malgré la baisse des prix du pétrole et la situation économique désespérée de la Russie, la lutte entre les États-Unis et la Russie dominera à l'avenir la question des pipelines. La Russie tient obstinément à maintenir les États-Unis à l'écart de l'Asie centrale. « Nous sommes forcément témoins de l'agitation provoquée dans certains pays occidentaux par les ressources énergétiques de la Caspienne. Certains voudraient exclure la Russie du jeu et nuire à ses intérêts. La "guerre des pipelines" dans cette région fait partie du jeu », déclarait le président Boris Eltsine en 1998. En entretenant le conflit en Afghanistan, la Russie prolonge l'instabilité de cette région et trouve un prétexte pour maintenir une présence militaire dans les RAC.

Les États-Unis veulent à présent la stabilité, car ils s'inquiètent des répercussions d'une guerre afghane prolongée sur leur propre politique en Asie centrale. « Dans toute l'Asie centrale, l'instabilité en Afghanistan et au Tadjikistan inquiète les dirigeants. Ils craignent une extension de l'influence iranienne et la montée des violences extrémistes dans leurs pays », déclarait en mars 1999 Stephen Sestanovitch, conseiller spécial au ministère américain des Affaires étrangères pour les États de l'ex-Union soviétique. Seule la fin de la guerre civile afghane donnerait aux RAC et aux compagnies pétrolières la confiance nécessaire pour faire avancer les projets de pipelines, mais elle ne semble guère probable dans un avenir proche.

Chapitre 12
LA LÉGENDE DES TALIBAN 1 :
LA BATAILLE DES PIPELINES 1994-1996

C'est par l'intermédiaire de Carlos Bulgheroni que les taliban découvrirent le monde de la haute finance, la politique pétrolière et le nouveau Grand Jeu. Cet Argentin, président de Bridas, voulait relier les gisements turkmènes de sa compagnie avec le Pakistan et l'Inde, créant ainsi un réseau d'infrastructures qui rendrait la paix possible en Afghanistan et peut-être entre l'Inde et le Pakistan.

Comme les magnats du pétrole américains et britanniques du début du XXe siècle, qui considéraient leurs affaires comme un prolongement de la politique mondiale et réclamaient donc le droit d'influencer la politique étrangère, Bulgheroni était animé par une idée. Entre 1995 et 1996, il quitta l'Amérique du Sud et passa neuf mois dans son jet de fonction, allant d'une faction à l'autre en Afghanistan et à Islamabad, à Achkhabad, à Moscou et à Washington, pour convaincre les divers dirigeants que son pipeline était une possibilité réaliste. Son entourage était motivé, sinon par le même rêve, du moins par l'énergie de ce bourreau de travail.

Bulgheroni est issu d'une famille italienne immigrée en Argentine. Charmant, érudit, capitaine d'industrie et philosophe, il pouvait parler pendant des heures de l'effondrement de la Russie, de l'avenir de l'industrie pétrolière ou du fondamentalisme islamique. En 1948, son père, Alejandro Angel, avait fondé Bridas, petite compagnie de services pour l'industrie pétrolière argentine, alors toute jeune. Carlos et son frère Alejandro Bulgheroni, vice-président de Bridas, donnèrent à l'entreprise une dimension internationale en 1978, et Bridas devint la troisième compagnie pétrolière indépendante en Amérique latine. Mais, avant d'arriver au Turkménistan, Bridas n'avait jamais opéré en Asie.

Pourquoi ces Argentins ont-ils traversé le monde pour venir tourner autour de l'Afghanistan ? Après l'effondrement de l'Union soviétique, Bridas s'était d'abord aventurée en Sibérie occidentale. « Mais il y avait là-bas trop de problèmes liés aux pipelines et aux taxes, alors nous sommes arrivés au Turkménistan lorsque le pays s'est ouvert », m'a confié Bulgheroni au cours de l'unique interview qu'il ait accordée sur le rôle de Bridas en Afghanistan.

En 1991, Bridas a pris un grand risque en devenant la première compagnie occidentale à demander une concession au Turkménistan. À l'époque, cette décision semblait une folie. Le Turkménistan était un pays lointain, fermé, dépourvu de législation pour protéger les investisseurs étrangers. « Les autres compagnies pétrolières évitaient le Turkménistan parce qu'ils pensaient que c'était le pays du gaz et qu'ils ne savaient pas où le commercialiser. Notre expérience de la prospection et du transport par pipelines transfrontaliers vers de nombreux marchés d'Amérique latine me convainquit que la même chose pouvait être accomplie au Turkménistan. » Le Président Niyazov fut flatté par les attentions de Bulgheroni, alors qu'aucun autre directeur de compagnie occidentale ne se présentait à sa porte, et une vive amitié naquit entre les deux hommes.

En janvier 1992, Bridas reçut le gisement de Yashlar, dans l'est du Turkménistan, près de la frontière afghane et au nord-est de l'immense gisement de Daoulatabad découvert par les Soviets. Un an après, en février 1993, Bridas se vit concéder celui de Keimir, dans l'ouest du pays, près de la mer Caspienne. Première et unique entreprise étrangère présente au Turkménistan, Bridas bénéficia de conditions favorables : un partage 50-50 des bénéfices à Yashlar, et 75-25, en faveur de Bridas, à Keimir. « Nous voulions exploiter de nouveaux gisements de pétrole et de gaz parce que la Russie ne pouvait s'opposer à ce que nous prospections, comme elle l'aurait fait si nous avions développé de vieux gisements de l'époque soviétique. »

Bridas investit quelque 400 millions de dollars pour prospecter sur ses concessions, somme colossale pour une petite compagnie, quand les majors pétrolières n'étaient pas même présentes en Asie centrale. Bridas commença à exporter le pétrole de Keimir en 1994, et la production atteignit 16 800 barils par jour. Puis, en juin 1995, dans le brûlant désert du Karakoum, Bridas découvrit le filon : un énorme gisement de gaz à Yashlar, avec une réserve estimée à 27 trillions de pieds cubiques, plus du double des réserves totales du Pakistan. « Contrairement au pétrole, le gaz nécessite un marché immédiatement accessible, de sorte que nous avons dû en trouver un », expliquait Jose Louis Sureda, directeur des transports chez Bridas, robuste ingénieur qui sillonnait l'Afghanistan en quête de trajets possibles.

« Après avoir découvert Yashlar, nous voulions envoyer une partie du gaz vers le nord, par les vieux pipelines russes, mais nous souhaitions trouver d'autres marchés, soit la Chine, soit le sud de l'Asie, affirme Bulgheroni. Un pipeline passant par l'Afghanistan aurait pu ramener la paix dans le pays ; c'était difficile mais possible. » En novembre 1994, alors même que les taliban prenaient Kandahar, Bulgheroni persuada Niyazov de créer un groupe de recherche pour étudier la faisabilité d'un gazoduc traversant l'Afghanistan vers le Pakistan.

Quatre mois après, il avait convaincu la Première ministre pakistanaise, Benazir Bhutto, de joindre ses forces à celles de Niyazov. Le 16 mars 1995, le Pakistan et le Turkménistan signèrent un mémorandum autorisant Bridas à mener une étude de préfaisabilité. « Ce pipeline ouvrira au Pakistan une porte sur l'Asie centrale, il apportera d'immenses possibilités », me dit le mari de Benazir Bhutto, Asif Zardari. Selon lui, le contrôle du parcours par les taliban rendait le pipeline viable. Dans son bureau, Zardari avait une gigantesque carte du tracé prévu, qu'il me montra fièrement.

L'armée pakistanaise et l'ISI soutenaient désormais les taliban dans la perspective d'ouvrir un gazoduc qui rejoindrait le Turkménistan par Kandahar et Hérat. En même temps, le Pakistan négociait avec le Qatar et l'Iran pour obtenir du gaz à partir de deux pipelines séparés ; mais, en termes géostratégiques, étant donné les intérêts d'Islamabad en Afghanistan et en Asie centrale, la proposition de Bridas offrait les plus grands avantages.

Bridas proposait de construire un gazoduc de 1 400 kilomètres, qui, partant de son gisement de Yashlar, traverserait le sud de l'Afghanistan jusqu'à Sui, dans le Béloutchistan pakistanais, où se trouvent les réserves de gaz du Pakistan et d'où rayonne son réseau de pipelines. Le gazoduc pourrait ensuite être prolongé via Multan vers le marché de l'Inde, plus considérable encore. Bridas proposait un pipeline d'accès libre, de sorte que d'autres compagnies et d'autres pays puissent un jour y convoyer leur propre gaz. Cela plut particulièrement aux chefs de faction afghans, du fait de l'existence de gisements de gaz dans le nord du pays, qui avaient jadis alimenté l'Ouzbékistan, mais étaient désormais abandonnés. Bulgheroni vint les séduire : « J'ai rencontré tous les leaders, Ismaël Khan à Hérat, Burhanuddin Rabbani et Massoud à Kaboul, Dostom à Mazar et les taliban à Kandahar. J'ai été très bien reçu partout parce que les Afghans comprenaient qu'ils leur fallait reconstruire l'économie et qu'ils avaient besoin des investissements étrangers. »

En février 1996, Bulgheroni signala à Bhutto et à Niyazov que « des accords avaient été conclus avec les chefs de faction qui nous garantissent le passage sur leur territoire ». Ce même mois, Bulgheroni signa un accord pour trente ans avec le gouvernement afghan, alors dirigé par le président Burhanuddin Rabbani, pour la construction et la gestion d'un gazoduc par Bridas et un consortium international qu'il créerait. Bridas lança des négociations avec d'autres compagnies, dont Unocal, le douzième pétrolier américain, pourvu d'une expérience considérable en Asie et présent au Pakistan depuis 1976. Les officiels turkmènes avaient rencontré Unocal pour la première fois à Houston en avril 1995, sur l'invitation de Bridas, et une délégation d'Unocal s'était rendue à Achkhabad et à Islamabad, apparemment afin de discuter d'une association avec Bridas pour la construction du pipeline.

Mais Bridas devait à présent affronter un problème majeur au Turkménistan. Niyazov avait été convaincu par ses conseillers que Bridas exploitait le Turkménistan ; en septembre 1994, le gouvernement interdit aux experts de se rendre à Keimir et exigea de renégocier le contrat. En janvier 1995, la question sembla résolue quand Bridas accepta de réduire de 10 % sa part, passant ainsi à 65 %. Quand Bridas découvrit du gaz à Yashlar, Niyazov et ses aides refusèrent de prendre part aux festivités et exigèrent de renégocier à nouveau les contrats de Yashlar et de Keimir. Niyazov empêcha Bridas d'exploiter le gisement de Yashlar et arrêta ses exportations au départ de Keimir. Cette fois, Bridas dit qu'il ne réviserait plus les contrats initiaux, que le Turkménistan était obligé de respecter.

Niyazov était un dictateur communiste qui ne comprenait pas grand-chose au droit international. Mais il avait d'autres raisons de pressurer Bridas à ce moment-là. Comme Unocal exprimait le désir de construire son propre pipeline, en utilisant les gisements déjà existants à Daoulatabad, dont les bénéfices seraient entièrement versés au Turkménistan, Niyazov vit qu'Unocal lui donnait l'occasion d'impliquer une importante entreprise américaine et l'administration Clinton dans le développement du Turkménistan. Niyazov avait besoin des États-Unis et il s'engagea dans un dialogue intensif avec les diplomates américains. Les États-Unis devaient le soutenir pour qu'il ne devienne pas dépendant de l'Iran. Niyazov se rendit à l'ONU et convoqua Bridas et Unocal à New York. Là, le 21 octobre 1995, devant les cadres de Bridas et à leur grand dam, Niyazov signa un accord avec Unocal et son partenaire, la Delta Oil Company saoudienne, pour construire un gazoduc à travers l'Afghanistan. « Nous étions choqués et quand nous avons parlé à Niyazov, il s'est retourné et nous a dit : "Pourquoi ne construisez-vous pas un deuxième pipeline ?". »

Parmi les témoins de cette signature figurait Henry Kissinger, ex-secrétaire d'État et alors consultant pour Unocal. Alors que Kissinger étudiait un parcours possible à travers l'Afghanistan, il remarqua que l'accord ressemblait au « triomphe de l'espoir sur l'expérience ». Pourtant, Bridas n'était pas prête à renoncer, et la première bataille du nouveau Grand Jeu avait commencé. « Nous sommes simplement une compagnie pétrolière qui essaie de développer les ressources d'un pays, mais nous nous sommes retrouvés mêlés à un "Grand Jeu" qui n'est pas le nôtre, dans lequel les grandes puissances s'affrontent », déclara plus tard Mario Lopez Olaciregul, directeur de Bridas.

Unocal proposait un gazoduc partant de Daoulatabad, avec ses réserves de 25 trillions de pieds cubiques, pour atteindre Multan, dans le centre du Pakistan. Unocal créa le consortium CentGas, qui détenait 70 % des parts (Delta reçut 15 %, la compagnie nationale russe Gazprom 10 % et la compagnie nationale Turkmenrosgaz 5 %). Unocal signa un second accord, plus ambitieux encore, concernant toute la région. Le *Central Asian Oil Pipeline Project* envisageait un oléoduc de près de 1 700 km, partant de Chardjou au Turkménistan pour rejoindre un terminal pétrolier sur la côte pakistanaise, capable d'acheminer 1 million de barils par jour pour l'exportation. Les pipelines datant de l'ère soviétique (ceux de Sourgout et Omsk en Sibérie, jusqu'à Chymkent au Kazakhstan et Boukhara en Ouzbékistan) pouvaient se rattacher au CAOPP pour apporter à Karachi du pétrole venu de toute l'Asie centrale.

« La stratégie consiste à profiter du vaste réseau existant pour étendre tout le système régional vers la côte, en permettant au producteurs de Russie, du Kazakhstan, d'Ouzbékistan et du Turkménistan d'accéder aux marchés asiatiques en pleine expansion. Il y aurait ainsi un couloir commercial à travers l'Asie centrale », déclarait Robert Todor, vice-président exécutif d'Unocal. Pour éviter que se répètent les problèmes de Chevron avec la Russie au Kazakhstan, Unocal chercha d'emblée à séduire Moscou. Le pétrole sibérien aurait un nouvel accès au sud, vers la mer, tandis que Gazprom recevrait une participation dans le gazoduc. « Nous n'avons pas de problème avec la Russie, mais simplement un problème avec l'Afghanistan. C'est une situation où tout le monde a à gagner », me dit Henry De La Rosa, directeur d'Unocal au Turkménistan.

Le soudain intérêt de l'administration Clinton et d'Unocal pour le Turkménistan et l'Afghanistan n'était pas le fruit du hasard. Il avait été précédé par un changement radical dans la politique américaine en Asie centrale. Entre 1991 et 1995, Washington avait accordé son soutien stratégique au Kazakhstan et au Kirghizistan, dans la mesure où ces deux États devaient rapidement accéder à une libéralisation économique et politique ; il devint plus facile pour les entreprises américaines d'y investir. Le Kazakhstan détenait encore un arsenal nucléaire hérité de l'ère soviétique, et, grâce à ses énormes réserves de pétrole, de gaz et de minerai, le président kazakh Noursoultan Nazarbaïev fut l'objet d'une cour assidue de la part des présidents

Bush et Clinton. Mais, à partir de 1995, Nazarbaïev fut considéré comme un paria, un dictateur à la tête d'une administration totalement corrompue.

Le Kazakhstan avait rendu ses armes nucléaires à la Russie en 1993 et, avec une population composée à 40 % de Russes ouvertement hostiles au gouvernement, Nazarbaïev fut forcé de se plier aux exigences russes en matière de sécurité et d'économie. Pendant quatre ans, le Kazakhstan ne put persuader la Russie d'autoriser Chevron à envoyer en Europe le pétrole de Tenghiz dans les pipelines russes. Chevron, qui avait promis en 1991 d'investir 5 milliards de dollars à Tenghiz, avait réduit sa participation et n'avait investi que 700 millions de dollars en 1995.

Durant la période 1991-1995, les États-Unis négligèrent le Tadjikistan, en pleine guerre civile, tandis que l'Ouzbékistan et le Turkménistan, dirigés par deux dictateurs, étaient considérés comme infréquentables. En outre, comme un vice-secrétaire d'État russo-centriste, Strobe Talbott, était aux commandes de la politique américaine dans l'ex-bloc soviétique, Washington ne souhaitait pas s'attirer la colère de Moscou en défiant ses intérêts en Asie centrale. Talbott souhaitait faire entrer la Russie dans l'OTAN, et non créer des problèmes dans les relations américano-russes en empiétant sur la chasse gardée des Russes.

Cependant, quand la Russie sombra dans le chaos, la politique pro-russe de Talbott fut sévèrement critiquée, tant par l'establishment de la politique étrangère américaine que par le lobby israélien à Washington. Les compagnies pétrolières voulaient que les États-Unis adoptent une politique multidimensionnelle envers les pays de l'ex-URSS, qui leur permettrait d'exploiter les ressources de la Caspienne, d'aider ces pays à affirmer leur indépendance vis-à-vis de la Russie et d'entrer dans le camp occidental. Ces entreprises, les premières à incarner la présence américaine dans la région, voulaient avoir leur mot à dire dans la politique étrangère des États-Unis.

Début 1995, les grandes compagnies pétrolières américaines formèrent à Washington le groupe Foreign Oil Companies pour défendre leurs intérêts dans la région de la Caspienne. Le groupe incluait Unocal et recruta d'anciens politiciens de l'ère Bush ou Carter pour soutenir leur cause à Washington. Le groupe rencontra Sheila Heslin, expert en énergie au National Security Council, puis son supérieur hiérarchique, Samuel Berger, conseiller du NSC. Berger avait créé un comité gouvernemental pour élaborer une politique en Caspienne, avec la participation de plusieurs ministères et de la CIA.

Les intérêts stratégiques de Washington et des compagnies pétrolières américaines en Caspienne prirent de l'ampleur et Washington commença à s'éloigner de la Russie. Les bénéficiaires immédiats furent l'Ouzbékistan et le Turkménistan. Washington avait fait échouer une tentative des lobbyistes américains en faveur de Niyazov. En mars 1993, un ancien conseiller du NSC, Alexander Haig, avait été recruté par Niyazov et envoyé à Washington pour persuader les compagnies américaines d'investir au Turkménistan, et pour adoucir la position américaine sur les pipelines traversant l'Iran. Cette visite fut un échec et Niyazov ne put rencontrer les dirigeants américains. En 1995, pourtant, Washington comprit que si Niyazov était tenu à distance, il serait obligé de se rabattre sur l'Iran. La situation économique s'aggravait au Turkménistan, incapable de vendre son gaz. Pour les États-Unis la perspective d'un gazoduc traversant l'Afghanistan était attrayante parce qu'il contournait l'Iran, mais aussi parce que c'était un signe de soutien au Turkménistan, au Pakistan et aux taliban, et une solution qui laissait de côté la Russie et l'Iran.

Les États-Unis ne pouvaient asseoir leur influence stratégique en Asie centrale sans l'Ouzbékistan, le plus vaste et le plus puissant État, le seul capable de tenir tête à la Russie. Chacun tenta donc prudemment de séduire l'autre. Karimov décida de soutenir les projets de l'OTAN, qui voulait se doter d'une unité spécifique en Asie centrale, décision à laquelle la Russie s'opposait vivement. « Nous n'acceptons pas cette présence de l'OTAN. Les États-Unis doivent reconnaître que l'Asie centrale restera dans la sphère d'influence russe », me dit un diplomate russe, furieux, à Achkhabad en 1997. Les compagnies américaines prirent une participation dans les gisements de minerai ouzbeks, le commerce entre l'Ouzbékistan et les États-Unis devint tout à coup florissant, multiplié par 8 entre 1995 et 1997. Karimov fit son premier voyage à Washington en juin 1996. « Fin 1995, l'Occident, et surtout les États-Unis, avaient clairement choisi l'Ouzbékistan comme seule contrepoids possible à la fois au retour de l'hégémonisme russe et à l'influence iranienne », écrivit Shireen Hunter.

Deux coalitions émergèrent ainsi dans la région. Les États-Unis se rangeaient du côté de l'Ouzbékistan, du Turkménistan et de l'Azerbaïdjan, et encourageaient leurs alliés (Israël, Turquie et Pakistan) à y investir, tandis que la Russie maintenait son emprise sur le Kazakhstan, le Kirghizistan et le Tadjikistan. Les États-Unis étaient maintenant prêts à affronter la Russie dans la bataille pour les ressources de la Caspienne. « Les dirigeants américains ne veulent certainement pas d'une hégémonie russe, et le coût potentiel d'une telle hégémonie serait encore bien supérieur si la Russie pouvait dicter ses termes et limiter l'accès des Occidentaux aux dernières réserves mondiales de gaz et de pétrole. Même une implication minimale des

États-Unis suscite un soupçon maximal de la part des Russes », expliquait Martha Brill Olcott, spécialiste américaine de l'Asie centrale.

C'est seulement au cours de l'été 1996 que je me suis penché sur cette situation. La soudaine prise de Kaboul par les taliban en septembre 1996 me poussa à aborder deux questions restées sans réponses et que les journalistes occidentaux ne pouvaient résoudre. Les Américains soutenaient-ils les taliban directement ou indirectement à travers Unocal ou à travers leurs alliés, le Pakistan et l'Arabie saoudite ? Et pourquoi cette polarisation entre les États-Unis, l'Arabie saoudite, le Pakistan et les taliban d'une part, la Russie, les États d'Asie centrale et l'alliance antitaliban d'autre part ? Certains se demandaient s'il s'agissait d'une résurgence de la vieille connexion CIA-ISI datant de l'époque du djihad afghan, mais il me sembla vite qu'à l'évidence la stratégie pétrolière motivait l'intérêt de Washington pour les taliban, et c'est ce qui avait suscité une réaction de la Russie et de l'Iran.

Étudier cette question revenait à entrer dans un labyrinthe où personne ne disait la vérité ni ne divulguait ses véritables motivations. C'était le travail d'un détective plutôt que d'un journaliste, et les indices étaient rares. Même rencontrer les vrais joueurs était difficile, parce que la politique n'était pas dictée par les politiciens et les diplomates, mais par les compagnies pétrolières et les services secrets des États de la zone concernée. Les compagnies pétrolières étaient les plus dissimulatrices, conséquence de la concurrence acharnée qu'elles se livrent dans le monde entier. Annoncer où l'on allait forer ou quel trajet on souhaitait pour les pipelines, ou même avec qui l'on avait déjeuné une heure auparavant, ç'aurait été se trahir et tout révéler aux ennemis, aux compagnies rivales.

Les cadres de Bridas ne parlaient jamais à la presse et ne publiaient que de rares déclarations, par l'intermédiaire d'une société de relations publiques basée à Londres. Unocal était plus facilement joignable, mais les directeurs étaient payés pour ne donner que des réponses banales. Il y avait pourtant une nette différence entre les deux compagnies, qui devait affecter leurs futures relations avec les taliban. Bridas était une petite entreprise familiale dont les cadres, formés dans la tradition européenne, s'intéressaient à la politique, à la culture, à l'histoire de ceux avec qui ils traitaient. Ils connaissaient les détours complexes du Grand Jeu et avaient pris la peine d'étudier les liens ethniques, tribaux et familiaux des dirigeants qu'ils rencontraient.

Unocal était une énorme société qui engageait des directeurs pour gérer ses affaires à l'échelle planétaire. Ceux qu'elle envoyait sur place, à quelques exceptions près, s'intéressaient à leur travail plutôt qu'à l'environnement politique dans lequel ils vivaient. Alors que les ingénieurs de Bridas passaient des heures à prendre le thé avec les tribus afghanes lorsqu'ils étudiaient les itinéraires dans le désert, Unocal allait à l'essentiel et ne remettait pas en question ce que lui disaient les chefs de factions afghans, pourtant peu fiables. Les Afghans maîtrisent depuis longtemps l'art de dire à leur interlocuteur ce que celui-ci veut entendre, puis de dire exactement le contraire à une autre personne. Unocal était également désavantagée parce que son attitude envers les taliban était dictée par la ligne politique américaine, et elle n'hésitait pas à donner des leçons aux taliban. Bridas n'avait pas de tels scrupules et était prête à signer un accord avec les taliban, même si leur gouvernement n'avait été reconnu par aucun État.

Unocal comptait beaucoup sur l'ambassade américaine à Islamabad, et sur les services secrets pakistanais et turkmènes pour apprendre ce qui se passait ou ce qui allait se passer, au lieu de recueillir elle-même ses informations. Lorsque mon analyse de la rivalité Bridas-Unocal fut publiée, avec un exposé sur les intrigues et les rebondissements du Grand Jeu, chacune des deux compagnies crut d'abord que j'étais un espion travaillant secrètement pour le compte de l'autre. Unocal persista dans cette opinion alors que Bridas comprit que je n'étais qu'un journaliste très curieux qui couvrait l'Afghanistan depuis trop longtemps pour se satisfaire de réponses insignifiantes. Il me fallut sept mois de voyages, plus d'une centaine d'interviews et une immersion totale dans les livres consacrés au commerce du pétrole (dont j'ignorais tout) pour que je finisse par écrire mon article publié dans la *Far Eastern Economic Review* en avril 1997.

En juillet 1997, Strobe Talbott prononça un discours qui devait marquer un tournant décisif dans la politique américaine. « Il est devenu courant de proclamer ou du moins de prédire un renouveau du "Grand Jeu" dans le Caucase et en Asie centrale. Cela signifie bien entendu que la dynamique de cette région, alimentée et lubrifiée par le pétrole, sera la concurrence des grandes puissances. Notre but est d'éviter et de contrer activement retour du passé. Laissons Rudyard Kipling et George McDonald Fraser où ils doivent être : sur les étagères de l'histoire. Le Grand Jeu décrit dans *Kim* de Kipling fut surtout un jeu à somme nulle. »

Mais Talbott savait aussi que le Jeu avait repris et il lança un avertissement aux joueurs, tout en déclarant que la priorité de Washington était la résolution des conflits. « Si les conflits internes et transfrontaliers s'enflammaient, la région pourrait devenir une pépinière de terroristes, un berceau de l'extrémisme politique et religieux, et le théâtre d'une véritable guerre. »

Sur place, la décision de Niyazov de signer avec Unocal exaspéra Bulgheroni. En février 1996, il porta l'affaire devant les tribunaux, déposa une plainte contre Unocal et Delta à Fort Bend, près de Houston. Bridas demandait 15 milliards de dollars en dommages et intérêts, pour « ingérence déloyale dans l'évolution d'une relation commerciale » ; « Unocal, Delta et Marty Miller [le vice-président d'Unocal] participent peut-être à une autre conspiration civile contre Bridas ». Dans sa déposition, Bridas déclarait avoir « révélé à Miller ses prévisions stratégiques pour la construction et la gestion du pipeline. Bridas a invité Unocal à se joindre à l'opération ». Bref, Bridas accusait Unocal de lui avoir volé son idée.

Plus tard, Bulgheroni expliqua ce qu'il avait ressenti. « Unocal était venue dans la région sur notre invitation. Il n'y avait aucune raison pour que nous ne puissions nous entendre. Nous voulions qu'ils travaillent avec nous au Turkménistan. Au début, les États-Unis considéraient que ce pipeline était une idée ridicule, et ils ne s'intéressaient ni à l'Afghanistan ni au Turkménistan. » Bridas demanda également à la Chambre de commerce internationale de condamner le Turkménistan pour rupture de contrat sur trois points, en relation avec le blocus imposé sur les gisements de Yashlar et de Keimir.

Unocal affirma que sa proposition était différente parce qu'elle concernait Daoulatabad et non le gisement de Yashlar. John Imle, président d'Unocal, avait écrit à Bulgheroni une lettre, qui fut plus tard soumise à la cour : le Turkménistan lui avait affirmé n'avoir aucun accord avec Bridas, et Unocal était donc libre d'agir. « Nous affirmons que le projet CentGas n'avait aucun rapport avec Bridas. Nous proposions d'acheter le gaz issu d'un gisement exploité et de le transporter au moyen d'un pipeline conçu pour l'exportation. Bridas proposait de transporter le gaz de Yashlar... le projet CentGas n'empêche pas Bridas de construire un pipeline pour transporter et commercialiser son propre gaz. »

L'administration Clinton intervint alors en faveur d'Unocal. En mars 1996, l'ambassadeur américain au Pakistan, Tom Simmons, eut un entretien orageux avec Benazir Bhutto, à qui il demanda de soutenir non plus Bridas mais Unocal. Selon un membre de l'équipe de Benazir Bhutto présent lors de la rencontre, celle-ci « soutenait Bridas, or Simmons l'a accusée d'abus de confiance lorsqu'elle a défendu Bridas. Elle était furieuse ». « Elle a demandé à Simmons des excuses écrites, et les a obtenues », devait préciser un membre du cabinet.

Au cours de deux voyages au Pakistan et en Afghanistan en avril et août 1996, l'assistante du secrétaire d'État pour l'Asie du Sud, Robin Raphel, prit également la défense du projet Unocal. Le 21 avril, lors d'une confé-rence de presse à Islamabad, elle déclara : « Nous avons une compagnie améri-caine qui souhaite construire un pipeline allant du Turkménistan au Pakistan. Ce projet est bon pour le Turkménistan, pour le Pakistan et pour l'Afghanistan, car il apportera des emplois, et aussi de l'énergie à l'Afgha-nistan. » En août, elle se rendit dans les capitales d'Asie centrale et à Moscou pour répéter le même message.

L'appui ouvert des États-Unis aux projet Unocal renforça les soupçons de la Russie et de l'Iran, désormais fermement convaincus que la CIA soute-nait les taliban. En décembre 1996, un haut diplomate iranien me dit à mots couverts que les Saoudiens et la CIA avaient remis 2 millions de dollars aux taliban, même si aucune preuve n'étayait ces soupçons. Mais les accusations se multiplièrent de tous côtés après les diverses bévues commises par les États-Unis et par Unocal.

Quand les taliban s'emparèrent de Kaboul en septembre 1996, un ca-dre d'Unocal, Chris Taggert, déclara aux agences de presse que le projet de pipeline serait dès lors plus facile à réaliser, déclaration qui fut aussitôt dé-mentie parce qu'elle impliquait qu'Unocal était favorable à la conquête du pays par les taliban. Quelques semaines auparavant, Unocal avait annoncé son intention d'offrir une aide humanitaire en guise de « bonus » aux chefs de faction afghans lorsqu'ils auraient accepté de former un conseil commun pour superviser le projet de pipeline. Une fois encore, cela sous-entendait qu'Unocal était prête à verser de l'argent aux belligérants.

Puis, à quelques heures de la prise de Kaboul, le ministère américain des Affaires étrangères annonça qu'il établirait des relations diplomatiques avec les taliban en envoyant un représentant officiel à Kaboul, déclaration sur laquelle il fallut aussitôt revenir. Le porte-parole du département, Glyn Davies, affirma que les États-Unis n'avaient « aucune objection » vis-à-vis des mesures prises par les taliban pour imposer la loi islamique. Il décrivit les taliban comme antimodernes plutôt que comme anti-occidentaux. Les membres du Congrès étaient favorables aux taliban. « Le côté positif de ce qui vient d'arriver est que l'une des factions semble enfin capable d'établir un gouvernement en Afghanistan », déclara le sénateur Hank Brown, favo-rable au projet Unocal. Des diplomates américains m'expliquèrent ensuite, gênés, que cette déclaration hâtive avait été faite sans consulter l'ambassade des États-Unis à Islamabad.

Mais les dégâts furent énormes. Les gaffes d'Unocal et la confusion du ministère des Affaires étrangères renforcèrent dans leurs convictions l'Iran, la Russie, les RAC, l'alliance antitaliban et la plupart des Pakistanais et des

Afghans : le couple Unocal-Washington soutenait les taliban et souhaitait leur victoire complète, alors même que les États-Unis affirmaient n'avoir aucun protégé en Afghanistan. Certains membres du gouvernement pakistanais, désireux de montrer que les États-Unis soutenaient les taliban, et donc la position du Pakistan, révélèrent aux journalistes que Washington était favorable aux taliban.

Toute la région bruissait de rumeurs et d'hypothèses. Même les agences neutres y allèrent de leurs soupçons. « Les taliban semblent assurément servir la politique américain d'isolement de l'Iran en créant un fort pôle sunnite à la frontière iranienne et en garantissant la sécurité des routes commerciales et des pipelines qui briseraient le monopole iranien sur les voies de communication en Asie centrale », écrivit Reuters.

Pour Bridas, il ne serait pas facile de se remettre dans la course. Ses gisements de pétrole et de gaz au Turkménistan étaient bloqués. Il n'avait aucun accord avec le Turkménistan pour acheter du gaz pour un pipeline et aucun avec le Pakistan pour vendre le gaz. Grâce au soutien américain et pakistanais, les taliban étaient désormais courtisés par Unocal. Néanmoins, Bridas maintint ses bureaux à Achkhabad et à Kaboul, même si Niyazov essayait de les faire partir. « Bridas est hors jeu, nous avons accordé le pipeline afghan à Unocal. Notre gouvernement ne travaille plus avec Bridas », me dit Mourad Nazdjanov, le ministre du Gaz et du Pétrole turkmène.

Bridas avait un avantage auprès des taliban. La compagnie leur expliqua que, pour le financement du projet, elle n'avait pas besoin des institutions internationales de prêt, qui auraient d'abord exigé la reconnaissance du gouvernement de Kaboul. Bridas avait créé TAP Pipelines, partenariat à 50-50 avec la compagnie saoudienne Ningarcho, très proche du prince Turki, le patron des services secrets saoudiens. Bridas déclara pouvoir récolter 50 % des fonds auprès des Saoudiens pour construire la partie afghane du pipeline, et le reste auprès d'un consortium international qu'il formerait pour construire les parties pakistanaise et turkmène, moins sujettes à risque. « Nous procéderons à une séparation totale entre nos problèmes avec le gouvernement turkmène et le contrat du pipeline afghan. Nous créerons deux consortiums, l'un pour construire la ligne afghane, l'autre pour construire les prolongements au Pakistan et au Turkménistan. » Bridas proposait de commencer la construction immédiatement, sans conditions préalables. Il suffisait d'obtenir un accord entre les factions afghanes, mais même cela devait s'avérer impossible.

D'un autre côté, la position d'Unocal était étroitement liée à la politique américaine en Afghanistan : la compagnie ne pouvait construire le pipeline ou discuter des termes commerciaux avec les taliban tant que le gouvernement de Kaboul ne serait pas officiellement reconnu, de sorte que la Banque mondiale, entre autres, puisse prêter l'argent nécessaire. « Dès le départ, nous avons clairement expliqué à toutes les parties en présence qu'il était difficile d'obtenir un financement, que les factions afghanes devraient s'entendre pour établir un gouvernement viable reconnu par les institutions de prêt avant que le projet ne puisse aboutir », dit John Imle. L'influence d'Unocal auprès des taliban tenait au fait que le projet rendait possible la reconnaissance des États-Unis, à laquelle les taliban aspiraient désespérément.

Bridas et Unocal cherchaient maintenant à séduire les puissances régionales susceptibles d'influencer les taliban, notamment l'Arabie saoudite. Dans ses discussions avec les taliban, Bridas mit en avant ses liens avec le prince Turki. « Les Saoudiens investissaient depuis de nombreuses années dans le djihad afghan, et ils pensaient réellement que le pipeline aiderait le processus de paix », m'expliqua Bulgheroni. Pour ne pas être en reste, Unocal avait ses propres relations saoudiennes. Badr Al'Aiban, président de Delta Oil, est proche de la famille royale saoudienne, en particulier du prince Abdullah, tandis que le frère de Badr, Mosaed Al'Aiban, appartenait à la cour du roi Fahd. La concurrence entre Bridas et Unocal reflétait également la concurrence au sein de la famille royale saoudienne.

Les États-Unis et Unocal avaient conquis le Pakistan. Après la chute du gouvernement Bhutto en 1996, le nouveau Premier ministre, Nawaz Sharif, son ministre du Pétrole, Chaudry Nisar Ali Khan, l'armée et l'ISI apportèrent tout leur soutien à Unocal. Le Pakistan, voulant un appui américain plus direct pour les taliban, demanda à Unocal d'entreprendre rapidement la construction afin de légitimer les taliban. Les États-Unis et Unocal acceptèrent les analyses et les objectifs de l'ISI : une victoire des taliban en Afghanistan faciliterait la tâche d'Unocal et accélérerait leur reconnaissance par les États-Unis.

Le Pakistan avait aussi besoin de nouvelles sources d'approvisionnement en gaz. Le gaz représente 37 % de la consommation énergétique du pays, et les grands gisements de Sui, au Béloutchistan, étaient en voie d'épuisement. Les réserves prouvées du Pakistan (22 trillions de pieds cubiques) devaient assurer une consommation de 0,7 trillion par an, et la demande augmente chaque année de 0,7 trillion. Vers 2010, le Pakistan devra importer 0,8 trillion de pieds cubiques de gaz chaque année. Pour Islamabad, les autres possibilités (un gazoduc venant d'Iran ou un autre du Qatar) étaient bloquées par le manque de fonds. Le Pakistan cherchait également un approvisionnement sûr en pétrole moins cher. En 1996, il avait fallu importer pour 2 milliards de dollars de pétrole, soit 20 % du total des importations du pays. La production nationale avait chuté de 70 000 barils par jour au début des années 1990 à 58 000 barils par jour en 1997. L'oléoduc proposé par Unocal alimenterait le Pakistan et ferait du pays un pivot essentiel pour les exportations de pétrole d'Asie centrale.

Le président Niyazov voulait aussi qu'Unocal se lance dans la construction immédiatement ; à ses yeux, le Pakistan devait forcer les taliban à accepter la proposition d'Unocal. Les démarches entreprises par Niyazov auprès des États-Unis commençaient à porter leurs fruits. En janvier 1997, le Turkménistan signa un accord avec le géant pétrolier américain Mobil et avec le Britannique Monument Oil pour prospecter dans l'ouest du Turkménistan. C'était le premier contrat de ce type signé par le Turkménistan avec une grande compagnie américaine, puisque Unocal n'avait encore effectué aucun investissement direct.

En novembre 1996, Bridas déclara avoir signé un accord avec les taliban et le général Dostom pour construire le pipeline, tandis que Burhanuddin Rabbani avait déjà accepté. Ce fut la panique pour Unocal et le Pakistan. Le 9 décembre 1996, le ministre des Affaires étrangères pakistanais, Najmuddin Sheikh, rendit visite à Mullah Omar à Kandahar pour le persuader d'accepter la proposition d'Unocal, mais Omar refusa de s'engager. Selon l'habitude des Afghans, les taliban jouèrent habilement leurs cartes, en restant vagues et sans rien promettre, pour forcer Unocal et Bridas à faire monter les enchères. Les taliban ne voulaient pas seulement toucher les dividendes du pipeline (jusqu'à 100 millions de dollars par an), ils voulaient aussi impliquer les compagnies pétrolières dans la construction de routes, l'approvisionnement en eau, les installations téléphoniques et électriques.

En privé, plusieurs leaders taliban déclaraient préférer Bridas, qui n'exigeait rien d'eux alors qu'Unocal leur demandait d'améliorer leur bilan en matière de droits de l'homme et d'ouvrir des pourparlers avec l'alliance antitaliban, noyau de la politique américaine. En outre, Unocal se heurtait à une mobilisation féministe croissante qui exigeait que les États-Unis et Unocal suspendent toute négociation avec les taliban. L'ONU aussi se montrait critique. « L'ingérence étrangère en Afghanistan est maintenant liée à la bataille pour les pipelines. On craint que ces compagnies et les puissances locales n'utilisent les taliban pour satisfaire leurs propres objectifs », me déclara Yasushi Akashi, sous-secrétaire général pour les affaires humanitaires de l'ONU.

Les deux compagnies affirmaient que leur pipeline apporterait la paix, mais aucune banque occidentale ne voulait financer ce projet dans un pays déchiré par la guerre civile. « Dans ce jeu politique des pipelines, les participants ne doivent pas oublier que la paix peut apporter un pipeline, mais qu'un pipeline ne peut apporter la paix », devait dire Robert Ebel. Le Grand Jeu avait pris une nouvelle dimension.

Chapitre 13
LA LÉGENDE DES TALIBAN 2 :
LA BATAILLE DES PIPELINES,
LES ÉTATS-UNIS ET LES TALIBAN 1997-1999

Au siège social de Bridas, on avait dit aux jolies secrétaires en minijupes de se couvrir : jupes longues et chemisiers à longues manches pour en dévoiler aussi peu que possible. Une délégation de taliban était attendue à Buenos Aires. Lorsqu'ils arrivèrent en février 1997, Bridas les traita royalement, les promena, leur fit parcourir le pays pour visiter les installations de forage et les pipelines, et leur faire découvrir la pointe sud du continent, prise dans la neige et la glace.

En même temps, une autre délégation de taliban vivait un autre type de choc culturel. Ils étaient à Washington pour rencontrer des responsables du ministère des Affaires étrangères et d'Unocal, pour plaider en faveur d'une reconnaissance américaine de leur gouvernement. À leur retour, les deux délégations s'arrêtèrent en Arabie saoudite pour se rendre à La Mecque et rencontrer le chef des services secrets saoudiens, le prince Turki. Les taliban n'avaient pas encore décidé quelle offre ils accepteraient. Ils avaient vite appris à maîtriser tous les aspects du Grand Jeu.

Les deux compagnies intensifièrent leurs efforts de séduction. Bridas reçut un renfort en janvier 1997 quand la Chambre de commerce internationale ordonna au Turkménistan de permettre la reprise de l'exploitation pétrolière à Keimir. Mais le président Niyazov n'en tint pas compte et refusa de trouver un compromis avec Bridas. En mars 1997, Bridas offrit un bureau à Kaboul et Bulgheroni vint rencontrer les leaders taliban.

Bridas se mit à négocier un contrat avec eux. Il fallut des semaines de travail, cet été-là, pour que trois cadres négocient le document de 150 pages avec douze mollahs taliban, qui n'avaient parmi eux aucun expert technique à part un diplômé d'une école d'ingénieurs totalement dépourvu d'expérience. Les taliban n'avaient aucun expert en matière de pétrole ou de gaz, et très peu parlaient l'anglais, de sorte que le contrat dut être traduit en dari. « Nous le relisons mot à mot afin que personne ne puisse nous accuser de vouloir tromper les taliban. Nous ferons approuver ce contrat par les groupes de l'opposition afin que ce soit l'accord de tous les Afghans », me dit un cadre supérieur de Bridas. Unocal avait refusé de négocier un contrat tant que le gouvernement de Kaboul ne serait pas reconnu.

Pendant ce temps, Unocal avait fait don de 900 000 dollars au Centre d'études afghanes de l'université d'Omaha (Nebraska), dirigé par Thomas Gouttierre, un monument d'érudition. Le Centre monta un programme de formation et d'aide humanitaire pour les Afghans, ouvrant à Kandahar une école dirigée par Gerald Boardman ; dans les années 1980, celui-ci avait été à la tête du bureau de l'Agence américaine pour le développement international à Peshawar, qui fournissait une assistance aux moudjahidin, de l'autre côté de la frontière. L'école commença à former 400 enseignants, électriciens, charpentiers et plombiers afghans, pour aider Unocal à construire le pipeline. Unocal fit d'autres cadeaux aux taliban : un fax et un générateur, ce qui fit scandale quand tout fut révélé à la fin de l'année.

Tous ces cadeaux ne firent que renforcer la conviction de l'alliance antitaliban, de l'Iran et de la Russie : Unocal subventionnait les taliban. Cette accusation fut vivement démentie et, par la suite, Unocal me précisa les sommes consacrées à ce projet. « Nous estimons avoir dépensé approximativement de 15 à 20 millions de dollars pour le projet CentGas. Cela incluait l'aide humanitaire après les tremblements de terre, la formation professionnelle et quelques équipements comme un fax et un générateur », me déclara en 1999 le président d'Unocal, John Imle.

Le rôle de Delta favorisa également les soupçons. À l'origine, Unocal avait encouragé Delta Oil, qui pouvait s'appuyer sur ses origines saoudiennes et ses contacts parmi les taliban, à séduire les factions afghanes. Au lieu d'engager d'éminents Saoudiens pour ce travail, Delta recruta un Américain, Charles Santos. Depuis 1988, celui-ci participait de façon intermittente à l'effort de médiation de l'ONU en faveur de l'Afghanistan, mais deux autres médiateurs lui ont ensuite reproché d'avoir été trop proche du gouvernement américain et de poursuivre des objectifs personnels. Santos était devenu le conseiller personnel du médiateur de l'ONU Mehmoud Mestiri, responsable de la tentative désastreuse de 1995, lorsque les taliban étaient aux portes de Kaboul. Santos s'était déjà attiré la haine intense de tous les leaders afghans, des taliban en particulier, lorsque Delta l'engagea ; personne ne lui faisait confiance. C'était une erreur qu'Unocal regretta par la suite, quand Santos s'avéra incapable de progresser auprès des Afghans malgré de nombreux voyages sur place.

Alors que la tension montait entre Unocal et Delta, Unocal créa sa propre équipe d'experts pour conseiller la compagnie en Afghanistan : on y retrouvait notamment Robert Oakley, ex-ambassadeur américain au Pakistan puis envoyé spécial en Somalie. Oakley avait joué un rôle décisif en offrant le soutien américain aux moudjahidin dans les années 1980, mais cela ne le rendait guère sympathique aux yeux des Afghans, puisque les États-Unis s'étaient ensuite retirés du conflit. Beaucoup d'Afghans et de Pakistanais le trouvaient arrogant et autoritaire ; durant son mandat d'ambassadeur, on le surnommait « le vice-roi ». Oakley se rendit à Moscou et à Islamabad pour trouver des soutiens et il aida Unocal à recruter d'autres experts, dont Gouttiere, Boardman, Zalmay Khalilzad, un afghano-américain qui travaillait pour la Rand Corporation, et Martha Brill Olcott, spécialiste de l'Asie centrale.

Il n'est pas rare de voir une entreprise américaine recruter des universitaires ou d'anciens membres du gouvernement. Toutes les compagnies pétrolières des États-Unis impliquées dans le Grand Jeu faisaient de même afin de faire pression sur Washington et recrutaient des noms encore plus prestigieux, issus des administrations Reagan et Bush. Dans la zone intéressée, cette attitude n'était pas comprise et suscitait une grande méfiance, renforçant l'idée qu'Unocal était le bras politique du gouvernement américain et que le réseau d'experts afghans de la CIA était en train de reprendre vie.

Unocal rencontrait à présent de grandes difficultés avec le président Niyazov, toujours aussi coupé de la réalité. Refusant d'admettre les problèmes posés par les combats constants en Afghanistan, il poussait Unocal à commencer les travaux aussi vite que possible. Quand son ministère des Affaires étrangères tentait de lui expliquer que la construction ne pouvait démarrer en pleine guerre civile, il hurlait. « Nous voulons ce pipeline. Nous associons tous nos projets majeurs à la paix et à la stabilité en Afghanistan », me déclara Niyazov rageur. Par la suite, les responsables turkmènes n'osaient même plus l'informer des mauvaises nouvelles du front et Niyazov se déconnecta encore davantage du monde réel.

Malgré ces problèmes, Unocal allait de l'avant. En mai 1997, lors d'un sommet régional annuel à Achkhabad, le Pakistan, le Turkménistan et Unocal signèrent un accord aux termes duquel la compagnie promettait de trouver le financement et de boucler le projet en décembre de cette année, pour un début des travaux en 1998. Les États-Unis et le Turkménistan avaient été informés par l'ISI que les taliban étaient sur le point de prendre la place forte de l'opposition du nord, Mazar e-Charif. Cependant, deux semaines plus tard, les taliban furent repoussés de Mazar, avec des centaines de victimes, et les combats s'intensifièrent dans le pays. Une fois encore, les États-Unis avaient accordé une confiance excessive aux analyses de l'ISI.

Lors de la première assemblée du groupe de travail de CentGas à Islamabad après la débâcle de Mazar, le vice-président d'Unocal, Marty Miller, exprima de sérieux doutes quant à la possibilité de respecter les échéances fixées. « On ne sait pas vraiment quand le projet pourra démarrer. Tout dépend de la paix en Afghanistan et de l'existence d'un gouvernement avec lequel discuter. Cela pourrait se faire à la fin de cette année, l'année prochaine ou dans trois ans, voire jamais si les combats continuent », déclara Miller lors d'une conférence de presse, le 5 juin 1997. Le Pakistan et le Turkménistan furent contraint de signer un nouveau contrat avec Unocal pour reporter d'un an les échéances : le projet commencerait en décembre 1998. Aux yeux de la plupart des observateurs, c'était faire preuve d'un optimisme excessif.

À Washington, on pensait de plus en plus que le Pakistan et les taliban ne pourraient jamais aboutir à l'unification de l'Afghanistan. Les États-Unis se mirent donc à envisager d'autres options pour aider le Turkménistan à exporter son gaz. Par un renversement spectaculaire de leur politique, ils annoncèrent en juillet 1997 qu'ils ne s'opposeraient pas à un gazoduc traversant l'Iran pour relier le Turkménistan à la Turquie. Washington affirma que cette décision n'était pas un virage à 180 degrés par rapport aux sanctions imposées à l'Iran. Néanmoins, lorsque les compagnies pétrolières européennes et asiatiques tentèrent de pénétrer le marché iranien, les compagnies américaines saisirent l'occasion et firent pression sur l'administration Clinton pour lever une partie des sanctions sur Téhéran.

La possibilité de transporter le gaz et le pétrole de la région de la Caspienne à travers l'Iran rendait encore moins viable le projet de pipeline afghan. La décision de Washington frappa durement Unocal et rappela à Islamabad que le soutien américain était au mieux fragile, et qu'il était grand temps que les taliban unifient le pays par la conquête. En outre, la compagnie irano-australienne BHP Petroleum annonça qu'elle sponsoriserait à hauteur de 2,7 milliards de dollars un pipeline de 2 500 kilomètres, qui transporterait chaque jour 2 milliards de pieds cubiques de gaz du sud de l'Iran vers Karachi puis vers l'Inde. L'avantage de ce gazoduc, en concurrence directe avec Unocal, était qu'il traversait un territoire exempt de guerre civile.

Le 16 octobre 1997, le Premier ministre pakistanais Nawaz Sharif vint passer la journée à Achkhabad pour discuter avec Niyazov du projet Unocal. En conséquence, Unocal, le Pakistan et le Turkménistan signèrent un accord tarifaire pour l'importation de gaz turkmène, selon lequel les taliban recevraient 15 cents pour 1 000 pieds cubiques transitant par leur territoire. Les décisions de Sharif et de Niyazov semblaient à présent parfaitement irréelles, puisqu'elles ne tenaient pas compte des combats. Les taliban furent mécontents de n'avoir pas été consultés et exigèrent un pourcentage plus élevé.

Le 25 octobre 1997, Unocal annonça l'élargissement du consortium CentGas, pour inclure des compagnies pétrolières du Japon, de Corée du sud et du Pakistan. Cependant, la tentative de séduction auprès des Russes avait échoué. 10 % des parts avaient été réservées pour Gazprom, mais le géant russe du gaz refusa de signer puisque Moscou critiquait le soutien américain aux taliban, censé miner l'influence russe en Asie centrale. Le directeur de Gazprom, Rem Vyakhirev, déclara que la Russie interdirait au Turkménistan et au Kazakhstan d'exporter leur pétrole et leur gaz par des pipelines non russes. « Céder ce marché serait pour le moins un crime vis-à-vis de la Russie. »

Les responsables américains avaient déjà clairement exprimé leur politique anti-Russie. « La politique américaine consistait à favoriser le développement rapide de l'énergie caspienne... Nous voulions spécialement promouvoir l'indépendance de ces pays pétrolifères, pour briser le monopole de la Russie sur le transport du pétrole dans cette région et, en toute franchise, pour favoriser la sécurité énergétique de l'Occident par la diversification de l'approvisionnement », déclara Sheila Heslin, expert en énergie auprès du NSC.

Bridas restait dans la course, cette fois avec un partenaire puissant, auquel même Washington ne trouvait rien à redire. En septembre 1997, Bridas vendit 60 % de ses parts en Amérique latine au géant pétrolier américain Amoco, dans l'espoir que ce dernier persuaderait Niyazov de libérer les avoirs de Bridas gelés au Turkménistan. Bridas invita à Buenos Aires une délégation de taliban présidée par le mollah Ahmad Jan, ancien marchand de tapis devenu ministre des Industries, pour une nouvelle visite en septembre. Les autorités pakistanaises refusèrent de laisser les taliban partir de Peshawar tant qu'ils n'auraient pas également accepté de rendre visite à Unocal. Une autre délégation de taliban, présidée par le mollah borgne Mohammed Ghaus, arriva à Houston en novembre 1997 ; ils furent accueillis dans un hôtel cinq étoiles, visitèrent le zoo, les supermarchés et le centre de la NASA. Ils dînèrent chez Marty Miller, admirèrent sa piscine et sa confortable demeure. Les taliban rencontrèrent des responsables du ministère des Affaires étrangères, et une fois encore ils demandèrent la reconnaissance de leur gouvernement par les États-Unis.

Après une pause hivernale, les combats reprirent en Afghanistan au printemps 1998 et, pour les deux compagnies, le projet semblait plus irréalisable que jamais. En mars, Marty Miller dit à Achkhabad que le projet était suspendu indéfiniment parce qu'il était impossible de le financer tant que la guerre continuerait. Comme Niyazov piaffait, Unocal demanda une rallonge supplémentaire. Unocal avait aussi des problèmes en Amérique. Lors de la réunion annuelle des actionnaires en juin 1998, certains s'opposèrent au projet à cause du traitement réservé aux Afghanes par les taliban. Les groupes féministes américains commençaient à trouver le soutien de la population contre les taliban et Unocal.

Tout au long de l'année 1998, la pression féministe sur Unocal s'intensifia. En septembre, un groupe de militants écologistes demanda au procureur général de Californie de dissoudre Unocal pour crimes contre l'humanité et l'environnement, et à cause des relations d'Unocal avec les taliban. Unocal jugea « absurdes » ces accusations, tenta d'abord de répondre aux féministes, puis cessa de riposter. La bataille était perdue parce qu'elle les opposait aux femmes américaines et non à des étrangères, qui exigeaient des réponses, et avaient le soutien de l'administration Clinton.

« Nous ne sommes pas d'accord avec certains groupes féministes américains quant à l'attitude que devrait adopter Unocal... nous sommes invités dans des pays qui ont leurs propres lois et leurs propres croyances politiques, sociales et religieuses. Aucune entreprise ne peut à elle seule résoudre ces problèmes. Quitter l'Afghanistan, en abandonnant soit notre pipeline soit notre projet humanitaire, n'arrangerait rien », déclara John Imle.

Le bombardement du camp de Ben Laden par les États-Unis en août 1998 obligea Unocal à retirer ses équipes du Pakistan et de Kandahar ; en décembre, Unocal se retira officiellement du consortium CentGas, qu'il avait monté avec tant de peine. La chute des prix du pétrole frappait durement la compagnie. Unocal se retira d'un projet de pipeline en Turquie, ferma ses bureaux au Pakistan, au Turkménistan, en Ouzbékistan et au Kazakhstan, et annonça une baisse de 40 % de son plan d'investissement pour 1999. Sa seule victoire fut sur Bridas : le 5 octobre 1998, la Cour du Texas repoussa les demandes de dédommagement de Bridas, estimant que le conflit devait être réglé selon les lois du Turkménistan et de l'Afghanistan, non par la loi texane.

Comme les États-Unis étaient désormais soucieux de capturer Ben Laden, il semblait qu'une phase du Grand Jeu avait pris fin. Il était clair qu'aucune compagnie américaine ne pourrait construire un pipeline afghan dans le contexte de la politique sexiste des taliban et de la guerre civile. Cela aurait dû être clair depuis longtemps, mais Unocal s'était laissé bercer par la promesse d'une victoire rapide des taliban. Bridas resta dans la course mais garda un profil bas durant les mois difficiles qui suivirent. Même si le projet était quasiment enterré, le Pakistan persistait à le croire viable. En avril 1999, lors d'une réunion à Islamabad, le Pakistan, le Turkménistan et les taliban tentèrent de le ressusciter en déclarant qu'ils chercheraient un nouveau sponsor pour CentGas, mais personne ne voulait plus avoir de contact avec l'Afghanistan et les taliban ; les investisseurs étrangers se tenaient à l'écart du Pakistan.

La stratégie américaine en Asie centrale était « un amas de contradictions », selon Paul Starobin, « arrogante, confuse, naïve et dangereuse », selon Martha Brill Olcott. Robert Kaplan décrivait la région comme une « frontière anarchique ». Pourtant, les États-Unis, à présent favorable au pipeline Bakou-Ceyhan, malgré la chute des cours du pétrole et le refus d'investir que manifestaient les compagnies, persistaient dans l'idée que des pipelines pouvaient être construits en l'absence de vision stratégique ou de résolution des conflits.

Après avoir fourni plusieurs milliards de dollars en armes et en munitions aux moudjahidin, les États-Unis commencèrent à se détourner de l'Afghanistan, dès lors que les troupes soviétiques eurent terminé leur retrait, en 1989. Le mouvement s'accéléra en 1992 après la chute de Kaboul. Washington donna à ses alliés dans la région, le Pakistan et l'Arabie saoudite, toute latitude pour mettre fin à la guerre civile afghane. Aux yeux de l'Afghan moyen, le retrait américain était une trahison, aggravée lorsque Washington refusa de recourir à la pression internationale pour obtenir un accord entre les factions guerrières. D'autres Afghans étaient furieux que les États-Unis aient laissé au Pakistan les mains libres en Afghanistan. L'absence stratégique américaine permettait à toutes les puissances locales, dont les RAC récemment parvenues à l'indépendance, de soutenir des factions rivales, intensifiant ainsi la guerre civile et garantissant sa prolongation. Le pipeline d'aide militaire américaine aux moudjahidin ne fut jamais remplacé par un pipeline d'aide humanitaire qui aurait pu favoriser la paix et la reconstruction.

Après la fin de la guerre froide, la politique de Washington vis-à-vis de la zone Afghanistan-Pakistan-Iran-Asie centrale fut handicapée par le manque de cadrage stratégique. Les États-Unis traitaient les problèmes un par un, au hasard, de manière fragmentée, au lieu d'appliquer une vision stratégique cohérente. L'attitude américaine face aux taliban a connu plusieurs phases, façonnées par la politique intérieure des États-Unis ou la recherche de solutions à court terme.

Entre 1994 et 1996, les États-Unis ont soutenu politiquement les taliban à travers leurs alliés le Pakistan et l'Arabie saoudite, principalement parce que Washington les considérait comme anti-iraniens, antichiites et pro-occidentaux. C'était oublier un peu vite le programme fondamentaliste des taliban, leurs décrets contre les femmes et la consternation créée en Asie centrale. Washington était en effet incapable d'avoir des vues plus larges. Entre 1995 et 1997, les Américain accrurent encore leur soutien, à cause de leur appui au projet Unocal, même s'ils n'avaient alors aucun plan stratégique d'accès à l'énergie de l'Asie centrale ; ils croyaient que des pipelines pourraient être construits sans que soit réglé le problème des guerres civiles.

Le renversement survenu entre 1997 et aujourd'hui a été tout d'abord provoqué exclusivement par la campagne des féministes américaines contre les taliban. Comme toujours avec l'administration Clinton, les soucis intérieurs l'emportaient sur la politique étrangère et les aspirations des alliés. Clinton prit seulement conscience du problème afghan quand les Américaines vinrent frapper à sa porte. Le couple Clinton avait beaucoup compté sur le vote féminin lors des élections de 1996 et sur le soutien des femmes lors de l'affaire Lewinsky. Ils ne pouvaient se mettre à dos les électrices libérales. En outre, quand Hollywood s'intéressa à la question (les stars libérales ayant financé et soutenu la campagne de Clinton, le vice-président Al Gore souhaitait conserver leur appui lorsqu'il serait lui-même candidat à la présidence), les États-Unis ne pouvaient plus se permettre aucune faiblesse vis-à-vis des taliban.

En 1998 et 1999, le soutien des taliban à Ben Laden, leur refus du projet Unocal et de tout compromis avec leurs opposants comme avec le nouveau gouvernement modéré iranien étaient autant de raisons pour que les États-Unis se montrent plus durs. En 1999, « avoir Ben Laden » était l'objectif primordial de Washington, qui ne savait pourtant rien du radicalisme islamique qu'entretenait l'Afghanistan, qui devait créer des dizaines d'autres Ben Laden. Néanmoins, un peu tard, les États-Unis se montraient réellement favorables à la paix, et ils appuyèrent les efforts de médiation de l'ONU.

La politique américaine repose trop souvent sur des hypothèses fausses. Lorsque j'ai parlé pour la première fois aux diplomates de l'ambassade américaine à Islamabad après l'émergence des taliban en 1994, ils étaient enthousiastes. Les taliban leur avaient dit à Kandahar qu'ils détestaient l'Iran, qu'ils mettraient un frein à la culture du pavot et à la production d'héroïne, qu'ils s'opposaient à la présence en Afghanistan d'intrus comme les Arabo-Afghans et qu'ils n'avaient aucun désir de prendre le pouvoir. Certains diplomates virent en eux des bienfaiteurs, un genre de chrétiens régénérés à l'américaine. Ils pensaient que les taliban atteindraient les objectifs américains en Afghanistan. C'était évidemment un espoir bien naïf, en regard de la base sociale des taliban, qui ignoraient eux-mêmes ce qu'ils représentaient et qui ne savaient pas encore s'ils voulaient diriger le pays. Les États-Unis n'eurent pas un reproche quand les taliban prirent Hérat en 1995 et chassèrent des écoles des milliers de jeunes filles. En fait, avec l'ISI pakistanais, les États-Unis considéraient la chute de Hérat comme une aubaine pour Unocal et comme une défaite pour l'Iran. Washington espérait utiliser les taliban pour paralyser l'Iran, mais c'était une vision à court terme : cela revenait à opposer l'Iran au Pakistan, les sunnites aux chiites, les Pachtounes aux non-Pachtunes. « Quels que soient les mérites de la politique d'isolement de l'Iran dans la lutte contre le terrorisme, cela nuit aux États-Unis en Afghanistan », écrivit Barnett Rubin. L'Iran, qui voyait déjà partout des complots de la CIA, voulut à tout prix prouver que celle-ci soutenait les taliban et renforça son soutien à l'alliance antitaliban. « La politique américain nous oblige à rejoindre la Russie et l'alliance antitaliban contre le Pakistan, l'Arabie Saoudite et les taliban », déclara un diplomate iranien.

Quelques diplomates américains, troublés par les hésitations de Washington vis-à-vis de l'Afghanistan, ont reconnu qu'il n'y avait aucune cohérence dans la politique de leur pays, sinon pour satisfaire les désirs du Pakistan et de l'Arabie saoudite. Dans un document confidentiel, rédigé en 1996 juste avant la prise de Kaboul, dont j'ai pu lire certains passages, les analystes du ministère américain des Affaires étrangères considéraient que, en cas d'expansion des taliban, la Russie, l'Inde et l'Iran soutiendraient l'alliance antitaliban et que la guerre continuerait ; que les États-Unis seraient partagés entre la volonté de soutenir leur vieil allié pakistanais et leur désir d'améliorer leurs relations avec l'Inde et la Russie. Dans une telle situation, les États-Unis ne pouvaient espérer avoir une politique cohérente envers l'Afghanistan. L'année des élections, cela ne s'imposait guère, par ailleurs.

Il y avait un autre problème. À Washington, presque personne ne s'intéressait à l'Afghanistan. Robin Raphel, assistante du Secrétaire d'État pour l'Asie du Sud, principale responsable de la politique afghane de Washington à cette époque, reconnut en privé que ses initiatives n'intéressaient pas grand monde au sommet de la hiérarchie. Le secrétaire d'État Warren Christopher ne mentionna pas une seule fois l'Afghanistan durant tout son mandat. Quand Robin Raphel lança l'idée d'un embargo international sur les armes appliqué en Afghanistan grâce au Conseil de sécurité de l'ONU, la Maison-Blanche ne montra guère d'enthousiasme. En mai 1996, elle parvint à imposer un débat sur l'Afghanistan au conseil de sécurité de l'ONU, le premier en six ans. Puis, en juin, le sénateur Hank Brown présida un congrès de trois jours entre les leaders des factions afghanes et les législateurs américains, avec l'aide financière d'Unocal.

Robin Raphel était consciente des dangers émanant de l'Afghanistan. En mai 1996, elle avertit le Sénat : « L'Afghanistan est devenu une plate-forme de la drogue, du crime et du terrorisme qui menace le Pakistan, les États voisins d'Asie centrale et pourrait avoir un impact sur l'Europe et la Russie. » Selon elle, les camps de formation extrémistes en Afghanistan exportaient le terrorisme. Mais sa persévérance ne déboucha sur aucune diplomatie cohérente, faute d'un engagement réel des États-Unis dans cette zone.

Quand les taliban prirent Kaboul en septembre 1996, la CIA, à nouveau encouragée par les analyses de l'ISI, considéra qu'une conquête du pays par les taliban était désormais possible et que le projet Unocal pourrait prendre forme. Les États-Unis gardaient le silence sur la politique sexiste des taliban et sur l'escalade des combats ; en novembre, Robin Raphel poussa tous les États à ne pas isoler les taliban. « Ils contrôlent plus des deux tiers du pays, ils sont Afghans, ils ont autochtones, ils ont résisté à l'épreuve du temps. Leur succès tient à ce que beaucoup d'Afghans, de Pachtounes en particulier, sont prêts à tolérer des combats perpétuels en échange de leur sécurité, même avec de sévères restrictions sociales. Il n'est pas dans les intérêts de l'Afghanistan ni de personne ici que les taliban soient isolés. »

Plusieurs commentateurs remarquèrent l'incohérence de la politique américaine à cette époque. « Les États-Unis, qui parlent beaucoup de violation des droits de l'homme, n'ont aucune politique claire à l'égard du pays et n'ont pris aucune position publique franche et forte contre l'ingérence en Afghanistan de ses amis et ex-alliés, le Pakistan et l'Arabie saoudite, dont l'aide (financière et autre) a aidé les taliban à conquérir Kaboul. »

Les États-Unis et Unocal voulaient croire à la victoire des taliban et suivaient en cela l'analyse pakistanaise. Les plus naïfs espéraient que les taliban imiteraient les relations américano-saoudiennes des années 1920. « Les taliban évolueront probablement comme les Saoudiens. Il y aura Aramco, des pipelines, un émir, aucun parlement et beaucoup de charia. Cela nous convient », déclara un diplomate américain. Étant donné leurs soupçons, il n'est pas étonnant que l'alliance antitaliban, l'Iran et la Russie aient considéré le projet Unocal comme une manœuvre de la CIA et comme la clé du soutien américain aux taliban. Les liens d'Unocal avec le gouvernement américain firent l'objet de toutes sortes d'hypothèses. Le commentateur Richard Mackenzie écrivit qu'Unocal était régulièrement conseillée par la CIA et l'ISI.

Unocal n'a ni admis ni nié avoir reçu le soutien du ministère des Affaires étrangères, comme toute compagnie américaine en pays étranger, mais a démenti tout lien avec la CIA. « Puisque Unocal était la seule entreprise américaine participant au consortium CentGas, le soutien du ministère à ce projet est devenu, de fait, un soutien en faveur de CentGas et d'Unocal. En même temps, la politique de neutralité adoptée par Unocal était bien connue du gouvernement américain », m'a affirmé John Imle. L'échec d'Unocal tient à ce qu'il a été impossible de développer des relations avec les factions afghanes, indépendantes des États-Unis et du Pakistan.

Il y avait un problème plus grave. Jusqu'en juillet 1997, moment où Strobe Talbott fit son discours à Washington, les États-Unis n'eurent aucun plan stratégique d'accès à l'énergie d'Asie centrale. Les compagnies pétrolières américaines ne savaient que faire, mais savaient ce qu'elles n'avaient pas le droit de faire, puisqu'il leur était interdit de construire des pipelines à travers l'Iran et la Russie. Quand Washington finit par exposer sa politique de « couloir de transport » de la Caspienne à la Turquie, les compagnies se montrèrent réticentes, étant donné les coûts et la turbulence de la région à traverser. Le point essentiel que les États-Unis refusaient d'aborder était le processus de paix. Tant que les guerres civiles n'auraient pas pris fin dans cette zone (Afghanistan, Tadjikistan, Géorgie, Tchétchénie, Nagorny-Karabach, question kurde), tant qu'il n'existerait pas un large consensus avec l'Iran et la Russie, les pipelines ne seraient ni sûrs ni commercialement viables, puisque l'Iran et la Russie pouvaient entraver chaque étape de la construction.

Il était dans les intérêts de l'Iran et de la Russie d'entretenir l'instabilité de la région en armant l'alliance antitaliban, pour garantir l'échec de tout projet de pipeline américain. Encore aujourd'hui, les États-Unis ne savent pas s'il faut sauver l'économie de l'Asie centrale en permettant les exportations d'énergie ou en maintenant l'isolement de l'Iran et de la Russie en matière de pipelines.

Une question simple attendait les États-Unis et Unocal en Afghanistan. Valait-il mieux se fier au Pakistan et à l'Arabie saoudite pour obtenir un consensus afghan temporaire, à l'ancienne, grâce à la reconquête du pays par les taliban ? Ou était-il préférable de s'engager dans le processus de paix en réunissant les factions et les groupes ethniques pour former un gouvernement sur une base large, garantissant une stabilité durable ? La politique floue de Washington consistait à soutenir un gouvernement multiethnique à Kaboul, mais les États-Unis ont cru aux taliban pendant un certain temps ; lorsqu'ils ont changé d'avis, ils n'ont pas voulu refréner les ardeurs du Pakistan et de l'Arabie saoudite.

La CIA n'avait aucun budget pour fournir des armes et des munitions aux taliban, Unocal ne convoyait aucune assistance militaire aux taliban, mais les États-Unis soutenaient bien les taliban par le biais de leurs alliés traditionnels. « Les États-Unis ont accepté de soutenir les taliban à cause de nos liens avec les gouvernements pakistanais et saoudiens. Mais ce n'est plus vrai aujourd'hui, et nous leur avons dit de manière catégorique que nous exigions un règlement de la situation », déclara en 1998 le plus haut diplomate américain chargé de l'Afghanistan. À Washington, il s'agissait moins de politique cachée que d'absence totale de politique. Une politique cachée suppose des préparatifs, des fonds et des décisions, mais il n'y avait rien de tel au plus haut niveau.

Fin 1997, Washington changea d'avis sur les taliban à cause de la crise économique et politique du Pakistan. Les responsables américains se mirent à exprimer leurs craintes quant à la menace (drogue, terrorisme, fondamentalisme) posée par les taliban pour leur vieil allié si fragile. Les États-Unis avertirent le Pakistan des dangers qu'il courait, mais l'ISI refusa d'exiger des taliban plus de souplesse sur la question féminine et en matière de politique.

La première expression publique du revirement américain vint de la secrétaire d'État Madeleine Albright lorsqu'elle se rendit à Islamabad en novembre 1997. Sur les marches du ministère pakistanais des Affaires étrangères, elle déclara les taliban « méprisables » pour leur politique sexiste. À l'intérieur du bâtiment, elle mit en garde les Pakistanais quant à leur isolement croissant en Asie centrale, qui affaiblissait l'influence américaine dans la région. Mais le régime de Sharif restait traversé d'ambitions contradictoires : devenir le point de passage de l'énergie, obtenir la paix en Afghanistan, mais en insistant sur une victoire des taliban. Le Pakistan ne pouvait obtenir à la fois la victoire des taliban, l'accès à l'Asie centrale, l'amitié de l'Iran et la fin du terrorisme à la Ben Laden. C'était s'aveugler sur la réalité.

Le changement de politique américaine vint aussi des bouleversements survenus à Washington. Le terne Warren Christopher fut remplacé au début de 1997 par Madeleine Albright. Son passé d'immigrée originaire d'Europe centrale la poussait à faire figurer les droits de l'homme en tête de ses priorités. Une nouvelle équipe de diplomates américains se mit à négocier avec l'Afghanistan, à Washington comme à Islamabad, et le nouvel assistant pour l'Asie du Sud, Karl Inderfurth, connaissait l'Afghanistan pour y avoir travaillé en tant que journaliste ; il était beaucoup plus proche de Madeleine Albright que Robin Raphel ne l'était de Warren Christopher.

Les critiques formulées par Madeleine Albright, en privé envers le Pakistan et en public envers les taliban, furent suivies en avril 1998 par la visite à Islamabad et à Kaboul de l'ambassadeur américain auprès de l'ONU, Bill Richardson. Mais, comme le Pakistan n'exerçait aucune pression réelle sur les taliban, sauf pour leur conseiller de recevoir dignement Richardson, ce voyage ne fut guère plus qu'un exercice de relations publiques. Les accords de Richardson avec les taliban furent dénoncés quelques heures plus tard par le mollah Omar. Le seul résultat positif de cette visite fut de convaincre l'Iran que les États-Unis voyaient maintenant Téhéran comme un partenaire dans les futurs pourparlers de paix, réduisant ainsi les tensions américano-iraniennes autour de l'Afghanistan.

Comme en 1996, les États-Unis donnèrent l'impression de risquer un orteil dans le bourbier afghan, mais ils ne voulaient aucune responsabilité réelle. Ils souhaitaient éviter de prendre parti ou de s'impliquer dans les complications du processus de paix. Les Pakistanais comprirent cette faiblesse et tentèrent de nier la pression américaine. En visite à Tokyo, le ministre des Affaires étrangères, Gohar Ayub, attaqua vertement les États-Unis, juste avant l'arrivée de Richardson. « Les Américains envisagent de placer des pantins ici [à Kaboul]. Ces gens hantent le Pakistan d'une réception à l'autre, ils ne font pas grande impression mais ils n'ont aucun soutien en Afghanistan. »

Les tensions américaines avec le Pakistan s'accrurent après l'attaque de Ben Laden contre les ambassades en Afrique en août 1998. C'est l'ISI qui avait présenté Ben Laden aux taliban en 1996, mais qui refusait à présent de le livrer aux Américains, malgré les contacts maintenus avec lui. Le ton se durcit. « Il semble y avoir un lien dangereux entre la politique pakistanaise et les troubles en Afghanistan. Avec l'émergence des taliban, il y a de plus en plus de raisons de craindre que l'extrémisme militant, l'obscurantisme et le sectarisme n'infectent les pays voisins. Aucun de ces pays n'a plus à perdre que le Pakistan si la "talibanisation" se répand », affirma le vice-secrétaire d'État Strobe Talbott en janvier 1999.

Mais les Américains n'étaient pas prêts à critiquer publiquement le soutien apporté ouvertement aux taliban par les Saoudiens, même si, en privé, ils incitaient l'Arabie saoudite à user de son influence pour leur livrer Ben Laden. Même le Congrès relevait à présent les contradictions de la politique américaine. « Je me demande si cette administration a placé les taliban à la tête d'un pays et a permis à ce mouvement brutal de conserver le pouvoir », dit le député Dana Rohrabacher en avril 1999. « Les États-Unis ont une relation étroite avec l'Arabie saoudite et le Pakistan mais malheureusement, au lieu de les diriger, nous les laissons diriger notre politique. » Pour le Pakistan, le problème était que Washington avait diabolisé Ben Laden à tel point qu'il était devenu un héros pour de nombreux musulmans, surtout au Pakistan. La politique américaine se bornait à vouloir débusquer Ben Laden au lieu d'aborder le problème plus vaste du terrorisme afghan et du processus de paix. Apparemment, Washington avait une politique Ben Laden et non une politique afghane. Après avoir soutenu les taliban, les États-Unis les rejetaient désormais complètement.

Ce rejet des taliban tenait en grande partie à la pression des féministes américaines. Les militantes afghanes telles que Zieba Shorish-Shamley avaient persuadé le groupe Feminist Majority de lancer une pétition de soutien aux femmes afghanes, pour obliger Clinton à durcir sa position contre les taliban. La pétition fut signée par 300 groupes féminins, syndicats et organismes de défense des droits de l'homme. La campagne reçut un énorme coup de pouce lorsque Mavis Leno, l'épouse du comique Jay Leno, promit une aide de 100 000 dollars. « Les États-Unis sont en partie responsables de conditions de vie des femmes en Afghanistan. Depuis des années, notre pays fournit des armes aux moudjahidin pour combattre les Soviets », déclara Mavis Leno en mars 1998.

Avec cette aide, Feminist Majority organisa une grande fête après la cérémonie des Oscars 1999, en l'honneur des femmes afghanes. « La guerre que les taliban ont déclarée aux femmes est devenue la dernière cause célèbre à Hollywood. Le Tibet est passé de mode, maintenant c'est l'Afghanistan qu'il faut soutenir », pouvait-on lire dans le *Washington Post*. Vedette d'une société dominée par le culte des célébrités, Mavis Leno et ses opinions eurent une immense influence. Hillary Clinton, désireuse de s'assurer le soutien des féministes pour sa carrière politique à venir, accumula les déclarations contre les taliban. « Quand les femmes sont battues sauvagement par une prétendue police religieuse parce qu'elles ne sont pas complètement voilées ou parce qu'elles font du bruit en marchant, nous savons qu'il ne s'agit pas seulement de violence physique. Il s'agit de détruire l'esprit de ces femmes », affirma Mrs. Clinton dans un discours en 1999. La politique américaine avait parcouru tout le spectre, de l'acceptation inconditionnelle des taliban au rejet inconditionnel.

Chapitre 14
MAÎTRE OU VICTIME : LA GUERRE AFGHANE
DU PAKISTAN

Dans les derniers jours de juin 1998, le chaos régnait dans les ministères pakistanais des Finances et des Affaires étrangères. Les hauts fonctionnaires couraient d'un service à l'autre et jusqu'au secrétariat du Premier ministre, munis de dossiers qui devaient être signés par les différents ministres. Quelques jours plus tard, le 30 juin, l'année budgétaire 1997-1998 prenait fin et le nouvel exercice commençait. Chaque ministère tâchait d'utiliser ses fonds afin d'obtenir une subvention plus importante pour l'année suivante. Quelques semaines auparavant (le 28 mai), le Pakistan avait testé six engins nucléaires, à la suite des essais menés en Inde, et l'Occident avait appliqué des sanctions punitives aux deux pays, créant une crise monétaire majeure au Pakistan et aggravant la récession qui affectait son économie depuis 1996.

Néanmoins, le 28 juin, le ministère des Finances octroya 300 millions de roupies (6 millions de dollars) en salaires, pour l'administration taliban à Kaboul. Cette somme permettrait au ministère des Affaires étrangères de consacrer 50 millions de roupies à payer les dirigeants afghans, pendant chacun des six prochains mois. Le ministère des Affaires étrangères devait dissimuler cet argent dans son propre budget et celui d'autres ministères pour qu'il n'apparaisse pas dans les comptes 1998-1999 et échappe ainsi aux yeux curieux des donateurs internationaux, qui exigeaient d'importantes réductions des dépenses du gouvernement, afin de sauver l'économie frappée par la crise.

En 1997-1998, le Pakistan fournit vraisemblablement aux taliban une aide de 30 millions de dollars. Cela incluait 600 000 tonnes de blé, du pétrole et du kérosène, en partie payés par l'Arabie saoudite, des armes, des munitions, des bombes, des pièces détachées pour leur équipement militaire datant de l'ère soviétique (chars d'assaut et artillerie lourde), la réparation et la maintenance des aéroports et des forces aériennes des taliban, la construction de routes, l'approvisionnement électrique de Kandahar, et le versement de salaires. Le Pakistan a également facilité l'achat d'armes et de munitions à l'Ukraine et à l'Europe de l'Est. L'argent remis pour les salaires fut rarement utilisé dans ce but et contribua directement à l'effort de guerre. Les fonctionnaires taliban de Kaboul ne furent pas payés pendant plusieurs mois. Officiellement, le Pakistan niait soutenir les taliban.

Cette aide massive était un héritage du passé. Durant les années 1980, l'ISI (les services de renseignement) avait fait parvenir aux moudjahidin les milliards de dollars versés par l'Occident et les États arabes. Avec l'encouragement et l'appui technique de la CIA, cet argent avait aussi été utilisé pour favoriser l'énorme expansion de l'ISI. Des centaines d'officiers furent impliqués non seulement en Afghanistan, mais aussi en Inde et dans tous les services secrets pakistanais à l'étranger, ainsi que dans tous les aspects de la vie politique, économique, sociale et culturelle.

La CIA offrit la technologie la plus moderne, dont un équipement permettant à l'ISI de surveiller tous les appels téléphoniques du pays. L'ISI devint l'œil et l'oreille du régime militaire du président Zia ; en 1989, l'Inter-Services Intelligence était la plus puissante des structures politiques pakistanaises, notamment en matière de politique étrangère, et il bafoua à plusieurs reprises les gouvernements civils successifs et le Parlement dans les zones qu'il jugeait critique pour la sécurité du pays, principalement l'Inde et l'Afghanistan.

Durant les années 1990, l'ISI tenta de maintenir son emprise exclusive sur la politique afghane du Pakistan. Pourtant, la fin de la guerre froide priva l'ISI de financement ; du fait de la grave crise économique pakistanaise, son budget secret subit des coupes drastiques. Plus important, les ressources de l'ISI étaient désormais consacrées à une autre guerre d'usure, dont l'enjeu étaient le cœur et l'esprit des habitants du Cachemire qui s'étaient soulevés contre l'Inde en 1989.

Durant le second mandat de la Première ministre Benazir Bhutto (1993-1996), le général Nasirullah Baabar, ex-ministre de l'Intérieur, prit position en faveur des taliban. Il voulait reprendre à l'ISI la politique afghane. Benazir Bhutto et Baabar se méfiaient du pouvoir et des ressources de l'ISI, utilisés pour entretenir le mécontentement à l'encontre de la ministre durant son premier mandat, ce qui avait abouti à son départ en 1990. Par ailleurs, l'ISI n'était pas sûr du potentiel des taliban puisqu'il soutenait encore Gulbuddin Hekmatyar et n'avait guère de fonds pour favoriser le mouvement des étudiants afghans. Baabar voulait apporter un soutien « civil » aux taliban. Il créa une Cellule de développement du commerce afghan, qui avait officiellement pour mission de coordonner les efforts visant à faciliter les échanges avec l'Asie centrale ; sa tâche principale était en fait d'apporter un appui logistique aux taliban, non pas grâce à des fonds secrets, mais avec le budget des ministères.

Baabar ordonna aux Télécommunications pakistanaises d'installer un réseau téléphonique pour les taliban, qui s'intégra au réseau pakistanais. On pouvait joindre Kandahar de n'importe quel point du Pakistan au tarif national en utilisant le préfixe 081, le même que celui de Quetta. Les ingénieurs du ministère des Travaux publics, des Eaux et de l'Électricité remettaient les routes en état et approvisionnaient en électricité la ville de Kandahar. Une Unité frontalière paramilitaire, placée directement sous le contrôle de Baabar, aida les taliban à créer un réseau radio interne pour leur commandement. Pakistan International Airlines (PIA) et la Direction de l'aviation civile envoyèrent leurs techniciens réparer l'aéroport de Kandahar ainsi que les jets et les hélicoptères capturés par les taliban. Radio Pakistan offrit un soutien technique à Radio Afghanistan, rebaptisée Radio Charia.

Après la prise de Hérat par les taliban en 1995, les efforts pakistanais s'intensifièrent. En janvier 1996, le directeur général de la Cellule de développement du commerce afghan se rendit de Quetta au Turkménistan, accompagné par des responsables de la Direction de l'Aviation civile, de Pakistan Telecom, de PIA, de Pakistan Railways, de Radio Pakistan et de la Banque nationale du Pakistan. Ministères et organismes gouvernementaux mirent sur pied de nouveaux projets pour aider les taliban, avec les budgets qui auraient dû aider l'économie pakistanaise.

Malgré ces efforts, les taliban, qui n'étaient pas des marionnettes, résistèrent à toute tentative de manipulation par Islamabad. Au cours de l'histoire, aucun étranger n'a jamais réussi manipuler les Afghans, comme les Anglais et les Soviétiques l'ont appris à leurs dépens. Le Pakistan n'avait apparemment pas su tirer les leçons de l'histoire et vivait encore à l'époque où les fonds de la CIA et de l'Arabie saoudite avaient donné au Pakistan les moyens de dominer le cours du djihad. En outre, les taliban entretenaient d'innombrables liens sociaux, économiques et politiques aux frontières pachtounes du Pakistan, forgés durant vingt années de guerre et de vie dans les camps de réfugiés pakistanais. Les taliban étaient nés dans ces camps, avaient été instruits dans les madrasas pakistanaises et avaient appris à combattre grâce aux moudjahidin basés au Pakistan. Leurs familles avaient des papiers d'identité pakistanais.

Les relations profondes des taliban avec les institutions pakistanaises, les partis politiques, les groupes islamiques, le réseau des madrasas, la mafia de la drogue et les milieux des affaires se nouèrent à une période où la structure du pouvoir du Pakistan se disloquait. Cela convenait aux taliban, qui refusaient d'être liés à un unique lobby pakistanais, tel que l'ISI. Alors que, dans les années 1980, les leaders moudjahidin avaient entretenu des relations exclusives avec l'ISI et le Jamaat e-Islami, ils n'avaient aucun lien avec les autres structures économiques ou politiques. Pourtant, les taliban avaient plus facilement accès que la plupart des Pakistanais aux sphères influentes du Pakistan.

Cela permit aux taliban de renvoyer les lobbies dos à dos et d'étendre encore davantage leur influence au Pakistan. Ils narguaient parfois l'ISI en obtenant l'aide des ministres ou de la mafia des transports. Parfois, ils défiaient le gouvernement fédéral en obtenant le soutien des autorités provinciales au Béloutchistan et dans la NWFP. Quand le mouvement taliban se développa, il devint presque impossible de savoir qui dirigeait qui. Le Pakistan n'était plus le maître des taliban, mais leur victime.

Les revendications territoriales de l'Afghanistan sur certaines parties de la NWFP et du Béloutchistan furent à l'origine d'affrontements frontaliers dans les années 1950 et 1960. L'Afghanistan exigeait que les tribus pachtounes du Pakistan puissent choisir l'indépendance ou s'établir dans l'un des deux pays. Les relations diplomatiques furent rompues par deux fois, en 1955 et en 1962, quand Kaboul rêvait d'un « Grand Pakistan », soutenu par la gauche pachtoune du Pakistan. Le régime de Zia voyait le djihad afghan comme un moyen de mettre définitivement fin à ces prétentions, en garantissant l'arrivée au pouvoir à Kaboul d'un gouvernement moudjahidin pachtoune propakistanais.

Les stratèges militaires affirmaient que cela offrirait au Pakistan une « profondeur stratégique » contre son grand ennemi, l'Inde. La forme tout en longueur du pays, le manque d'espace et d'arrière-pays empêchait les forces armées de mener une guerre prolongée avec l'Inde. Dans les années 1990, l'Afghanistan ami pouvait donner aux militants du Cachemire une base où trouver formation, fonds et équipement.

En 1992-1993, lorsque les militants kahsmiri avaient mené des attaques de guérilla au Cachemire indien, les États-Unis avaient failli, sous la pression de l'Inde, dénoncer le Pakistan comme protecteur du terrorisme. Le Pakistan tenta de résoudre ce problème en 1993, en déplaçant plusieurs bases des groupes kashmiri vers l'est et en payant la *shura* de Djalalabad, puis les taliban, pour qu'ils les prennent sous leur protection. Le gouvernement privatisa son soutien aux moudjahidin du Cachemire en rendant les partis islamiques responsables de leur formation et de leur financement. Ben Laden fut encouragé à rejoindre les taliban en 1996, puisqu'il subventionnait lui aussi les bases des militants kashmiri à Khost.

De plus en plus, la question du Cachemire devint la motivation essentielle de la politique afghane du Pakistan et de son soutien aux taliban. Profitant habilement de la situation, ceux-ci refusèrent les autres exigences pakistanaises, sachant qu'Islamabad ne pouvait rien leur refuser, tant qu'ils fournissaient des bases aux militants kashmiri et pakistanais. « Nous soutenons le djihad au Cachemire, déclara le mollah Omar en 1998. Il est également vrai que certains Afghans luttent contre les forces d'occupation indiennes au Cachemire. Mais ces Afghans y sont allés de leur propre chef »

Pour beaucoup, le concept de « profondeur stratégique » était erroné dans la mesure où il ne tenait pas compte de réalités évidentes : la stabilité politique, le développement économique, l'alphabétisation et les relations amicales entre voisins garantissaient la sécurité nationale bien mieux que les mirages de la profondeur stratégique des montagnes afghanes. « Atteindre la profondeur stratégique est le principal objectif de la politique afghane du Pakistan depuis le général Zia ul-Haq. Dans la pensée militaire, c'est un non-concept, à moins que l'on ne fasse référence à un lieu difficile d'accès où une armée vaincue peut panser ses plaies, a écrit le chercheur pakistanais Eqbal Ahmad. Le résultat est un pays pris dans un carcan de fausses suppositions, de concepts maginotiques [sic], de politiques vaines, d'attitudes rigides et de violence sectaire. Loin d'améliorer la situation politique et stratégique du Pakistan, une victoire des taliban l'aggraverait. »

Les militaires supposaient que les taliban reconnaîtrait la ligne Durand, cette frontière disputée qu'avaient créé les Britanniques et qu'aucun régime afghan n'a jamais reconnue. Ils supposaient également que les taliban contrôleraient le nationalisme pachtoune dans la NWFP et offriraient un débouché aux radicaux, évitant ainsi un mouvement islamique au Pakistan. En fait, c'est exactement le contraire qui se produisit. Les taliban refusèrent de reconnaître la ligne Durand ou de renoncer aux prétentions afghanes sur une partie de la NWFP. Les taliban encouragèrent le nationalisme pachtoune, dont l'islamisme commença à affecter les Pachtounes pakistanais.

Pis encore, les taliban accueillirent et armèrent les groupes sunnites les plus violents, qui tuaient les chiites pakistanais, voulaient que le Pakistan soit déclaré État sunnite et cherchaient à renverser l'élite dirigeante par une révolution islamique. « Le vainqueur apparent, le Pakistan, paierait chèrement son succès. Le triomphe des taliban a pratiquement supprimé la frontière avec l'Afghanistan. Des deux côtés, les tribus pachtounes dérivent vers le fondamentalisme et sont de plus en plus impliquées dans le trafic de drogue. Elles acquièrent de plus en plus d'autonomie, et de petits émirats tribaux apparaissent en terrain pakistanais. L'absorption de l'Afghanistan accentuera les tendances centrifuges à l'intérieur du Pakistan » avait prédit Olivier Roy en 1997. En fait, les remous pakistanais entraînaient une « talibanisation » du pays. Les taliban n'offraient aucune profondeur stratégique au Pakistan ; c'est l'inverse qui était vrai.

Le Pakistan devint la victime non de sa vision stratégique, mais de ses propres services secrets. L'ISI n'avait pu gérer dans le détail le djihad afghan que grâce au régime militaire et aux importants financements étrangers qui lui permettaient de museler l'opposition politique. Zia et l'ISI avaient le pouvoir de modeler la politique afghane, chose que n'aurait pu faire aucun autre service secret, même la CIA. C'est ce qui rendait possible l'extrême cohérence des objectifs de l'ISI et l'ampleur de ses opérations. À cette époque, il n'y avait aucun groupe de pression puissant et indépendant, aucun rival politique qui puisse le gêner, alors qu'à l'époque des taliban, il avait dû faire face à toute une série de lobbies pakistanais qui soutenaient de leur côté les taliban et poursuivaient leurs propres objectifs.

La politique et l'action afghanes de l'ISI bannissaient toute remise en question, toute contestation, mais aussi l'imagination ou la souplesse nécessaires pour s'adapter à une situation et à un environnement géopolitique qui évoluaient constamment. L'ISI fut finalement victime de sa propre rigidité, alors que diminuait son pouvoir sur les taliban. Ses agents en Afghanistan étaient tous des officiers pachtounes, dont beaucoup étaient aussi motivés par une vive sympathie pour le fondamentalisme islamique. En collaborant étroitement avec Hekmatyar puis avec les taliban, ces cadres pachtounes découvrirent leurs propres ambitions, aux dépens des minorités ethniques et de l'islam modéré.

Selon un officier de l'ISI en retraite, « ces officiers sont devenus plus taliban que les taliban ». Par conséquent, leur analyse de l'alliance antitaliban et de la politique des pipelines était erronée, rigide, chargée de clichés et d'hypothèses fausses, dictée par les présupposés de leur idéologie islamique davantage que par les faits. L'ISI était devenu trop puissant pour que le gouvernement le remette en cause et trop envahissant pour qu'un responsable ou un groupe militaire l'écarte.

Face à l'émergence des taliban, l'ISI fut d'abord sceptique. Les services étaient sur la défensive après l'échec d'Hekmatyar à prendre Kaboul, et les fonds se faisaient rares. Cela donna l'occasion au gouvernement Bhutto de proposer son appui aux taliban. En 1995, l'ISI continua à se demander s'il fallait les soutenir. Au centre du débat, se trouvaient les officiers pachtounes islamiques qui opéraient en Afghanistan et demandaient que soit renforcé le soutien aux taliban, et des officiers impliqués dans la définition d'une stratégie à long terme, qui souhaitaient limiter la participation du Pakistan afin de ne pas endommager ses relations avec l'Asie centrale et l'Iran. À l'été 1995, le réseau pachtoune présent au sein de l'armée et l'ISI décidèrent de soutenir les taliban, d'autant que le présent Burhanuddin Rabbani cherchait l'appui des rivaux du Pakistan (Russie, Iran et Inde).

Mais l'ISI devait à présent affronter tous les autres lobbies pakistanais avec lesquels les taliban étaient en relations, des mollahs radicaux aux barons de la drogue. La concurrence farouche entre l'ISI, le gouvernement et ces lobbies ne fit qu'aggraver la fragmentation du centre de décision de la politique afghane à Islamabad. Le ministère des Affaires étrangères pakistanais était si affaibli qu'il n'avait pratiquement plus aucun rôle dans la politique afghane et qu'il ne pouvait s'opposer à la dégradation de l'environnement diplomatique, tandis que tous ses voisins (Russie, Iran, États d'Asie centrale) accusaient Islamabad de déstabiliser la région. Les voyages secrets des chefs successifs de l'ISI à Moscou, à Téhéran, à Tachkent et à Achkhabad ne purent enrayer ce mouvement.

Tandis que la critique internationale devenait plus vive, le gouvernement récemment élu de Nawaz Sharif et l'ISI renforcèrent leur soutien aux taliban. En mai 1997, quand les taliban voulurent prendre Mazar, l'ISI calcula qu'en reconnaissant le gouvernement des taliban, il forcerait ses voisins hostiles à négocier avec eux ; ils auraient dès lors besoin d'Islamabad pour améliorer leurs relations avec les taliban. Ce pari risqué échoua lamentablement quand le Pakistan reconnut prématurément les taliban, qui furent chassés de Mazar.

Le Pakistan réagit en se retournant contre ses critiques, dont l'ONU qui dénonçait à présent ouvertement tout soutien extérieur apporté aux factions afghanes. Le Pakistan accusa le secrétaire général des Nations unies, Kofi Annan, de parti pris. « L'ONU s'est peu à peu marginalisée en Afghanistan et a perdu toute crédibilité en tant que médiateur impartial », déclara en janvier 1998 Ahmad Kamal, ambassadeur du Pakistan auprès des Nations unies. Kamal déclara par la suite, devant les envoyés pakistanais, que ce n'était pas le Pakistan qui était isolé en Afghanistan, mais le reste du monde qui était isolé du Pakistan et qu'il faudrait bien accepter la position du Pakistan vis-à-vis des taliban.

En défendant la politique des taliban contre la critique internationale, le gouvernement pakistanais perdit de vue tout ce que le pays perdait. La contrebande avec l'Afghanistan devint la manifestation la plus radicale de ces pertes. Ce trafic, qui s'étend à présent en Asie centrale, en Iran et dans le Golfe persique entraîne une grave perte de revenus pour tous les pays concernés, mais particulièrement pour le Pakistan, où il a décimé l'industrie locale. Ce qu'on appelle par euphémisme l'*Afghan Transit Trade*, L'ATT, les activités de transit afghanes, est devenu le plus grand réseau de commerce illégal au monde, rassemblant taliban et contrebandiers, barons de la drogue, bureaucrates, politiciens, et enfin l'armée pakistanais. Ce trafic est devenu la principale source de revenus officielle des taliban, tout en sapant l'économie des États voisins.

Le poste frontière qui sépare Chaman, dans la province du Béloutchistan, et Spin, en Afghanistan, est un point d'observation privilégié de cette activité. Les bons jours, près de 300 camions y passent. Les camionneurs, les douaniers pakistanais et les taliban fraternisent en sirotant d'innombrables tasses de thé, tandis que de longues files de camions attendent de pouvoir passer. Tout le monde semble connaître tout le monde, les chauffeurs racontent des histoires propres à horripiler l'OMC. La plupart des énormes camions Mercedes et Bedford sont volés et portent de fausses plaques. Les marchandises n'ont aucune provenance attestée. Les camionneurs franchissent jusqu'à six frontières avec de faux permis de conduire et sans passeports. Leur chargement va du caméscope japonais à la lingerie et au thé anglais, en passant par la soie chinoise, les composants électroniques américains, l'héroïne afghane, le blé et le sucre pakistanais, les kalachnikovs venus d'Europe de l'Est et le pétrole iranien ; et personne ne paie de droits de douane.

Ce Far West du libre échange s'est développé grâce à la guerre civile en Afghanistan, au trafic de drogue, à l'écroulement et à la corruption des institutions pakistanaises, iraniennes et d'Asie centrale, tout au long des frontières avec l'Afghanistan. Il coïncide avec la soif de biens de consommation qui touche toute la région. Pakistanais et Afghans, mafias des transports et de la drogue travaillent de concert à entretenir ces besoins. « Cela échappe totalement à notre autorité, me confiait un responsable du fisc pakistanais dès 1995. Les transporteurs paient les taliban pour qu'ils ouvrent les routes à la contrebande, et cette mafia fait et défait désormais les gouvernements en Afghanistan et au Pakistan. Le Pakistan verra ses revenus baisser de 30 % cette année, à cause de la perte des droits de dûe à l'ATT. »

Le commerce a toujours été une activité essentielle dans cette région. La Route de la soie qui, au Moyen Âge, reliait la Chine à l'Europe passait par l'Asie centrale et l'Afghanistan ; les tribus nomades qui la tenait sont les camionneurs d'aujourd'hui. La Route de la soie a eu pour l'Europe un rôle presque aussi important que les conquêtes arabes, car ces caravanes ne transportaient pas simplement des produits de luxe, mais aussi des idées, une religion, des armes et des découvertes scientifiques. Une caravane pouvait compter jusqu'à cinq ou six cents chameaux, « sa capacité totale était équivalent à celle d'un grand navire marchand. Une caravane se déplaçait comme une armée, avec un chef, un personnel, des règles strictes, des étapes obligatoires, et des précautions contre les maraudeurs », écrivit Fernand Braudel. Peu de choses ont changé depuis deux mille ans ou presque. Les contrebandiers d'aujourd'hui opèrent avec un infrastructure similaire, de type militaire, même si les camions ont remplacé les chameaux.

En 1950, dans le cadre d'accords internationaux, le Pakistan avait donné à l'Afghanistan la permission d'importer des produits exempts de taxes douanières par le port de Karachi. Avec leurs véhicules scellés, les camionneurs traversaient l'Afghanistan, vendaient une partie de la marchandise à Kaboul puis revenaient vendre le reste sur les marchés pakistanais. Ce commerce florissant mais limité permettait aux Pakistanais d'avoir accès à des biens de consommation étrangers à bon marché, surtout les appareils électroniques japonais. L'ATT s'étendit dans les années 1980 pour desservir les villes communistes d'Afghanistan. La chute de Kaboul en 1992 coïncida avec l'ouverture de nouveaux marchés en Asie centrale et avec le retour des réfugiés afghans, entraînant de nouveaux besoins en alimentation, en carburant et en matériaux de construction, une aubaine pour la mafia des transports.

Cependant, les transporteurs furent frustrés par la guerre civile et par les factions qui prélevaient une taxe plusieurs dizaines de fois sur un seul trajet. Alors que la mafia des transports implantée à Peshawar commerçait entre le Pakistan, le nord de l'Afghanistan et l'Ouzbékistan, malgré la guerre autour de Kaboul, la mafia implantée à Quetta ne savait que faire face à la rapacité des guerriers de Kandahar, qui avaient installé d'innombrables péages sur la grande route du Pakistan. Cette mafia voulait ouvrir des routes sûres vers l'Iran et le Turkménistan, et le gouvernement Bhutto défendait une politique semblable.

Les dirigeants taliban étaient liés à la mafia de Quetta, la première à financer leur mouvement. Initialement, elle avait accordé une somme mensuelle aux taliban, mais quand ceux-ci gagnèrent l'Ouest, ils demandèrent plus de fonds. En avril 1995, les témoins auxquels j'ai parlé à Quetta disaient que les taliban avaient collecté 6 millions de roupies (130 000 dollars) en un seul jour à Chaman, et deux fois plus le lendemain à Quetta, alors qu'ils préparaient leur premier attaque contre Hérat. Ces « dons » s'ajoutaient aux droits de douane que les taliban faisaient désormais payer aux camions venus du Pakistan et qui assuraient leur principal source de revenus officiels.

Les routes étant redevenues sûres, le volume et l'étendue de la contre-bande connurent une croissance spectaculaire. De Quetta, des convois de camions partaient pour Kandahar, pour l'Iran au sud, pour le Turkménistan à l'ouest, et vers d'autres RAC ou même vers la Russie. La mafia des transports de Quetta incitait les taliban à prendre Hérat afin de contrôler la route du Turkménistan. L'ISI avait d'abord conseillé aux taliban de ne pas attaquer Hérat, mais la mafia de Quetta avait plus d'influence. En 1996, les transporteurs demandèrent aux taliban de dégager la route au nord, en prenant Kaboul. Après avoir pris la capitale, les taliban fixèrent leur prélèvement à environ 6 000 roupies (150 dollars) sur chaque camion allant de Peshawar à Kaboul, alors que la somme était auparavant de 30 000 à 50 000 roupies. La mafia des transports intéressa les taliban à ses affaires en les encourageant à acheter des camions. Et comme la mafia de la drogue était prête à payer un *zakat* pour transporter l'héroïne, le trafic devint encore plus essentiel pour les finances des taliban.

Le Pakistan fut la principale victime de ce commerce. Le Central Board of Revenue estimait que le Pakistan avait perdu 3,5 milliards de roupies (80 millions de dollars) durant l'année financière 1992-1993, 11 milliards de roupies en 1993-1994, 20 milliards de roupies en 1994-1995 et 30 milliards de roupies (600 millions de dollars) en 1997-1998, progression stupéfiante qui reflète l'expansion des taliban. L'ATT engendra au Pakistan un énorme réseau de corruption. Toutes les institutions pakistanaises touchaient des pots-de-vin : la douane, les services de renseignement de la douane, le Central Board of Revenue, la police des frontières et les administrateurs de la zone tribale. Les emplois de douanier à la frontière afghane, particulièrement lucratifs, étaient « achetés » par les demandeurs qui soudoyaient les fonctionnaires afin d'obtenir les postes. Les douaniers nouvellement nommés récupéraient ensuite cette mise de fonds initiale grâce aux pots-de-vin de l'ATT.

Ce réseau incluait les politiciens et les membres du cabinet au Béloutchistan et dans la NWFP. Les principaux ministres et gouverneurs des deux provinces délivraient des permis pour les camions et des autorisations d'exporter du blé et du sucre en Afghanistan. J'ai entendu des officiers se plaindre, en 1995 et en 1996 : la concurrence que se livraient les hauts fonctionnaires des deux provinces pour la délivrance des permis était une source de corruption majeure, qui paralysait toute la machine administrative, souvent à l'encontre de la politique afghane de l'ISI, avec pour conséquence un large « contrôle » des taliban sur les politiciens pakistanais.

Tandis que la mafia étendait son trafic, elle dépouillait l'Afghanistan.

Elle abattit des millions d'hectares d'arbres pour le marché pakistanais, laissant le pays dénudé en l'absence de toute reforestation. Elle dépouillait les usines en ruine, démontait les tanks, les véhicules et même les poteaux électriques et téléphoniques pour en récupérer l'acier et vendait la ferraille à Lahore. Le vol de voitures prospéra à Karachi et dans les autres villes lorsque la mafia dota les voleurs locaux d'une organisation efficace et se chargea d'envoyer les véhicules en Afghanistan. Ils étaient ensuite revendus à des clients afghans ou pakistanais. 65 000 véhicules furent volés à Karachi entre 1992 et 1998, la majorité finissant en Afghanistan, pour ne réapparaître au Pakistan avec de nouvelles plaques minéralogiques.

La mafia des transports introduisait aussi en contrebande des composants électroniques provenant de Dubayy, de Sharjah et d'autres ports du Golfe persique, tout en exportant de l'héroïne cachée dans des fruits secs et du bois débités, qui voyageait sur Ariana, la compagnie aérienne nationale afghane à présent contrôlée par les taliban. Les vols en partance de Kandahar, de Kaboul et de Djalalabad partaient directement pour le Golfe ; les taliban étaient propulsé à l'âge du jet, c'était la version moderne de la Route de la soie.

L'ATT renforça le marché noir déjà puissant au Pakistan. Selon une étude universitaire, l'économie souterraine du Pakistan, qui représentait 15 milliards de roupies en 1973, avait récolté 1 115 milliards de roupies en 1996 - sa part dans le PIB était passée de 20 % à 51 %. Durant la même période, la fraude fiscale (incluant les taxes douanières impayées) était passée de 1,5 milliard à 152 milliards de roupies, accélérant au rythme de 88 milliards de roupies par an. La contrebande entrait pour quelque 100 milliards de roupies dans les revenus de l'économie souterraine en 1993, 300 milliards en 1998, soit l'équivalent de 30 % des importations totales du pays (10 milliards de dollars) ou à l'objectif fiscal visé en 1998-1999. En outre, le trafic annuel de drogue entre Afghanistan et Pakistan était évalué à environ 50 milliards de roupies.

Au NWFP, les marchés de contrebande ou *baras* étaient inondés de biens importés, causant des pertes énormes pour l'industrie pakistanaise. Par exemple, en 1994, le Pakistan, qui fabriquait ses propres climatiseurs, importa des climatiseurs étrangers pour 30 millions de roupies. L'Afghanistan, totalement dépourvue d'électricité, importa par l'ATT pour 1 million de roupies de climatiseurs, qui aboutirent tous sur les *baras* pakistanais. Quand les téléviseurs ou les lave-vaisselle japonais en duty-free furent disponibles quasiment au même prix que ceux que fabriquait le Pakistan, les consommateurs choisirent naturellement les produits japonais. Le *bara* de Hayatabad, dans la banlieue de Peshawar, ouvrit des boutiques de marques pour attirer des clients comme le britannique Marks & Spencer ou le japonais Sony. « L'ATT a détruit l'activité économique dans la province et les gens ont renoncé à l'idée de gagner leur vie honnêtement : ils considèrent la contrebande comme un droit », constatait le ministre principal de la NWFP, Mahtab Ahmed Kahn, en décembre 1998.

Il en allait de même en Iran, où la mafia des transports exportait en contrebande du carburant et d'autres produits vers l'Afghanistan et le Pakistan, d'où des pertes de revenus pour le pays et l'industrie locale, et une corruption endémique au plus haut niveau du gouvernement. Des fonctionnaires iraniens m'ont avoué que les *bunyad*, ces fondations industrielles gérées par l'État, et les Gardes révolutionnaires comptaient parmi les bénéficiaires de la contrebande de produits pétroliers, dont la vente en Afghanistan rapportait un profit de 2 000 à 3 000 %, par rapport aux ventes en Iran. Les machines de guerres des factions afghanes étaient très gourmandes en carburant, et les propriétaires des pompes du Béloutchistan commandaient à l'Iran du pétrole à bon marché par le biais de la mafia, contournant complètement les compagnies pakistanaises (et les droits de douane).

Le Pakistan tenta à plusieurs reprises, sans trop de conviction, de contrôler l'ATT en arrêtant l'importation de produits électroniques, mais le gouvernement finissait toujours par céder aux taliban qui refusaient d'obéir aux nouveaux ordres et à la mafia qui faisait pression sur les ministres. Il n'y avait à Islamabad aucun lobby prêt à révéler les dommages infligés à l'économie pakistanaise ou à contraindre les taliban à l'obéissance. L'ISI n'était pas prêt à menacer les taliban de leur retirer son soutien. Aux yeux des investisseurs étrangers, ébahis, ou pakistanais, le gouvernement semblait prêt à saper l'économie du pays pour soutenir les taliban, puisque Islamabad autorisait un transfert de revenus vers l'Afghanistan. C'était une forme d'aide officieuse, qui profitait aux taliban et qui enrichissait considérablement les Pakistanais impliqués. Ceux-ci formaient le plus puissant lobby en faveur d'un soutien prolongé aux taliban.

Les répercussions en Afghanistan aggravèrent l'instabilité au Pakistan. Dans les années 1980, les retombées de l'invasion soviétique avaient créé « une culture de l'héroïne et du kalachnikov » qui devait saper la politique et l'économie pakistanaises. « Dix ans d'implication active dans la guerre afghane ont changé le profil social du Pakistan à tel point que le gouvernement a de graves difficultés pour gérer quoi que ce soit. La société pakistanaise est maintenant plus fracturée, inondée d'armes sophistiquées, brutalisée par une violence civique croissante et écrasée par la propagation des narcotiques », écrivit l'historien américain Paul Kennedy.

À la fin des années 1990, les conséquences étaient plus graves encore, minant toutes les institutions de l'État. L'économie du Pakistan était paralysée par l'ATT, sa politique étrangère était grevée par la coupure avec l'Occident et ses voisins immédiats, la loi et l'ordre s'effondraient alors que les militants islamiques imposaient leurs propres règles ; une nouvelle génération de militants radicaux antichiites, accueillis pour les taliban, tuèrent des centaines de chiites pakistanais entre 1996 et 1999. Ce bain de sang entretient maintenant le fossé entre la majorité sunnite et la minorité chiite, et compromet les relations entre le Pakistan et l'Iran. En même temps, plus de 80 000 militants islamiques pakistanais se sont formés et ont combattu avec les taliban depuis 1994. Ils forment un noyau dur d'activistes, prêts à mener une révolution islamique à la manière des taliban.

Les groupes tribaux imitant les taliban sont apparus dans toute la zone pachtoune de la NWFP et au Béloutchistan. Dès 1995, le Mawlana Sufi Mohammed entraînait le Tanzim Nifaz Charia i-Mohammedi à Bajaur dans un soulèvement pour exiger l'application de la charia. La révolte fut rejointe par des centaines de taliban afghans et pakistanais avant d'être écrasée par l'armée. Les leaders du Tanzim cherchèrent alors refuge en Afghanistan. En décembre 1998, le Tehrik i-Tuleba ou Mouvement des taliban à Orakzi exécuta publiquement un meurtrier devant 2 000 spectateurs, en dépit des lois. Ses membres promirent d'établir une justice de style taliban dans toute la zone pachtoune et interdirent la télévision, la musique et les vidéos, à l'instar des taliban. D'autres groupes pachtoune pro-taliban apparurent à Quetta ; ils brûlaient les cinémas, abattaient les propriétaires de boutiques de vidéo, détruisaient les antennes paraboliques et chassaient les femmes des rues.

Pourtant, après la prise de Mazar par les taliban en 1998, le Pakistan sonna la victoire et exigea que le monde reconnaisse le mouvement qui contrôlait maintenant 80 % de l'Afghanistan. Les leaders militaires et civils pakistanais affirmaient que le succès des taliban était le succès du Pakistan, dont la politique était donc judicieuse. Le Pakistan considérait que l'influence iranienne en Afghanistan avait pris fin et que la Russie et les États d'Asie centrale seraient obligés de traiter avec les taliban par le biais d'Islamabad, tandis que l'Occident n'aurait d'autre choix que d'accepter l'interprétation de l'islam propre aux taliban.

En dépit de l'inquiétude publique face à la talibanisation du Pakistan, les leaders du pays ignoraient le chaos interne croissant. Le Pakistan était vu comme un pays en faillite, ou en voie de l'être, à l'instar de l'Afghanistan, du Soudan et de la Somalie. Il ne s'agit pas nécessairement d'un pays à l'agonie, mais d'un pays où l'échec répété des politiques menées par une élite ruinée ne les pousse jamais à remettre leurs options en question. L'élite pakistanaise n'avait aucune intention de changer sa politique en Afghanistan. Le général Zia avait rêvé, comme les empereurs mogols, de « recréer un espace sunnite entre l'Hindoustan infidèle, l'Iran hérétique [car chiite] et la Russie chrétienne ». Il croyait que le message des moudjahidin afghans se répandrait en Asie centrale, ferait revivre l'islam et créerait un nouveau bloc de nations islamiques présidé par le Pakistan. Ce que Zia n'imaginait pas, c'est ce qu'il allait réellement léguer au Pakistan.

Chapitre 15
CHIITES CONTRE SUNNITES : L'IRAN
ET L'ARABIE SAOUDITE

Au cours du printemps 1999, le vent du changement souffla sur Téhéran. Depuis près de vingt ans, depuis la révolution islamique, les femmes s'enveloppaient dans le *hijab* noir obligatoire. Tout à coup, le *hijab* se parait de garnitures de fourrures et de faux léopard. Certaines femmes portaient des imperméables ou arboraient le *hijab* comme une cape, révélant mini-jupe, jeans moulants, bas de soie noire et hauts talons. La pudeur féminine n'était plus un code vestimentaire obligatoire mais un choix individuel. Cet assouplissement n'était que l'un des signes de la transformation de la société iranienne après l'élection à la présidence de Sayed Mohammed Khatami, en mai 1997, lorsque celui-ci avait remporté 70 % du vote populaire, dans une écrasante victoire contre un candidat conservateur plus strict. Khatami avait récolté les voix des jeunes qui, lassés par un taux de chômage de 25 % et une inflation galopante, espéraient qu'il permettrait le développement économique et une société plus ouverte.

La victoire de Khatami entraîna un dégel immédiat des relations de l'Iran avec le monde extérieur : le pays s'ouvrit sur l'Occident, séduisit son vieil ennemi les États-Unis en évoquant le besoin d'un « dialogue entre les civilisations » et chercha à améliorer ses relations avec le monde arabe. L'Afghanistan allait devenir la question primordiale dans le dégel des relations entre l'Iran, les États-Unis et le monde arabe. Lors de sa visite à Kaboul en avril 1998, l'ambassadeur américain Bill Richardson avait déjà signalé que les États-Unis considéraient l'Iran comme un partenaire dans la résolution de la crise afghane. L'Iran avait également ouvert le dialogue avec un autre vieil ennemi, l'Arabie saoudite.

« Le climat positif qui règne entre l'Iran et l'Arabie saoudite est encourageant et les deux camps sont prêts à coopérer pour résoudre le conflit en Afghanistan », déclara en mai 1998 le nouveau ministre des Affaires étrangères iranien, Kamal Kharrazi. Diplomate anglophone, représentant de l'Iran à l'ONU pendant onze ans, Kharrazi incarnait par la douceur de ses manières la nouvelle maturité de la révolution iranienne.

Les nouveaux leaders iraniens étaient profondément hostiles aux taliban, mais ils étaient assez pragmatiques pour comprendre que la paix en Afghanistan était nécessaire au développement économique et à la libéralisation politique de l'Iran. La stabilité du voisinage aiderait aussi l'Iran à mettre fin à son isolement international. Khatami était loin de chercher la bagarre avec les taliban, mais six mois plus tard, quand les taliban tuèrent neuf diplomates iraniens à Mazar, l'Iran mobilisa 250 000 soldats sur sa frontière avec l'Afghanistan et menaça d'envahir le pays. Les tensions montèrent, et les nouvelles relations entre l'Iran et l'Arabie saoudite prirent encore plus d'importance.

Historiquement, l'Afghanistan n'était que l'une des zones de conflit dans l'intense rivalité opposant Perses et Arabes. Les deux peuples se sont conquis l'un l'autre dans le contexte des querelles entre Arabie sunnite et Perse chiite. En 1501, le shah Ismail, de la dynastie safavide, fit de l'Iran le premier et unique État chiite du monde islamique. Même si les Perses et les Arabes ont tour à tour gouverné l'Asie centrale et l'Afghanistan, la culture persane y a laissé une marque plus durable.

Au XXᵉ siècle, la longue guerre entre l'Iran et l'Irak (1981-1988), qui a causé 1,5 million de victimes, n'a fait que renforcer cette rivalité, puisque tous les États arabes soutenaient l'Irak de Saddam Hussein. Quand ce conflit commença, un autre démarrait en Afghanistan, où devaient également se prolonger de vieilles rivalités, cette fois dans le contexte de la guerre froide, alors que les États-Unis voulaient isoler l'Iran avec l'aide des États arabes.

En apparence, l'Iran et l'Arabie saoudite étaient du même côté dans le conflit afghan. Les deux pays s'opposaient à l'invasion soviétique de l'Afghanistan, soutenaient les moudjahidin et appuyaient les mesures internationales visant à isoler le régime afghan et l'union soviétique. Mais ils soutenaient des factions moudjahidin rivales et l'Iran ne rompit jamais ses relations diplomatiques avec le régime de Kaboul. Le soutien saoudien aux moudjahidin était conforme à la stratégie américaine et pakistanaise, qui consistait à ravitailler en armes et en fonds les groupes sunnites pachtoune les plus radicaux, en négligeant les Afghans chiites. Les Saoudiens finançaient de leur côté les Afghans favorables au wahhabisme.

Dollar pour dollar, l'aide saoudienne égalait les fonds versés aux moudjahidin par les États-Unis. Les Saoudiens donnèrent près de 4 milliards de dollars d'aide officielle aux moudjahidin entre 1980 et 1990, sans compter l'aide officieuse fournie par les fondations, les organismes caritatifs islamiques, les fonds privés des princes et les collectes dans les mosquées. Des fonds furent remis directement à l'ISI, comme en 1989, quand les Saoudiens remirent plus de 26 millions de dollars aux leaders afghans durant les négociations visant à former le gouvernement provisoire des moudjahidin en exil à Islamabad. Les leaders moudjahidin furent obligés de nommer un wahhabite Premier ministre.

En mars 1990, les Saoudiens offrirent à nouveau 100 millions de dollars au parti Hezb e-Islami de Hekmatyar, qui soutenait le renversement du Président Najibullah fomentée à l'intérieur de l'armée afghane par Hekmatyar et, à Kaboul, par le général Shahnawaz Tanai. Après 1992, les Saoudiens continuèrent à fournir du carburant et des fonds au gouvernement moudjahidin de Kaboul. Le carburant, acheminé à travers le Pakistan, devint un enjeu majeur de corruption et de protection pour les gouvernements pakistanais successifs et l'ISI.

Après la rupture des relations entre l'Iran et les États-Unis, les groupes moudjahidin afghans implantés en Iran ne reçurent aucune assistance militaire internationale. Et les 2 millions de réfugiés afghans arrivant en Iran ne bénéficièrent pas de la même aide humanitaire que les 3 millions de réfugiés au Pakistan. Le soutien de Téhéran aux moudjahidin était limité du fait des contraintes budgétaires liées à la guerre Iran-Irak. Tout au long des années 1980, les États-Unis réussirent à tenir l'Iran à l'écart de l'Afghanistan. Cela ne fit qu'ajouter à la haine des Iraniens et encourager les activités iraniennes en Afghanistan, dès que la guerre froide eut pris fin et que les Américains eurent quitté la scène afghane.

Le soutien initialement apporté par l'Iran aux moudjahidin ne bénéficiait qu'aux chiites afghans, aux Hazara en particulier. C'était l'époque où les Gardes révolutionnaires iraniens subventionnaient les militants chiites dans le monde entier, du Liban au Pakistan. En 1982, l'influence et l'argent iraniens avaient encouragé une nouvelle génération de Hazara radicaux formés en Iran à renverser les leaders traditionnels apparus au Hazarajat en 1979 pour s'opposer à l'invasion soviétique. Plus tard, Téhéran accorda un statut officiel à huit groupes chiites afghans, mais l'Iran ne put jamais les armer et les financer efficacement. Par conséquent, les Hazara furent marginalisés dans le conflit en Afghanistan et ils combattaient entre eux plutôt que contre les Soviets. Le factionnalisme hazara fut exacerbé par la politique idéologique à court terme de l'Iran, qui considérait la loyauté des Hazara envers Téhéran comme plus importante que leur unité.

En 1988, le retrait soviétique étant imminent, l'Iran comprit le besoin de renforcer les Hazara. Ils aidèrent les huit groupes à s'unir pour fonder le parti Hezb e-Wahdat. L'Iran œuvrait désormais pour l'inclusion du Wahdat dans les négociations internationales visant à former un nouveau gouvernement moudjahidin, qui devait être dominé par les partis moudjahidin basés à Peshawar. Même si les Hazara étaient une petite minorité et ne pouvaient espérer gouverner l'Afghanistan, l'Iran exigea d'abord qu'ils représentent 50 %, puis 25 % du futur gouvernement moudjahidin.

Alors que la rivalité entre Iran et Arabie saoudite s'intensifiait, les Saoudiens faisant venir toujours plus d'Arabes pour propager le wahhabisme et l'antichiisme en Afghanistan, le Pakistan maintenait un équilibre entre les deux pays. Étant leur proche allié, il soulignait le besoin d'un front uni contre le régime de Kaboul. La rivalité s'accrut après le retrait des troupes soviétiques en 1989, lorsque l'Iran se rapprocha de Kaboul. L'Iran considérait le régime de Kaboul comme la seule force désormais capable de résister à une conquête de l'Afghanistan par les Pachtounes sunnites. L'Iran réarma le Wahdat et, lorsque Kaboul tomba entre les mains des moudjahidin, en 1992, le Wahdat contrôlait non seulement le Hazarajat mais aussi une partie considérable de Kaboul Est.

Pendant ce temps, les Saoudiens subirent un revers important : la séparation de leurs deux principaux protégés néowahhabites, Gulbuddin Hekmatyar et Abdul Rasul Sayyaf. Hekmatyar s'opposait au gouvernement moudjahidin nouvellement constitué à Kaboul et se joignit aux Hazara pour bombarder la ville. Sayyaf était favorable au gouvernement moudjahidin. Cette division était une conséquence de la débâcle de la politique étrangère saoudienne après l'invasion du Koweït par l'Irak en 1990. Depuis vingt ans, les Saoudiens finançaient des centaines de partis néowahhabites dans le monde musulman pour propager le wahhabisme et gagner de l'influence au sein des mouvements islamiques.

Mais quand Riyad demanda à ces groupes islamiques, en contrepartie, de prêter main-forte à la coalition menée contre l'Irak par l'Arabie saoudite et les États-Unis, la majorité d'entre eux, dont Hekmatyar et la plupart des groupes afghans, préférèrent soutenir Saddam Hussein. Des années d'efforts et des milliards de dollars s'évanouirent parce que l'Arabie saoudite n'avait pas su créer une politique étrangère fondée sur l'intérêt national. L'élite dirigeante occidentalisée fonde sa légitimité sur un fondamentalisme conservateur, alors que le reste de la population est farouchement anti-occidentale. L'élite favorisait le wahhabisme radical, et c'est ce qui a miné sa propre puissance, en Arabie saoudite comme à l'étranger. Non sans ironie, seuls les groupes afghans modérés, négligés par les Saoudiens, leur vinrent en aide quand ils se trouvèrent en difficulté.

Entre 1992 et 1995, la guerre afghane s'intensifia, et la rivalité entre Iran et Arabie saoudite en fit autant. Saoudiens et Pakistanais tentèrent à plusieurs reprises de réunir les factions. Cependant, ils tâchèrent aussi d'empêcher l'Iran et les Hazara de conclure un accord. En 1992, dans l'accord de Peshawar, négocié par le Pakistan et l'Arabie saoudite entre les moudjahidin, sur le partage du pouvoir à Kaboul, puis, en 1993, dans les accords d'Islamabad et de Djalalabad pour mettre fin à la guerre civile, l'Iran et les Hazara étaient laissés de côté. Dans les années 1990, l'exclusion de l'Iran par le Pakistan et l'Arabie saoudite, semblable à l'attitude des États-Unis dans les années 1980, devait encore aigrir Téhéran.

Les Iraniens étaient devenus plus pragmatiques : ils ne soutenaient pas seulement les chiites afghans mais tous les groupes ethniques de langue perse qui résistaient à la domination pachtoune. Les Iraniens ont un lien naturel avec les Tadjiks, du fait de leur appartenance ethnique et linguistique, mais l'Iran avait pris ombrage des attaques brutales d'Ahmad Shah Massoud contre les Hazara à Kaboul en 1993. Néanmoins, Téhéran comprit alors que, s'il ne soutenait pas les non-Pachtounes, les sunnites pachtounes domineraient l'Afghanistan. En 1993, pour la première fois, l'Iran fournit une aide militaire substantielle au président Burhanuddin Rabbani à Kaboul et au général ouzbek Rachid Dostom, en poussant tous les groupes ethniques à rejoindre Rabbani.

La nouvelle stratégie de l'Iran intensifia le conflit avec le Pakistan. Islamabad était décidé à placer ses protégés pachtounes à Kaboul ; Pakistanais et Saoudiens avaient résolu de tenir les Hazara à l'écart de tout partage du pouvoir. Le Pakistan abandonna le subtil équilibre diplomatique entre l'Arabie saoudite et l'Iran des années 1980 en faveur des seuls Saoudiens.

L'effondrement de l'Union soviétique et l'ouverture de l'Asie centrale avaient donné à l'Iran une nouvelle impulsion pour mettre fin à son isolement international. En novembre 1991, le ministre des Affaires étrangères Ali Akbar Velayati, fit un voyage en Asie centrale et il signa un accord visant à construire une voie de chemin de fer entre le Turkménistan et l'Iran. Mais, là encore, les États-Unis tentèrent de bloquer l'Iran ; le secrétaire d'État James Baker déclara en 1992 que Washington ferait tout pour contrer l'influence iranienne en Asie centrale. Les dirigeants néocommunistes d'Asie centrale se méfièrent d'abord de l'Iran, redoutant qu'il ne veuille répandre le fondamentalisme islamique.

Mais l'Iran résista à cette tentation et sut forger des liens étroits avec la Russie, la glace ayant été rompue par la visite à Téhéran du ministre des Affaires étrangères Edouard Chevardnadzé, au cours de laquelle il rencontra l'ayatollah Khomeyni. L'ayatollah, en approuvant les relations soviéto-iraniennes juste avant sa mort, donna à la nouvelle Russie une légitimité aux yeux des Iraniens. Entre 1989 et 1993, la Russie fournit à l'Iran 10 milliards de dollars d'armement afin de reconstruire son arsenal militaire. L'Iran améliora sa position dans la région en créant des liens avec d'autres ex-républiques soviétiques non musulmanes comme la Géorgie, l'Ukraine et l'Arménie. Téhéran refusa de soutenir l'Azerbaïdjan dans sa guerre contre l'Arménie (alors que 20 % de la population iranienne est azeri), mais aida la Russie et l'ONU à mettre fin à la guerre civile au Tadjikistan. Point crucial, l'Iran et les RAC partageaient une profonde méfiance vis-à-vis du fondamentalisme pachtoune afghan et du soutien qu'il recevait du Pakistan et de l'Arabie saoudite. Une alliance entre l'Iran, la Russie et les RAC pour soutenir les groupes ethniques non-pachtoune existait donc bien avant l'émergence des taliban.

Par opposition, l'Arabie saoudite ne tenta guère d'améliorer ses relations avec la Russie ou les RAC. Il fallut aux Saoudiens près de quatre ans pour établir des ambassades dans les capitales d'Asie centrale. Ils préféraient envoyer des millions d'exemplaires du Coran, subventionner les musulmans d'Asie centrale et offrir des bourses à leurs mollahs pour qu'ils viennent étudier en Arabie saoudite, où ils se pénétraient de wahhabisme. Ces mesures ne servirent qu'à perturber les dirigeants d'Asie centrale. En quelques années, les dirigeants d'Ouzbékistan, du Kazakhstan et du Kirghizistan finirent par considérer le wahhabisme comme la plus grave menace politique à la stabilité de leurs pays.

L'Arabie saoudite voyait les taliban comme un atout important face au déclin de leur influence en Afghanistan. Les premiers contacts saoudiens avec les taliban eurent lieu lors des chasses princières. Le *mawlana* Fazlur Rehman, à la tête du JUI pakistanais, organisa à Kandahar les premières chasses à l'outarde pour les princes du Golfe, au cours de l'hiver 1994-1095. Les chasseurs arabes arrivaient à Kandahar dans d'énormes avions transportant des Jeeps luxueuses, qui étaient généralement offertes à leurs hôtes taliban après la chasse. Le chef des services secrets saoudiens, le prince Turki, commença à se rendre régulièrement à Kandahar. Après le séjour de Turki à Islamabad et à Kandahar en juillet 1996, les Saoudiens offrirent des capitaux, des véhicules et du carburant pour garantir la réussite de l'attaque des taliban contre Kaboul. Deux compagnies saoudiennes, Delta et Ningarcho, étaient désormais impliquées dans les projets de gazoducs transitant par l'Afghanistan, et intensifiaient la pression sur Riyad pour garantir une victoire des taliban.

Mais ce sont les oulémas wahhabites Arabie saoudite qui jouèrent le rôle le plus déterminant, en persuadant la famille royale de soutenir les taliban. Les oulémas ont une fonction de conseil auprès de la monarchie saoudienne, à travers le conseil de l'Assemblée des Anciens et quatre autres organismes étatiques. Ils ont toujours favorisé l'exportation du wahhabisme à travers le monde musulman, et la famille royale reste extrêmement attentive à l'opinion des oulémas. Le roi Fahd dut réunir 350 oulémas pour les persuader d'adopter une *fatwa* autorisant les troupes américaines à s'installer dans le royaume durant la guerre contre l'Irak, en 1990. Les services secrets saoudiens coopéraient étroitement avec les oulémas, comme beaucoup d'organisation caritatives islamiques qui avaient subventionné les moudjahidin afghans dans les années 1980 et commençaient à faire de même pour les taliban. En outre, les oulémas contrôlaient le vaste réseau des mosquées et des madrasas ; c'est là, durant la prière du vendredi, qu'ils donnèrent une base populaire au soutien apporté aux taliban.

Selon l'analyste saoudien Nawaf Obaid, les principaux oulémas qui favorisèrent le soutien saoudien aux taliban furent Sheikh Abdul Aziz bin Baz, grand mufti et président du Conseil des Anciens, et Sheikh Mohammed bin Juber, ministre de la Justice et membre éminent du Conseil des oulémas. En retour, les taliban manifestèrent leur respect envers la famille royale et les oulémas, et ils copièrent les pratiques wahhabites, telle l'introduction d'une police religieuse. En avril 1997, un dirigeant taliban, le mollah Rabbani, rencontra le roi Fahd à Riyad, où il fit l'éloge des Saoudiens. « Puisque l'Arabie saoudite est le centre du monde musulman, nous aimerions recevoir l'assistance saoudienne. Le roi Fadh s'est dit satisfait des bonnes mesures prises par les taliban et par l'imposition de la charia dans notre pays », déclara Rabbani. En rencontrant le roi Fahd cinq mois plus tard, les chefs taliban affirmèrent que les Saoudiens avaient promis d'augmenter leur aide. « Le roi Fahd s'est montré trop aimable ; les Saoudiens ont promis autant qu'ils pouvaient nous offrir », rapporta le mollah Mohammed Stanakzai.

Du fait de ce soutien, Riyad était très réticent à exercer la moindre pression sur les taliban pour qu'ils extradent Oussama ben Laden, malgré l'insistance des États-Unis. C'est seulement quand le prince Turki fut personnellement insulté par le mollah Omar à Kandahar que les Saoudiens rompirent tout lien diplomatique avec les taliban. Fait significatif, c'est une injure personnelle qui motiva la décision saoudienne plutôt qu'un changement d'ensemble de leur politique étrangère. L'Arabie saoudite semblait avoir bien peu appris, malgré l'échec de ses tentatives d'exporter le wahhabisme.

Le soutien initialement accordé aux taliban par l'Arabie saoudite convainquit l'Iran que les États-Unis les soutenaient également, pour intensifier leur politique des années 1980 visant à isoler l'Iran au milieu de puissances hostiles. Selon Téhéran, les États-Unis voulaient désormais favoriser les pipelines d'Asie centrale qui éviteraient l'Iran. Après la prise de Kaboul par les taliban, les journaux iraniens propagèrent le point de vue des dirigeants. « La prise de Kaboul par les taliban a été commanditée par Washington et financée par Riyad, avec le soutien logistique d'Islamabad », pouvait-on lire dans le *Jomhuri Islami*.

Cependant, pour Téhéran, la brouille avec l'Afghanistan fut surtout une affaire interne. Le gouvernement était partagé entre les durs, désireux de soutenir tous les chiites du monde, et les modérés, qui souhaitaient un soutien plus modeste à l'alliance antitaliban et une hostilité moindre aux taliban. L'Iran connaissait les mêmes problèmes que le Pakistan. Trop de lobbies cherchaient à défendre leurs intérêts personnels à travers la politique afghane : l'armée iranienne, les Gardiens de la Révolution, les services secrets, le clergé chiite et les puissantes *bunyar*, ces fondations gérées par le clergé, qui contrôlent l'essentiel de l'économie d'État et qui financent toutes sortes d'aventures politiques à l'étranger.

Tous ces lobbies devaient être traités de la même façon par le ministère des Affaires étrangères et par Alaeddin Boroujerdi, vice-ministre pour l'Afghanistan. Boroujerdi, responsable de la politique afghane pendant plus de dix ans, était un diplomate habile. Il avait survécu au régime du président Akbar Ali Rafsanjani et conservé son poste sous la présidence de Khatami, jusqu'à ce qu'il soit obligé de démissionner quand des diplomates iraniens furent tués à Mazar. Son attitude vis-à-vis de l'Afghanistan changeait du tout au tout en fonction de son interlocuteur ; il devait aussi veiller à bien tenir en main le conflit d'intérêts qui opposait l'Iran au Pakistan et à l'Arabie saoudite. Au contraire, en Arabie saoudite, le ministre des Affaires étrangères, le prince Saoud al-Faisal, suivait la politique afghane des services secrets et de son jeune frère le prince Turki.

L'effondrement de l'État afghan accrut l'insécurité de l'Iran en amenant un afflux massif de drogues et d'armes. Le spectre du conflit ethnique menaçait de se répandre en Iran, et s'ajoutait à la charge économique que représentaient les millions de réfugiés afghans, détestés par l'Iranien moyen. On estime à 3 millions le nombre d'héroïnomanes en Iran - le même nombre qu'au Pakistan, mais l'Iran, avec 60 millions d'habitants, a une population de moitié inférieure à celle du Pakistan. La contrebande de carburant, de denrées alimentaires et d'autres produits d'Iran vers l'Afghanistan entraînait des pertes de revenus et des problèmes économiques récurrents, au moment précis où l'Iran avait vu ses revenus chuter de manière spectaculaire du fait de la baisse des prix du pétrole et tentait de rebâtir son économie.

Ce qui préoccupait surtout Téhéran, c'est que, depuis 1996, les taliban soutenaient secrètement les groupes iraniens hostiles au régime. À Kandahar, les taliban avaient accueilli l'Ahl e-Sunnah Wal Jamaat, qui recrutait des militants sunnites iraniens dans les provinces du Khorasan et du Sistan. Dans les minorités turkmène, béloutche et afghane d'Iran, ses porte-parole affirmaient que son intention était de renverser le régime chiite de Téhéran et d'imposer un régime sunnite dans le style de celui des taliban. C'était une ambition étrange, dans la mesure où plus de 90 % de la population iranienne est chiite, mais cela permettait sans doute de renforcer les petites bandes d'insurgés. Le groupe recevait des armes des taliban et les Iraniens étaient persuadés qu'il était également subventionné par le Pakistan.

L'aide militaire iranienne à l'alliance antitaliban augmenta après la chute de Kaboul en 1996, et surtout après la chute de Mazar en 1998. Cependant, l'Iran n'avait aucune frontière contiguë avec l'Alliance et fut obligé d'envoyer des secours à Massoud par avion ou par train, ce qui supposait d'obtenir la permission du Turkménistan, de l'Ouzbékistan et du Kirghizistan. En 1998, les services secrets iraniens envoyèrent des armes par avions entiers vers la base d'Ahmad Shah Massoud, à Kouliab, au Tadjikistan ; Massoud se mit à séjourner fréquemment à Téhéran. La fragilité de la filière d'approvisionnement fut mise en évidence en octobre 1998, lorsque les forces de sécurité du Kirghizistan arrêtèrent un train dont 16 wagons contenaient 700 tonnes d'armes et de munitions, maquillées en aide humanitaire.

Les taliban furent exaspérés de voir l'Iran apporter son soutien à l'Alliance. En juin 1997, ils fermèrent l'ambassade iranienne à Kaboul, accusant l'Iran de nuire à la paix et à la stabilité en Afghanistan. La déclaration formulée en septembre 1997, après l'échec de la prise de Mazar, était très claire. « Les avions iraniens, en violation flagrante de toutes les normes internationales, envahissent l'espace aérien de notre pays pour apporter du matériel dans les aéroports contrôlés par l'opposition. Les graves conséquences de cette ingérence retomberont sur l'Iran, qui est l'ennemi de l'islam. L'Afghanistan est capable d'accueillir sur son territoire les opposants au gouvernement iranien et donc de créer des problèmes à l'Iran. »

Cependant, c'est l'assassinat des diplomates iraniens à Mazar, en 1998, qui força presque l'Iran à entrer en guerre contre les taliban. La population était extrêmement favorable à une invasion iranienne de l'est de l'Afghanistan, et l'opinion publique était manipulée par les durs du régime de Téhéran qui cherchaient à déstabiliser le président Khatami. Même le ministère des Affaires étrangères, le modéré Kamal Kharrazi, fut contraint d'adopter un langage très dur. « Les taliban sont des Pachtounes et ne peuvent écarter tous les autres groupes ethniques de la scène politique sans susciter une résistance durable. Dans ces circonstances, la paix est impossible dans ce pays. Je mets en garde les taliban et ceux qui les soutiennent : nous ne tolérerons pas l'instabilité et la conspiration le long de nos frontières. Nous avions un accord avec le Pakistan, selon lequel le problème afghan ne serait pas résolu par la guerre. Mais nous ne pouvons accepter les événement qui viennent de se produire », déclara Kharrazi le 14 août 1998.

L'Iran se sentait trahi par le Pakistan, à plusieurs titres. En 1996, alors que le président Burhanuddin Rabbani, sur le conseil des Iraniens, essayait d'élargir la base de son gouvernement en y faisant entrer les Pachtounes et d'autres groupes, les taliban prirent Kaboul. L'Iran était sûr que le Pakistan avait saboté les efforts de Rabbani. En juin 1997, le premier ministre Nawaz Sharif se rendit à Téhéran. Avec le président Khatami, les deux leaders appelèrent à un cessez-le-feu en Afghanistan et affirmèrent qu'aucune solution militaire n'était possible. Mais l'Iran considérait que le Pakistan n'avait aucune intention de respecter l'accord. « Le Pakistan ne mérite pas notre confiance et a compromis sa position auprès du peuple iranien. Nous ne pouvons laisser le Pakistan mettre en danger notre sécurité nationale », écrivit le *Jomhuri Islami*.

Puis, à l'été 1998, le Pakistan persuada l'Iran de participer à une mission diplomatique conjointe. Des diplomates des deux pays se réunirent pour la première fois à Mazar et à Kandahar le 4 juillet 1998 pour parler avec les factions rivales. Quelques semaines plus tard, les taliban attaquèrent Mazar et assassinèrent les diplomates iraniens, faisant capoter la tentative. Les Iraniens étaient sûrs que le Pakistan les avait trompés en prétendant lancer une initiative de paix, alors que l'ISI préparait les taliban à attaquer Mazar. En outre, l'Iran prétendait que le Pakistan avait garanti la sécurité de ses diplomates à Mazar. Lorsqu'ils furent tués, l'Iran, furieux, accusa les taliban et le Pakistan. Les responsables iraniens déclarèrent que le mollah Dost Mohammed, qui avait prétendument mené la prise du consulat iranien, avait d'abord réuni les diplomates au sous-sol et avait eu un contact radio avec Kandahar avant de les fusiller.

Les taliban répondirent, avec raison, semble-t-il, que les Iraniens n'étaient pas des diplomates mais des agents secrets impliqués dans la livraison d'armes à l'alliance antitaliban. Néanmoins, dans les affrontements diplomatiques qui s'ensuivirent, toute confiance disparut entre l'Iran et le Pakistan. Téhéran jugeait aussi que l'action des taliban avait compromis son rapprochement avec Washington. En juin 1998, la secrétaire d'État Madeleine Albright avait déclaré que le rôle critique de l'Iran dans la région

« [faisait] des relations Iran-États-Unis une question du plus haut intérêt et de grande importance ».

Les Iraniens avaient été encouragés de voir que les États-Unis les prenaient au sérieux, pour la première fois. La coopération américano-iranienne autour de l'Afghanistan « peut certainement servir d'exemple et montre que les États-Unis comprennent mieux la réalité de cette région et le rôle que l'Iran peut jouer en faveur de la paix et de la sécurité, me confia Kamal Kharrazi. Nous essayons depuis longtemps de dire aux États-Unis que l'Iran est un des acteurs essentiels dans cette zone. » L'Iran et les États-Unis s'étaient également rapprochés parce que Washington avait changé d'avis sur les taliban. Les deux pays partageaient maintenant le même point de vue, sur la politique des taliban vis-à-vis des femmes et de la drogue, leur hospitalité envers les terroristes et la menace que leur fondamentalisme islamique représentait pour la région. Détail ironique pour les États-Unis, la nouvelle menace n'était plus le fondamentalisme chiite, mais le fondamentalisme sunnite des taliban.

Les taliban étaient même devenus gênants pour l'Arabie saoudite, mais ils contribuèrent à rapprocher Téhéran de Riyad. En accueillant Ben Laden, ils avaient révélé leur extrémisme et ils menaçaient la stabilité saoudienne. De manière significative, le rapprochement entre l'Iran et l'Arabie saoudite s'avéra solide, même quand l'Iran menaça d'envahir l'Afghanistan en 1998. En mai 1999, le président Khatami fut le premier leader iranien à se rendre en Arabie saoudite, depuis trente ans.

Les taliban sont une menace à travers le soutien qu'ils apportent aux dissidents saoudiens. Dans le passé, les Saoudiens avaient accepté le fondamentalisme des taliban, sans se soucier du type de régime, de compromis et de partage du pouvoir que cela entraînerait en Afghanistan, mais une telle attitude n'était plus possible. La politique étrangère saoudienne reposait sur des relations personnelles plutôt que sur les institutions officielles, et il est devenu difficile de voir comment peut évoluer une politique afghane se préoccupant moins de wahhabisme que de la stabilité de la région.

Si le président Khatami poussait plus loin encore ses réformes, le régime iranien aurait de plus en plus besoin d'un accord de paix en Afghanistan, afin que ses ressources ne soient plus ponctionnées pour financer l'alliance antitaliban, pour arrêter l'afflux de drogue, d'armes et d'idées dangereuses, et pour évoluer vers un nouveau rapprochement avec les États-Unis. L'extrémisme des taliban a contribué à rapprocher l'Iran et l'Arabie saoudite et a affaibli les liens du Pakistan avec ces deux pays. Dans le retour de l'Iran sur la scène diplomatique, le grand perdant est le Pakistan.

Pourtant, pour mettre fin à son isolement, l'Iran devait prouver qu'il était un membre stable de la communauté internationale. Sa première épreuve pourrait consister à favoriser le rétablissement de la paix en Afghanistan.

Chapitre 16
CONCLUSION : L'AVENIR DE L'AFGHANISTAN

L'Afghanistan est devenu l'un des « conflits orphelins du monde, de ceux que l'Occident, sélectif et confus dans son attention, néglige en faveur de la Yougoslavie », déclarait en 1995 le secrétaire général de l'ONU Boutros Boutros-Ghali. Le monde s'est détourné de l'Afghanistan, permettant ainsi la guerre civile et la fragmentation ethnique. Le pays a cessé d'exister en tant qu'État viable et, lorsqu'un État s'effondre, la société civile est anéantie. Des générations d'enfants grandissent sans racines, sans identité ou sans raison d'être autre que le combat. Les adultes sont traumatisés et brutalisés, ils ne connaissent que la guerre et la puissance de ceux qui la mènent. « Nous avons affaire à un État en situation d'échec, une sorte de plaie infectée. On ne sait même pas par où commencer pour la nettoyer », expliquait le médiateur de l'ONU Lakhdar Brahimi.

Toute la population afghane a été déplacée, non pas une mais plusieurs fois. La destruction physique de Kaboul en a fait la Dresde de la fin du XXe siècle. Le carrefour de l'Asie, sur l'ancienne Route de la soie, n'est plus qu'un champ de ruines. Il ne reste pas même un semblant d'infrastructure capable d'étayer une société, même avec ce plus petit dénominateur commun qu'est la pauvreté. En 1998, l'ICRC signalait que le nombre de familles afghanes dont le chef était une veuve atteignait les 98 000, le nombre de familles dont le chef avait perdu un membre était de 63 000, tandis que, durant cette seule année, 45 000 personnes furent soignées pour blessures de guerre. Il n'y avait pas même d'estimation du nombre de morts. Les seules usines actives dans le pays sont celles où les organismes humanitaires font fabriquer des prothèses, des béquilles et des fauteuils roulants.

En Afghanistan, les divisions sont nombreuses : ethniques, sectaires, entre ruraux et urbains, entre instruits et non-instruits, entre ceux qui ont des armes et ceux qui ont été désarmés. L'économie afghane est un trou noir qui détruit ses voisins en les aspirant dans la contrebande et le trafic d'armes et de drogue. « Il faudra au moins entre dix et quinze ans avant que fonctionne une autorité centrale capable du minimum d'administration nécessaire au développement du pays. Et selon moi, c'est une estimation plutôt optimiste », estimait le travailleur humanitaire suédois Anders Fange.

Les complexes relations d'autorité construites au cours des siècles ont complètement disparu. Aucun groupe, aucun leader n'a plus la légitimité nécessaire pour ressouder le pays. Les identités territoriales et régionales ont remplacé l'identité nationale ou fondée sur les relations tribales. Les Afghans ne se désignent plus comme Afghans ou même comme Pachtounes et Tadjiks, mais comme Kandahari, Panjshiri, Hérati, Kabouli ou Jowzjani. La fragmentation est à la fois verticale et horizontale, et elle néglige l'ethnicité pour ne retenir que les habitants d'une vallée ou d'une ville. La structure tribale pachtoune a été détruite par la perte des pâturages et des propriétés tribales communes, par la guerre et par l'émigration. Les non-Pachtounes associent leur survie aux seigneurs de la guerre et à la vallée où ils sont nés.

La hiérarchie tribale qui modérait jadis les conflits a été anéantie ou mise en fuite. L'élite dirigeante, âgée, instruite, s'est enfuie après l'invasion soviétique et aucune élite nouvelle n'est venu la remplacer pour négocier un traité de paix. Il n'existe aucune classe politique pour signer des accords et trouver des compromis. Il y a pléthore de chefs représentant chacun un segment de la population, mais aucun dirigeant national. Dans un tel scénario, alors que la guerre ne semble pas devoir prendre fin, la question essentielle est de savoir si l'Afghanistan va imploser en propageant des ondes d'instabilité ethnique dans toute cette partie du monde.

Si la guerre se poursuit, c'est en grande partie à cause d'intervenants extérieurs qui continuent à aider leurs mandataires, dans une spirale de violence et d'interférences. La Russie avait commencé, avec son invasion brutale de l'Afghanistan, mais en a beaucoup souffert. « Nous avons rapporté l'Afghanistan avec nous, dans nos âmes, dans nos cœurs, dans nos mémoires, dans nos coutumes, dans tout et à tous les niveaux, devait déclarer Alexandre Lebed, commandant dans l'armée soviétique en Afghanistan. Cette médiocre aventure politique, cette tentative d'exporter une révolution qui n'avait pas encore fait ses preuves, a marqué le commencement de la fin. »

Les moudjahidin afghans ont contribué à la faillite de l'Union soviétique, de l'empire soviétique et même du communisme. Les Afghans s'en glorifient, mais l'Occident a totalement négligé la contribution afghane à la fin de la guerre froide. Le retrait des troupes soviétiques d'Afghanistan a marqué la fin de l'expérience Gorbatchev, de la perestroïka et de la glasnost, de l'idée que le système soviétique pouvait être modifié de l'intérieur. Il y a là une leçon à tirer pour les partisans de l'ingérence (quiconque intervient en Afghanistan risque la désintégration), non à cause de la puissance des

Afghans, mais à cause des forces qui se déchaînent dans leurs propres sociétés fragiles.

En abandonnant précipitamment l'Afghanistan, les États-Unis en ont bientôt payé le prix : diplomates assassinés, ambassades détruites, attentats à New York, héroïne à bon marché dans les rues, tandis que l'Afghanistan devenait le refuge du terrorisme international et de la mafia de la drogue. Aujourd'hui encore, les Afghans reprochent amèrement aux Américains de les avoir abandonnés, malgré leur participation à la guerre froide. Dans les années 1980, les États-Unis étaient prêts à « se battre tant qu'il y aurait un Afghan en vie », mais quand l'Union soviétique a retiré ses troupes, Washington n'a pas voulu œuvrer pour la paix ou pour nourrir un peuple affamé. Les pouvoirs régionaux ont profité du vide politique laissé par le retrait américain, et se sont lancés dans la bagarre, y voyant l'occasion de grossir leur influence.

Aujourd'hui, en se focalisant sur des questions isolées (les oléoducs, le sort réservé aux femmes, le terrorisme), les États-Unis montrent combien ils ont peu appris. L'échec du projet Unocal aurait dû enseigner quelques leçons aux politiciens américains, mais il n'en est rien puisque les diplomates américains sillonnent l'Asie centrale en essayant de persuader les gouvernements et les compagnies pétrolières de participer à la construction d'un pipeline d'exportation allant de Bakou à Ceyhan. Même ce projet risque d'être retardé à l'infini. Le début de la construction, prévu en 2000, a peu à peu été repoussé à 2003, et récemment à 2005.

Il y a plusieurs enseignements à tirer du projet Unocal. Aucun oléoduc ne pourra être construit en Asie centrale sans un réel engagement des États-Unis et de la communauté internationale pour mettre fin aux conflits en Afghanistan, au Tadjikistan, au Nagorny-Karabakh, en Tchétchénie, en Géorgie ou avec les Kurdes. Cette zone est une véritable poudrière. Aucun pipeline sûr ne pourra être construit sans un minimum de consensus stratégique. L'Iran et la Russie ne pourront être éternellement écartés du développement de cette partie du monde. Ils résisteront et saboteront les projets tant qu'ils n'y seront pas intégrés. Tenter de résoudre le problème ethnique et celui de l'équilibre des États nécessite un effort diplomatique persistant plutôt que de soudoyer les seigneurs de la guerre pour qu'ils se tiennent tranquilles.

Les compagnies pétrolières ne peuvent construire d'oléoducs tant que ceux-ci sont soumis aux aléas de la guerre civile, des changements politiques rapides, de l'instabilité, dans un environnement perturbé par le fondamentalisme islamique, la drogue et les armes. Le Grand Jeu diplomatique d'autrefois consistait en menaces où la force n'entrait jamais directement. La Russie et la Grande-Bretagne ont délimité des frontières et signé des traités, en créant l'Afghanistan en tant que tampon. Le Grand Jeu a désormais pour but de stabiliser cette zone, de ne pas accroître les tensions ni les antagonismes. Les États-Unis sont la seule puissance mondiale qui puisse convaincre tous les États voisins de cesser leur intervention en Afghanistan. Cela doit être fait de manière bien plus active que ce n'a été le cas jusqu'à présent.

Le Pakistan, affaibli par la fin de son partenariat stratégique avec les États-Unis après la fin de la guerre froide, et en proie à une profonde crise économique, avait néanmoins décidé d'étendre sa zone d'influence en tentant de nommer le nouveau gouvernement de Kaboul. Face à un voisin indien belliqueux et doté d'un territoire sept fois plus grand, le Pakistan est obsédé par la sécurité, ce qui a naturellement modelé sa politique intérieure et extérieure depuis sa création en 1947. Mais l'élite militaro-bureaucratique qui guide la destinée du pays depuis les années 1950 n'a jamais permis à la société civile de fonctionner. C'est cette élite seule qui a eu le droit de déterminer la nature de la menace et de choisir les solutions, et non un gouvernement élu, un parlement, des organisations civiques ou même le bon sens.

Depuis 1988, quatre gouvernements élus ont été cassés, dix gouvernements se sont succédé, et la stabilité intérieure reste un rêve. Dans une telle crise d'identité, de légitimité politique, dans cette situation de gestion insuffisante et de polarisation sociale, l'élite s'est néanmoins autorisée la pire attitude impérialiste qu'on ait pu voir dans le tiers monde au cours des cinquante dernières années. Le Pakistan mène à présent une guerre sur deux fronts, au Cachemire et en Afghanistan, et même si les répercussions de ces conflits (le fondamentalisme islamique, la drogue, les armes et l'effondrement social) gagne maintenant le pays, les choix politiques ne changent pas. Le Pakistan est maintenant mûr pour une révolution islamique comme celle des Taliban, qui compromettrait certainement toute la sécurité du Moyen Orient et de l'Asie centrale.

Ce que les dirigeants pakistanais n'ont pas compris, c'est que tout gouvernement stable à Kaboul dépendra du Pakistan pour la reconstruction, l'alimentation, le carburant et l'accès au monde extérieur. L'économie du Pakistan en profiterait puisqu'il faudrait fournir de la main-d'œuvre, des techniciens et des matériaux pour la reconstruction de l'Afghanistan. Les réfugiés afghans regagneraient leur pays, soulageant le Pakistan d'un poids financier, et le Pakistan pourrait reprendre le contrôle de ses institutions et de ses frontières.

Alors que le Pakistan mène une politique offensive en Afghanistan, l'intervention iranienne est surtout défensive, visant à maintenir une influence limitée et s'opposant à une prise de contrôle totale par les taliban. Mais l'Iran a fortement contribué à la fragmentation de l'Afghanistan en jouant la carte chiite, la carte du persan, et en entretenant la division entre les groupes ethniques qu'il soutient. La disparité entre Hazara et Ouzbeks, les deux groupes les plus aidés par l'Iran, suffit à montrer comment la politique iranienne (diviser pour régner) a ruiné l'alliance antitaliban. L'attitude de l'Iran reflète l'intense lutte pour le pouvoir qui s'est encore intensifiée au sein de l'élite iranienne depuis quelques années.

En outre, le total manque de confiance et de compréhension entre l'Iran et le Pakistan a retardé le processus de paix et s'est avéré fatal pour les Afghans. Les deux États ne peuvent s'accorder pour trouver une solution à la guerre civile afghane ; pis encore, chacun entretient chez l'autre la guerre entre chiites et sunnites, renforçant le risque d'une explosion dans la région. Avec l'avènement des taliban, ces fléaux que sont le sectarisme et la purification ethnique sont apparus pour la première fois dans l'histoire de l'Afghanistan.

Les États d'Asie centrale sont nouvellement entrés en jeu, mais ils ont vite identifié ce qu'ils considèrent comme des menaces pour leurs intérêts nationaux. La domination de l'Afghanistan par les Pachtounes ne les satisfait pas et ils détestent l'islamisme prôné par les taliban. Tant que leurs cousins installés en Afghanistan ne seront pas inclus dans le partage du pouvoir à Kaboul, les États d'Asie centrale continueront à soutenir leur résistance aux taliban. Cela compromet les projets pakistanais de pipelines et de voies de communication traversant l'Afghanistan. Si les taliban s'emparaient de tout le pays, les États d'Asie centrale devraient accepter la réalité talibane, mais ils hésiteraient certainement à exporter leur énergie à travers le Pakistan et l'Afghanistan contrôlé par les taliban.

L'Arabie saoudite s'est révélée incapable de proposer une politique étrangère rationnelle qui corresponde à ses intérêts nationaux au lieu de simplement satisfaire le lobby wahhabite. Il a fallu que le mollah Omar insulte personnellement la dynastie pour que les Saoudiens retirent leur soutien aux taliban. L'exportation du wahhabisme s'est retournée contre l'Arabie saoudite et mine de plus en plus l'autorité de la famille royale. Lorsque Oussama ben Laden critique la corruption et la mauvaise gestion du régime, ses propos ne laissent pas indifférente la population saoudienne. Et si l'Afghanistan ne s'oriente pas vers la paix, des dizaines d'autres Ben Laden attendent de prendre sa place.

Pour les musulmans du monde entier, le soutien saoudien aux taliban est une source d'embarras, à cause du caractère négatif et destructeur de l'interprétation que ceux-ci donnent de l'islam. De plus en plus, l'Occident associe l'islam aux Taliban et au terrorisme à la Ben Laden. Beaucoup de commentateurs occidentaux condamnent l'islam en bloc comme intolérant et archaïque. Les taliban, comme tant de groupes intégristes musulmans aujourd'hui, réduisent l'islam à un legs théologique, négligeant son apport dans la philosophie, la science, les arts, l'esthétique et le mysticisme. La diversité de l'islam et la richesse du message coranique (construire une société équitable et dont les dirigeants soient responsables de leurs citoyens) est donc occultée.

Le génie de la civilisation arabo-musulmane était à l'origine sa diversité multiculturelle, multireligieuse et multiethnique. L'échec de tant d'États musulmans aujourd'hui tient à ce qu'ils ont abandonné cette inspiration initiale en faveur d'une dictature brutale ou d'une interprétation théologique étroite. L'histoire musulmane est un cycle de conquête, de renouveau et de défaite. Selon Fernand Braudel, « La destinée de l'islam est peut-être d'attirer et d'utiliser les peuples primitifs qui entourent ou traversent son territoire, mais qui deviennent alors la proie de leur pouvoir violent. L'ordre finit par être restauré et les blessures par guérir. Le guerrier primitif victorieux est dompté par la vie urbaine toute-puissante de l'islam. »

Suivant cette tradition musulmane, les taliban pourraient-ils modérer leur politique et absorber la diversité ethnique et culturelle de l'Afghanistan pour devenir les dirigeants légitimes du pays ? Sous leur forme actuelle, cela paraît peu probable. Les taliban sont pris entre une société tribale qu'ils tentent d'ignorer et le besoin d'une structure gouvernementale qu'ils refusent d'établir. La fragmentation tribale qui touche les Pachtounes revient déjà les hanter alors qu'ils sont incapables de satisfaire les exigences locales de partage du pouvoir, alors qu'ils négligent les non-Pachtounes. Cela n'avait jamais été le cas auparavant. « Malgré la domination apparente des Pachtounes, le processus de construction de l'État impliquait la participation de l'élite de tous les groupes ethniques et le rôle décisif des non-Pachtounes tant dans la bureaucratie que dans l'armée », écrit le chercheur afghan Ashraf Ghani. Les taliban vont à l'encontre de la tendance de l'histoire afghane parce qu'ils ne la comprennent pas.

En même temps, les taliban refusent de définir l'État afghan qu'ils veulent créer et diriger, en grande partie parce qu'ils n'ont aucune idée de ce qu'ils veulent. Le manque d'autorité centrale, d'organisations étatiques, de méthode de gouvernement et de mécanismes aptes à refléter la participation populaire (*loya djirga, shura* islamique ou parlement) rendent impossible à beaucoup d'Afghans d'accepter les taliban ou au monde extérieur de reconnaître un gouvernement taliban. Il ne peut y avoir de gouvernement effectif sans une définition commune et acceptable du type d'État à présent nécessaire pour panser les blessures de la guerre. Mais le groupe kandahari, autour du mollah Omar, ne tolère aucun conseil extérieur. Les divisions au sein des taliban se multiplient très vite, et il n'est pas impossible que les plus modérés montent un coup contre le mollah Omar et les oulémas kandahari.

Aucune faction guerrière ne s'est jamais sentie responsable de la population civile, mais les taliban sont incapables du minimum vital parce qu'ils croient que l'islam pourvoira à tout. Cela pose des questions fondamentales à l'ONU et aux ONG : l'aide humanitaire prolonge en fait la guerre civile parce que l'aide étrangère maintient la population en vie, déchargeant les guerriers de toute responsabilité et leur permettant de concentrer tous leurs efforts sur le conflit. Ce dilemme se pose dans les mêmes termes au Soudan et en Somalie, et il constitue désormais le plus grand défi à la communauté humanitaire internationale.

Il semble que la seule ONG afghane efficace repose sur la contrebande organisée et le trafic de drogue. La reconstruction limitée entreprise par les taliban consiste donc entièrement à favoriser le trafic : réparer les routes, installer des pompes à essence et inviter les hommes d'affaires américains à créer un réseau de téléphonie mobile qui accélérera le transit de la drogue et le commerce illicite. Les bénéfices de la reconstruction profiteront à la mafia de la drogue et des transports. Il n'est jamais question de construire des écoles, des hôpitaux, des système d'approvisionnement en eau.

Sous leur forme actuelle, les taliban ne peuvent espérer gouverner l'Afghanistan et être reconnu par la communauté internationale. Même s'ils devaient conquérir le nord du pays, cela ne ramènerait pas la stabilité mais prolongerait la guérilla des non-Pachtounes, cette fois à partir de bases situées en Asie centrale et en Iran, ce qui déstabiliserait encore un peu plus la région. Pourtant, dans la zone pachtoune, la seule alternative aux taliban est un chaos plus grave encore. « Au sud de Kaboul, la majorité des Afghans admettraient sans doute que les taliban, même s'ils ne sont plus aussi populaires qu'à leur arrivée, valent mieux pour le peuple, pour sa sécurité et son bien-être, par rapport à ce qui les a précédés ; la seule alternative réelle est l'anarchie. » Plus vraisemblablement, les taliban formeront des factions qui se sépareront en fiefs rivaux à Kaboul, à Kandahar, et peut-être à Hérat. L'alliance antitaliban est incapable de conquérir ou de gouverner la zone méridionale. Massoud n'avait pu convaincre les Pachtounes de rejeter les taliban ni obtenir une légitimité nationale. Pour l'opposition, la seule chance de survie consiste à convaincre les Pachtounes, ce qui prolongerait la guerre mais affaiblirait les taliban et pourrait mener à des négociations. L'alliance antitaliban n'a pu mettre en place le minimum de structures requis ou établir un leadership représentatif qui absorbe aussi tous les non-Pachtounes. Leurs querelles internes et leurs luttes pour le pouvoir les ont discrédités aux yeux de beaucoup d'Afghans, qui ne font nullement confiance à l'Alliance, même quand ils détestent les taliban.

La crainte de la dislocation est toujours présente, et les lignes ont été clairement définies depuis 1996 : le Sud pachtoune gouverné par les taliban et le Nord non-pachtoune, séparés par les montagnes de l'Hindou Kouch, les deux camps se disputant Kaboul. Avec les massacres, les pogroms et la purification ethnique dans tant de régions, les risques de fragmentation sont très élevés. Par chance, il n'y a parmi les factions ni Slobodan Milosevic ni Saddam Hussein qui voudrait conserver le pouvoir au prix d'une division du pays. Malgré leur interférence, les voisins de l'Afghanistan refusent la fragmentation parce qu'elle ouvrirait la boîte de Pandore de l'ethnicité, qui se répandrait vite hors des frontières, entraînerait un flux massif de réfugiés, une propagation des drogues, des armes et du fondamentalisme islamique dans des États déjà fragiles. La division de l'État afghan reste possible, mais aucun des intervenants ne la souhaite. C'est le seul véritable espoir pour l'avenir du processus de paix.

Les tentatives de l'ONU n'ont apporté aucun fruit jusqu'à présent, mais ce n'est pas faute d'avoir essayé. La raison en est simplement que, tant que des puissances extérieures financent et arment les factions, la guerre civile n'a aucune chance de s'arrêter. Une solution possible devrait s'enraciner dans un processus initié hors de l'Afghanistan. Tous les États voisins devraient d'abord conclure un embargo sur les armes, et permettre à l'ONU de le faire appliquer. Ils devraient se contenter d'une zone d'influence limitée en Afghanistan plutôt que de pousser leurs mandataires à vouloir diriger tout le pays. Un dialogue Iran-Pakistan serait essentiel : le Pakistan accepterait de limiter son influence à la zone pachtoune, tandis que l'Iran se limiterait à l'ouest et au centre du pays, avec des garanties pour la minorité chiite.

Bref, chacun des États voisins devrait prendre en compte non seulement ses propres besoins en matière de sécurité nationale, mais aussi ceux de ses voisins. Il est impossible de supprimer l'influence extérieure en Afghanistan, mais il faut la contenir à un niveau acceptable par des accords mutuels. Aucun des pays voisins ne peut prétendre saper les intérêts de ses voisins. Négocier de tels accords serait extrêmement délicat parce que cela n'impliquerait pas seulement des diplomates, mais aussi l'armée et les services d'espionnage de chaque État. L'ONU et la communauté internationale devraient garantir que ces accords n'aggravent pas la désintégration de l'Afghanistan ou ne nuisent aux processus de formation d'un gouvernement à l'intérieur du pays.

Il n'est plus possible d'envisager en Afghanistan ce qu'on appelle par euphémisme un « gouvernement à base large ». Il était déjà impossible que le mollah Omar et Massoud acceptent de partager le pouvoir à Kaboul. Ce qu'il faut, c'est un cessez-le-feu, avec d'abord un gouvernement central faible, la démilitarisation de Kaboul et une forte autonomie dans les régions contrôlées par les factions. Toutes les factions devraient accepter de construire à long terme un gouvernement central fort, tout en maintenant leur autonomie à court terme. Ainsi, elles garderaient leurs unités militaires indépendantes, mais contribueraient aussi à l'existence d'un pouvoir central à Kaboul.

Les factions recevraient de manière indépendante une aide extérieure pour la reconstruction mais œuvreraient en commun pour remettre sur pied les infrastructures du pays. Cela engendrerait une plus grande confiance entre elles. Toutes les factions devraient alors se mettre d'accord pour créer un processus de légitimation à travers des représentants nommés ou élus dans les régions, qui pourraient aboutir à une *djirga* ou *shura* centrale siégeant à Kaboul.

On ne saurait sous-estimer les difficultés de telles négociations, puisque les belligérants n'ont à présent aucune intention de négocier. Ils pourraient en être persuadés par la promesse d'une aide financière substantielle de la part de donateurs internationaux, de la Banque mondiale ou d'organisations caritatives privées, somme qui ne pourrait être déboursée sans un accord minimal préalable. Cela pousserait les factions à accepter et la population afghane à faire pression en ce sens. Tout véritable processus de paix exigerait un engagement plus fort de la communauté internationale.

La paix en Afghanistan aurait des retombées positives dans toute cette partie du monde. Le Pakistan profiterait économiquement de la reconstruction afghane et pourrait s'attaquer aux conséquences de la guerre sur son propre territoire (prolifération des armes, de la drogue, terrorisme, sectarisme et marché noir). L'isolement diplomatique prendrait fin et le Pakistan pourrait réintégrer le réseau de communications d'Asie centrale, qui offre la voie d'accès la plus directe à la mer. L'Iran regagnerait sa position au sein de la communauté planétaire et son rôle d'État commerçant au centre de l'Asie. La Turquie établirait des liens avec les peuples turcs d'Afghanistan, auxquels elle est historiquement rattachée.

La Chine se sentirait plus en sécurité et pourrait mener un programme de développement économique plus efficace dans sa province musulmane du Xinjiang. La Russie pourrait construire des relations plus raisonnables avec l'Asie centrale en s'appuyant sur les réalités économiques plutôt que sur de vaines ambitions hégémoniques, tout en oubliant son passé afghan. Les pipelines traversant l'Afghanistan lieraient le pays à la région et accéléreraient l'aide étrangère à la reconstruction. Les États-Unis pourraient adopter une politique asiatique plus réaliste, accéder de façon plus sûre aux ressources énergétiques de la région et traiter la menace terroriste.

Mais si la guerre en Afghanistan continue à être négligée, il faut s'attendre au pire. Le Pakistan subira une révolution islamique comparable à celle des Taliban, qui achèvera de déstabiliser le pays et toute cette partie du monde. L'Iran restera à la périphérie de la communauté mondiale et ses frontières orientales continueront à être en proie à l'instabilité. Les États d'Asie centrale seront incapables d'exporter leur énergie par les voies les plus directes ; leurs économies s'effondreront et ils affronteront des soulèvements islamiques. La Russie continuera à vouloir établir son hégémonie en Asie centrale alors que sa société et son économie s'effondrent. On le voit, les enjeux sont loin d'être négligeables.

POSTFACE

Par Olivier Roy

En août 1984, en pleine guerre d'Afghanistan, je m'efforçai, avec ma compagne, de rejoindre le Pakistan après une visite dans les montagnes du Hazarajat, au centre du pays. Pour cela il fallait traverser les provinces de Zaboul et de Kandahar, le cœur historique de l'Afghanistan des tribus pachtounes. Après le passage d'un petit col fait de pierres plates, tranchantes et desséchées, nous arrivâmes dans une madrasa (école religieuse) du district de Mizan : repliée dans la montagne au début de la guerre, loin des chars communistes, l'école s'était reconstituée entre des bunkers, des positions de mitrailleuses anti-aériennes et quelques parterres de fleurs. Lorsque je demandai au commandant local quelle était l'affiliation politique de son groupe, il me répondit : « Nous sommes un front taliban. » Je notai le terme dans mon carnet, puis dans mon livre, mais ce n'est que dix ans plus tard que je le retrouvai dans une dépêche d'agence : le mouvement taliban avait rouvert la route allant du Pakistan à Kandahar et Hérat. Un jeune religieux, le mollah Omar, venait de tuer le chef d'un groupe de bandits de grands chemins, Daro Khan, qui rançonnait les camionneurs (Pachtounes et Pakistanais) faisant la liaison entre le Pakistan et l'Ouest afghan, jusqu'au Turkménistan, récemment devenu indépendant. Bref, ce Daro Khan avait commis l'affront de vouloir couper la nouvelle grande route qui reliait le Pakistan à l'Asie centrale, mettant en cause la nouvelle donne géostratégique ouverte par le retrait soviétique de 1989 et l'effondrement subséquent de l'URSS.

Or je connaissais bien Daro Khan : il tenait un petit groupe armé dans le village de Sang i-sar, celui de la madrasa où étudiait alors le mollah Omar. Cette madrasa avait refusé de nous recevoir alors qu'une attaque russe était imminente, peut-être du fait de la présence d'une femme. Daro Khan, lui, nous avait recueillis, mais il était clair que sous le moudjahid perçait déjà le bandit de grand chemin.

C'est cette histoire que raconte Ahmed Rashid. Une histoire qui retrace la mise en place d'un nouvel espace géostratégique, à travers l'émergence fulgurante d'un mouvement religieux en apparence atypique : les taliban afghans.

Le mouvement taliban correspond à deux logiques. C'est d'une part un mouvement religieux puritain, fondamentaliste, rigoriste, mais sans autre projet politique que « la charia, toute la charia, rien que la charia ». L'islam des taliban en ce sens est de type saoudien et ne s'inscrit pas dans un projet révolutionnaire anti-impérialiste, comme c'était le cas de l'Iran hier et de Ben Laden aujourd'hui. Mais les taliban représentent aussi un nationalisme ethnique pachtoune qui se propose de reconstruire l'État afghan, apanage traditionnel des Pachtounes, « confisqué » en 1992 par la coalition du Nord menée par Massoud. Nombre de cadres pachtounes, ex-communistes ou royalistes, ont ainsi rejoint les taliban. D'où les efforts considérables des taliban pour obtenir une reconnaissance internationale.

Cette double nature n'oppose pas en soi les taliban au monde occidental. Ce fut d'ailleurs le premier mouvement des Américains, des agences de l'ONU et de la plupart des ONG : reconnaître les taliban et les amener ensuite à plus de souplesse sur le dossier des droits de la femme. Ce qui a tout bouleversé, c'est le soutien que le mollah Omar a systématiquement accordé à Oussama ben Laden. Celui-ci, accusé d'être le promoteur des attentats terroristes dans le monde, de la première attaque contre le World Trade Center (février 1993) à la seconde, parfaitement dévastatrice (11 septembre 2001), se trouvait déjà en Afghanistan lorsque les taliban se sont emparés de Kaboul en 1996 ; il complotait depuis 1992 contre l'hégémonie américaine et appartenait à une mouvance viscéralement « anti-impérialiste », contrairement aux taliban.

Or, lorsque Ben Laden a été accusé par les Américains d'être le commanditaire des attentats d'août 1998 contre leurs ambassades en Afrique de l'Est, Washington a décidé d'en faire l'unique objet de contentieux avec les taliban, considérant que ces derniers, laissés ainsi libres d'imposer le système qu'ils voulaient en Afghanistan, cèderaient d'autant plus sur Ben Laden qu'on leur demandait seulement de le faire partir du pays. Mais, pour des raisons à la fois idéologiques (solidarité islamique), juridiques (refus de reconnaître une supériorité aux juridictions occidentales) et familiales (une des épouses de Mollah Omar est une fille de Ben Laden), le mollah Omar refuse de livrer Ben Laden. Du coup, l'influence de ce dernier sur les taliban a grandi : la destruction des statues du Bouddha (février 2001), l'obligation pour les non-musulmans de porter un signe distinctif (avril 2001), l'arrestation de travailleurs humanitaires chrétiens (août 2001) indiquent suffisamment une radicalisation du leadership des taliban sur les positions d'Oussama ben Laden. Entre un choix « national », consistant à conforter leur pouvoir et à obtenir une reconnaissance international, et leur solidarité islamique avec Ben Laden, les taliban ont fait un choix unique dans l'histoire moderne : ignorer leurs intérêts nationaux et étatiques au profit d'une logique religieuse et supranationale. En ce sens, le mollah Omar représente bien un cas de figure inédit et quelque peu anachronique, cassant l'État même qu'il se proposait de rénover.

Mais, au-delà de ce folklore, l'alliance entre Ben Laden et mollah Omar incarne celle de la mondialisation triomphante avec la tribu oubliée, allant de la banlieue des Babylone modernes (le New Jersey) au village afghan qui ignore qu'il est devenu global. Elle marque aussi la conjonction entre le puritanisme des mollahs tribaux et celui d'un homme d'affaires qui sait organiser, compter et peser. Nos taliban ne sont pas si étrangers qu'ils semblent l'être : ils sont des produits de notre temps.

Olivier Roy[*]

Olivier Roy est né en 1949. Agrégé de philosophie, diplômé de l'Institut national des Langues et Civilisations orientales (langue et civilisation persanes), titulaire d'un doctorat de science politique, il est actuellement directeur de recherche au CNRS *(Laboratoire « Monde Iranien ») et chargé de cours à l'Institut d'Études politiques de Paris.*

*Il a été consultant pour l'*UNOCA *(United Nations Office of the Coordinator for Afghanistan) en 1988, puis représentant spécial de la Présidence de l'*OSCE *au Tadjikistan (de juillet à novembre 1993) et chef de la mission de l'*OSCE *au Tadjikistan (février-octobre 1994).*

Parmi ses dernières publications : Généalogie de l'islamisme, Hachette, Paris, 1995. La nouvelle Asie centrale, ou la fabrication des nations, Le Seuil, Paris, 1997 *; traduit en anglais :* The New Central Asia, the Creation of nations, Tauris, London, 2000. Iran : comment sortir d'une révolution religieuse ?, *avec Farhad Khosrokhavar, Le Seuil, Paris, 1999.* Vers un islam européen, Éditions Esprit, Paris, 1999.

Quelques décrets passés par les taliban depuis la prise de Kaboul en 1996,
à propos des femmes et de diverses questions culturelles

Décret de la direction générale de l'Amr Bil Marouf et du Nai Az Munkar
(police religieuse)

Kaboul, novembre 1996.

Femmes, vous ne devez pas sortir de votre demeure. Si vous quittez la maison, ne soyez pas comme les femmes qui autrefois portaient des vêtements à la mode, étaient très maquillées et se montraient devant tous les hommes avant l'avènement de l'islam.

L'islam, religion salvatrice, a établi la dignité spécifique de la femme, l'islam délivre un enseignement précieux pour la femme. La femme ne doit pas créer l'occasion d'attirer les regards de gens inutiles qui ne la respectent pas. Vis-à-vis de sa famille, la femme a la responsabilité d'instructrice, de coordinatrice. Le mari, le frère, le père ont la responsabilité de fournir à la famille tout ce qui est nécessaire à la vie (nourriture, vêtements, etc.). Lorsqu'une femme est obligée de sortir de chez elle pour des raisons liées à l'éducation, aux besoins ou aux services sociaux, elle doit se couvrir en accord avec les règles de la charia islamique. Si une femme sort vêtue de vêtements à la mode, décoratifs, serrés et aguichants, qui révèlent son corps, elle sera maudite par la charia islamique et doit perdre tout espoir d'aller au Ciel.

Tous les anciens et tous les musulmans ont une responsabilité dans le respect de cette loi. Nous demandons à tous les anciens de veiller strictement sur leur famille pour éviter ces problèmes. Autrement, les femmes seront menacées, leur cas sera étudié et elles seront sévèrement punies, ainsi que les anciens de la famille, par les forces de la police religieuse *(Munkrat)*.

La police religieuse *(Munkrat)* a la responsabilité et le devoir de lutter contre ces problèmes sociaux et poursuivra ses efforts jusqu'à l'anéantissement du mal.

Règlement des hôpitaux d'État et des cliniques privées, fondé sur les principes de la charia islamique, ministère de la santé, pour l'Amir ul-Mominin Mollah Mohammed Omar.

Kaboul, novembre 1996.

Une femme malade doit consulter un médecin femme. Si un médecin homme est nécessaire, la malade doit être accompagnée par un parent proche.

Durant la consultation, la malade et le médecin doivent tous deux porter le *hijab* islamique (voile).

Le médecin homme ne doit ni toucher ni voir aucune partie du corps de la malade autre que le membre atteint.

La salle d'attente pour les femmes doit être dissimulée aux regards.

La personne qui distribue les numéros d'ordre aux femmes doit être une femme.

Pour le service de nuit, dans les salles où des femmes sont hospitalisées, le médecin homme n'a pas le droit d'entrer s'il n'est pas appelé par la malade.

Les conversations entre médecins des deux sexes sont interdites ; si une discussion s'impose, le port du *hijab* est nécessaire.

Les médecins femmes doivent porter des vêtements simples ; elles n'ont pas le droit de porter des vêtements à la mode ou d'utiliser des cosmétiques.

Les médecins femmes et les infirmières n'ont pas le droit d'entrer dans les salles où des hommes sont hospitalisés.

Le personnel des hôpitaux doit se rendre à la mosquée à chaque prière.

La police religieuse est autorisée à effectuer des contrôles en permanence, sans que nul ne puisse s'y opposer.

Quiconque viole la loi sera puni en fonction des règles islamiques.

Direction générale de l'Amr Bil Maruf. Kaboul, décembre 1996.

Pour empêcher la sédition et le dévoilement des femmes (Be Hejabi).

Aucun chauffeur n'a le droit de faire monter dans son taxi une femme qui porte le *burqa* iranien. En cas de violation, le chauffeur sera emprisonné. Si une femme ainsi vêtue est repérée dans la rue, son adresse sera découverte et son mari sera puni. Si une femme porte des vêtements stimulants et attirants sans être accompagnée par un parent proche, le chauffeur n'a pas le droit de la faire monter dans son taxi.

Pour empêcher la musique. À diffuser par les sources d'information publique.

Dans les magasins, les hôtels, les véhicules et les pousse-pousse, les cassettes et la musique sont interdites. Cette directive doit être appliquée dans les cinq jours. Si une cassette de musique est découverte dans un magasin, le vendeur sera emprisonné et le magasin sera fermé. Si cinq personnes se portent garantes, le magasin est rouvert, et le vendeur libéré ensuite. Si une cassette est découverte dans un véhicule, le véhicule et son conducteur seront emprisonnés. Si cinq personnes se portent garantes, le véhicule est libéré, et le criminel ensuite.

Pour empêcher les hommes de se raser ou de se tailler la barbe.

Après un mois et demi, tout homme coupable de s'être rasé et/ou taillé la barbe doit être arrêté et emprisonné jusqu'à ce que sa barbe repousse.

Pour empêcher l'élevage de pigeons et les jeux avec des oiseaux.

D'ici dix jours, cette habitude doit avoir disparu. Après dix jours, la loi sera appliquée et les pigeons seront exécutés, ainsi que tout autre oiseau destiné au jeu.

Pour empêcher l'usage de cerfs-volants.

En ville, les magasins de cerfs-volants doivent être supprimés.

Pour empêcher l'idolâtrie.

Dans les véhicules, les magasins, les hôtels, les pièces et partout ailleurs, les images et les portraits doivent être supprimés. La police déchirera toute image trouvée dans l'un des lieux susdits.

Pour empêcher les jeux d'argent.

En collaboration avec les forces de sécurité, les principaux locaux seront découverts et les joueurs seront emprisonnés pour un mois.

Pour éradiquer l'usage des drogues.

Les drogués seront emprisonnés et l'on enquêtera pour découvrir le revendeur et le magasin. Le magasin sera fermé, le propriétaire et l'utilisateur seront emprisonnés et punis.

Pour empêcher les coupes de cheveux anglaises ou américaines.

Les hommes aux cheveux longs seront arrêtés et emmenés au département de la police religieuse pour s'y raser la tête. Le criminel doit payer le coiffeur.

Pour empêcher le prélèvement d'un intérêt sur les prêts, sur le change de petites coupures ou sur les mandats.

Tous les changeurs doivent être informés que ces trois types d'opération sont interdits. En cas de violation, les criminels seront emprisonnés durant une longue période.

Pour empêcher que de jeunes femmes lavent le linge dans les cours d'eau de la ville.

Les coupables doivent être appréhendées avec respect, à la manière islamique, raccompagnées chez elle et leurs maris doivent être sévèrement punis.

Pour empêcher la musique et la danse lors des mariages.

En cas de violation, le chef de famille sera arrêté et puni.

Pour empêcher que l'on joue de la batterie.

Cette interdiction doit être annoncée. Si quelqu'un contrevient à la loi, les anciens peuvent prendre une décision.

Pour empêcher la fabrication de vêtements féminins et pour empêcher qu'un tailleur prenne les mesures d'une femme.

Si l'on voit dans le magasin des magazines de mode féminine, le tailleur doit être emprisonné.

Pour empêcher la sorcellerie.

Tous les livres sur ce sujet doivent être brûlés et le magicien doit être emprisonné jusqu'à ce qu'il se repente.

Pour empêcher l'irréligion et imposer le rassemblement pour la prière dans le bazar.

La prière doit avoir lieu à l'heure dite dans tous les quartiers. Les transports doivent être strictement prohibés et tous sont obligés de se rendre à la mosquée. Si des jeunes gens sont vus dans les magasins, ils seront immédiatement emprisonnés.

CHRONOLOGIE

1992

Avril   L'Afghanistan et Kaboul tombent entre les mains des moudjahidin tandis que le Président Najibullah se réfugie dans les locaux des Nations unies à Kaboul.

1993

               Les combats entre le Président Rabbani et Gulbuddin Hekmatyar font plus de 10 000 morts dans la population civile.

1994

Janvier   Les luttes entre factions rivales laissent Kaboul en ruines, alors que Dostom et Hekmatyar attaquent Kaboul.

Février   Les Nations unies nomment Mahmoud Mestiri à la tête d'une mission spéciale en Afghanistan. L'ambassade du Pakistan à Kaboul est pillée.

Octobre   Six ambassadeurs occidentaux à Islamabad accompagnent à Hérat le ministre pakistanais de l'Intérieur, Nasirullah Babar, pour y rencontrer Ismaël Khan.

28 octobre   La Première ministre du Pakistan, Benazir Bhutto, rencontre Ismaël Kahn et Dostom à Achkhabad.

4 novembre   Un convoi de trente camions pakistanais en route vers l'Asie centrale est attaqué près de Kandahar (20 morts).

5 novembre   Les taliban prennent le contrôle de Kandahar et libèrent le convoi. Cinquante morts en quatre jours.

25 novembre   Les taliban prennent le contrôle de deux provinces méridionales, Lachkargarh et Helmand.

1995

1ᵉʳ janvier   3 000 taliban pakistanais quittent Peshawar pour l'Afghanistan.

2 février   Les taliban s'installent dans la province de Wardak, à 40 km de Kaboul.

11 février   Les taliban prennent la province de Logar. Neuf provinces sur trente sont aux mains des taliban. Le Président Rabbani envoie une délégation à leur rencontre.

14 février   Les taliban prennent Charasyab et Hekmatyar s'enfuit sans résister.

18 février   Les taliban acceptent de rejoindre un gouvernement provisoire à trois conditions : la constitution d'une force neutre formée de taliban, la

participation limitée aux « bons musulmans » et la représentation des trente provinces.

7 mars	Les taliban s'avancent sur Nimroz, Farah, et tentent de prendre Hérat. Ils entrent dans Kaboul tandis que les Hazara libèrent leurs positions.
11 mars	Masoud attaque les taliban près de Kaboul. Les taliban sont repoussés jusqu'à Charasyab.
13 mars	Le leader des Hazara, Abdul Ali Mazri, est pris par les taliban ; il meurt dans un accident d'hélicoptère alors qu'il est emmené à Kandahar. Les taliban prennent Farah.
4 avril	Les taliban prennent une partie de la base aérienne de Shindand, près de Hérat.
29 mars	Les forces du gouvernement repoussent les taliban à 120 km de Shindand.
12 mai	Les taliban sont chassés de Farah.
31 mai	Le chef des services secrets saoudiens, le prince Turki, se rend à Kaboul et à Kandahar.
10 juillet	Le chef adjoint des services secrets saoudiens parcourt les villes d'Afghanistan dans le cadre d'une mission pacifique ; il rencontre les taliban.
2 septembre	Les taliban reprennent Farah ; combats intensifs près de Shindand.
3 septembre	Les taliban prennent Shindand. Kaboul change de commandement militaire ; Ismaël Khan est rétrogradé tandis que des troupes sont aéroportées vers Hérat.
5 septembre	Les taliban prennent Hérat. Ismaël Khan s'enfuit en Iran sans résistance.
6 septembre	L'ambassade du Pakistan à Kaboul est pillée et incendiée. L'Iran interdit aux taliban de franchir la frontière.
10 octobre	Les taliban envoient 400 chars d'assaut de Kandahar vers Kaboul pour préparer l'assaut de la ville.
11 octobre	Les taliban se lancent dans une offensive majeure et reprennent Charasyab.
11 novembre	Kaboul est bombardée par les taliban. 36 morts, 52 blessés en un seul jour.
26 novembre	Bombardement meurtrier à Kaboul : 39 morts et 140 blessés parmi les civils. Les forces du gouvernement repoussent les taliban.

1996

3 mars	Rabbani entreprend une visite en Iran, au Turkménistan et en Ouzbékistan.
20 mars	À Kandahar, la *shura* des taliban réunit mille oulémas et anciens pour discuter de questions politiques.
4 avril	Fin de la *shura* des taliban, appel au djihad contre Rabbani. Mullah Omar devient *l'Amir ul-Mominin*.

19 avril	Des diplomates américains rencontrent les leaders afghans à Kaboul et à Kandahar.
23 mai	Mestiri, l'envoyé de l'onu, démissionne pour raison de santé.
26 juin	Hekmatyar rejoint Rabbani et devient Premier ministre. Les taliban bombardent Kaboul. 52 morts.
11 juillet	Le diplomate allemand Norbert Holl est nommé envoyé de l'onu en Afghanistan.
4 septembre	Manifestations de femmes afghanes à Kaboul contre les excès des taliban.
10 septembre	Les taliban prennent deux zones du Nangarhar. Haji Qadeer s'enfuit au Pakistan, combats intensifs près de Djalalabad.
11 septembre	Les taliban prennent Djalalabad.
25 septembre	Les taliban prennent Sarobi et Assadabad.
26 septembre	De Sarobi, les taliban gagnent Kaboul en une nuit. Combats l'extérieur de la ville. Kaboul tombe entre les mains des taliban.
27 septembre	Les taliban pendent Najibullah. Massoud se retire vers le nord. Le mollah Omar déclare l'amnistie ; Kaboul sera gouverné par un conseil de six membres, avec à sa tête le mollah Mohammed Rabbani. L'Iran, la Russie, l'Inde et des États de l'Asie centrale condamnent la prise de pouvoir par les taliban. Le Pakistan envoie une délégation à Kaboul.
1er octobre	Les taliban ordonnent à Massoud, dans le Panjshir, de se rendre ou de mourir. Massoud fait exploser les routes du Panjshir tandis que les taliban s'avancent vers le nord. Les taliban atteignent le tunnel de Salang et font face aux troupes de Dostom.
4 octobre	À Almaty, le sommet de la cis demande aux taliban de quitter l'Asie centrale.
8 octobre	Combats intensifs lorsque les taliban tentent de prendre le Panjshir. Le Pakistan sert de navette diplomatique.
10 octobre	Dostom, Massoud et Khalili se rencontrent à Khin Jan et forment le Conseil suprême pour la défense de la Patrie. Massoud attaque Bagram avec 50 hommes et contre-attaque sur la route de Salang.
12 octobre	Massoud prend Jabul Seraj.
13 octobre	Massoud reprend Charikar. Les combats à 15 km de Kaboul font des centaines de victimes.
18 octobre	Bagram tombe entre les mains de Massoud tandis que les taliban s'enfuient. Dostom vient aider Massoud.
24 octobre	Le mollah Omar déclare : « Nous lutterons jusqu'à la mort et nous verserons notre sang pour Kaboul, jusqu'à la dernière goutte. » Massoud exige la démilitarisation de Kaboul. Les taliban s'emparent de la province de Baghdis lors de combats intensifs avec les forces de Dostom.
31 octobre	Les troupes d'Ismaël Khan sont aéroportées d'Iran vers Maimana pour résister aux taliban à l'ouest.

1997

1er janvier	Les taliban reprennent Bagram et Charikar, défaite majeure pour Massoud.
23 janvier	Les taliban reprennent Gulbahar, près de Salang.
2 février	Les Hazara renforcent la défense de Bamiyan tandis que les taliban approchent par la vallée de Ghorband. Une délégation des taliban se rend aux États-Unis.
12 mars	Tentative d'assassinat du mollah Abdul Razaq, gouverneur de Hérat.
19 mai	Le général Malik Pahlawan se rebelle contre Dostom, s'empare de Faryab et déclare avoir rejoint les taliban.
20 mai	Les provinces de Baghdis, Faryab et Sar e-Pul tombent entre les mains de Malik, combats intensifs. Malik remet Ismaël Kahn et plus de 700 prisonniers aux taliban.
24 mai	Les taliban déferlent sur Mazar, imposent la charia et ferment les écoles de filles.
26 mai	Le Pakistan reconnaît le gouvernement des taliban. Rupture des négociations à Mazar entre les taliban et Malik. Les combats reprennent.
28 mai	Les taliban sont chassés de Mazar après une bataille de dix-huit heures, qui a fait 300 morts dans leurs rangs. Des milliers de soldats sont faits prisonniers. Massoud contre-attaque au sud.
2 juin	Les taliban ferment l'ambassade iranienne à Kaboul. Des milliers d'étudiants pakistanais rejoignent les taliban. L'opposition forme une nouvelle alliance à Mazar.
12 juin	Quelque 3 000 taliban sont désarmés à Baghlan. Massoud reprend Jabel Seraj. Rabbani rencontre Malik à Mazar. L'opposition forme le Front national islamique et uni pour le salut de l'Afghanistan.
19 juillet	Massoud prend Bagram et Charikar. Les taliban s'enfuient en abandonnant des armes lourdes.
21 juillet	Malik en Iran pour des négociations.
28 juillet	L'onu désigne Lakhdar Brahimi pour l'élaboration d'un rapport sur l'Afghanistan. Les combats intensifs continuent autour de Kaboul.
7 août	Selon l'icrc, les combats des trois derniers mois ont fait 6 800 blessés. Le care suspend ses programmes pour les femmes à Kaboul.
12 août	Le président Rabbani est reconduit dans ses fonctions, suite à la rencontre de l'opposition à Mazar.
15 août	Lakhdar Brahimi arrive à Islamabad pour une visite de la région.
19 août	Brahimi se rend à Kandahar. Les taliban déclarent aux journalistes étrangers qu'ils seront expulsés s'ils se montrent partiaux dans leurs reportages.
4 septembre	Le mollah Rabbani rencontre le roi Fahd à Djeddah et affirme que les Saoudiens aideront les taliban dans les domaines de la santé et de l'éducation. Les taliban accusent l'Iran, la Russie et la France d'aider Massoud.

8 septembre	Les taliban reprennent l'aéroport de Mazar après des attaques renouvelées depuis Kunduz. Les Ouzbeks sont partagés entre Malik et Dostom.
9 septembre	Malik quitte Mazar lorsque son domicile est incendié par le Hezb e-Wahdat ; pillages de la ville après le départ des représentants de l'ONU. Les taliban sont repoussés de l'aéroport.
12 septembre	De Turquie, Dostom revient à Mazar. Les taliban tuent 70 villageois hazara à Qazil Abad. Après trois jours de pillage à Mazar e-Charif, la paix est restaurée tandis que les taliban sont repoussés et que Dostom rassemble ses troupes.
18 septembre	Les combats intensifs reprennent près de Mazar. Les taliban déclarent que le roi Fahd leur accorde son appui politique et financier.
23 septembre	Les taliban bombardent Bamiyan. Combats à 15 km de Mazar.
28 septembre	Emma Bonino est arrêtée à Kaboul et détenue par les taliban pendant trois heures, avec 19 autres délégués de la Communauté européenne.
30 septembre	Trois employés de l'ONU sont chassés de Kandahar.
1er octobre	Brahimi termine sa mission après avoir visité 13 pays. Les combats intensifs continuent autour de Mazar.
8 octobre	Dostom repousse les taliban jusqu'à Kunduz. Kaboul rejette l'accord commercial avec le Pakistan.
21 octobre	Dostom prend Shebarghan tandis que Malik s'enfuit vers l'Iran.
16 novembre	Dostom découvre 2 000 morts dans 30 charniers près de Shebarghan et propose de rendre les corps aux taliban. Échange de prisonniers.
18 novembre	Au Pakistan, la secrétaire d'État américaine Madeleine Albright qualifie de « méprisable » l'attitude des taliban sur la question des droits de l'homme.
26 novembre	Le secrétaire général de l'ONU, Kofi Annan, fait paraître un rapport sévère sur l'interférence extérieure en Afghanistan.
17 décembre	Le Conseil de sécurité de l'ONU condamne la vente d'armes aux factions afghanes et appelle au cessez-le-feu.

1998

6 janvier	Le Président Rabbani visite l'Iran, le Pakistan et le Tadjikistan en vue d'une conférence régionale sur l'Afghanistan, sous l'égide de l'ONU. Les taliban sont accusés d'avoir massacré 600 civils ouzbeks dans la province de Faryab. Le siège de Bamiyan par les taliban se durcit à mesure que les réserves de nourriture s'épuisent.
7 janvier	Kofi Annan demandent aux taliban d'autoriser la livraison de nourriture à Bamiyan.
13 janvier	Un avion des taliban s'écrase près de Quetta, 80 soldats sont tués. Fusillade près de Kandahar entre les taliban et les villageois qui résistent au recrutement.
27 janvier	250 prisonniers sont libérés dans les deux camps, pour la fête de l'Aït.

4 février	Tremblement de terre dans le nord-est de l'Afghanistan. 4 000 morts et 15 000 sans-abri. Les secours sont gênés par la neige.
20 février	Deuxième tremblement de terre.
8 mars	Journée internationale de la femme, consacrée aux Afghanes dans le monde entier.
14 mars	Combats intensifs à Mazar entre Ouzbeks et Hazara.
22 mars	Brahimi revient faire office de médiateur entre les taliban et l'opposition.
1er avril	Les taliban nomment une équipe pour négocier avec l'opposition dans le cadre de la rencontre des oulémas.
17 avril	L'envoyé des États-Unis Bill Richardson se rend à Kaboul et à Mazar.
26 avril	La commission des oulémas se réunit à Islamabad sous l'égide de l'onu.
4 mai	Échec de la rencontre des oulémas.
17 mai	Les taliban bombardent Taloqan. 31 morts, 100 blessés. Combats intensifs autour de Kaboul et dans le Nord.
30 mai	Nouveau tremblement de terre dans le nord-est du pays. 5 000 morts.
18 juin	Le chef des services secrets saoudiens, le prince Turki, se rend à Kandahar.
30 juin	Les taliban exigent que les ong s'installent dans le bâtiment détruit de l'institut polytechnique. Les ong refusent le déménagement.
3 juillet	Le sommet réunissant cinq pays d'Asie centrale à Almaty demande la fin de la guerre en Afghanistan.
9 juillet	Un avion de l'onu est attaqué dans l'aéroport de Kaboul. Dans une série d'édits, Omar interdit la télévision, ordonne la déportation de tous les chrétiens et le châtiment de tous les ex-communistes.
12 juillet	Les taliban prennent Maiman, font 800 prisonniers ouzbeks et s'emparent de 100 chars d'assaut.
18 juillet	L'Union européenne suspend toute aide humanitaire à Kaboul.
20 juillet	Les ong quittent Kaboul. L'ue ferme ses bureaux.
21 juillet	Deux Afghans sont enlevés et exécutés à Djalalabad.
31 juillet	Les dirigeants taliban visitent les madrasas de Dar ul-Uloum Haqqania et d'Akora Khatak au Pakistan, où ils recrutent des volontaires. 5 000 Pakistanais partent combattre en Afghanistan.
1er août	Les taliban prennent Shebarghan. Dostom et ses troupes se réfugient à Hairatan, à la frontière de l'Ouzbékistan.
7 août	Attentats dans les ambassades américaines au Kenya et en Tanzanie, attribués à Oussama ben Laden.
8 août	Les taliban s'emparent de Mazar, tuent 11 diplomates iraniens et un journaliste. Les taliban massacrent des milliers de Hazara, tandis que des milliers d'autres fuient Mazar.
10 août	Taloqan tombe entre les mains des taliban.
11 août	La Russie interdit au Pakistan d'aider les taliban. Les pays de l'Asie centrale sont en état d'alerte.

12 août	Pul e-Khumri et Hairatan tombent entre les mains des taliban.
18 août	L'ayatollah Ali Khomeyni accuse les États-Unis et le Pakistan d'utiliser les taliban pour comploter contre l'Iran. Les tensions montent entre l'Iran et les taliban. Omar déclare que les taliban protégeront Ben Laden.
20 août	Les États-Unis lancent 75 missiles de croisière contre les camps de Djalalabad et de Khost, contrôlés par Ben Laden. 21 morts, 30 blessés.
21 août	Les taliban condamnent l'attaque américaine et jurent de protéger Ben Laden. Un officier des Nations unies est tué à Kaboul. Tous les étrangers quittent l'Afghanistan, ainsi que Peshawar et Quetta.
26 août	Le tribunal fédéral de New York accuse Ben Laden de terrorisme.
1ᵉʳ septembre	L'Iran envoie 70 000 hommes sur la frontière afghane.
6 septembre	Le risque de guerre s'accroît lorsque l'Iran déclare avoir le droit de protéger ses habitants, dans le cadre du droit international. Les États-Unis conseillent la modération. Les taliban font de nouveau appel à l'ONU pour que leur gouvernement soit reconnu.
10 septembre	Les taliban déclarent avoir découvert à Mazar le corps de neuf diplomates iraniens.
13 septembre	Bamiyan tombe au mains des taliban. Omar demande à ses troupes de faire preuve de prudence.
20 septembre	Bombardement massif de Kaboul par Massoud, 66 morts et 215 blessés.
22 septembre	L'Arabie saoudite expulse l'envoyé des taliban et exprime sa colère lorsque les taliban refusent d'extrader Ben Laden après la visite du prince Turki à Kandahar.
27 septembre	Les taliban placent 30 000 hommes sur la frontière pour résister aux manœuvres iraniennes.
2 octobre	Les bombardiers et les avions iraniens violent l'espace aérien de Hérat. Les manœuvres de l'armée iranienne commencent avec 200 000 hommes.
14 octobre	Lakhdar Brahimi s'entretient avec Omar à Kandahar ; c'est la première fois qu'Omar rencontre un diplomate étranger. Les taliban acceptent de libérer tous les prisonniers iraniens.
21 octobre	Aux États-Unis, la Feminist Majority Foundation, représentant 120 organisations, demande une pression économique et sociale accrue sur les taliban. L'actrice Mavis Leno fait don de 100 000 dollars en vue d'une campagne contre la politique sexiste des taliban.
23 octobre	Massoud lance plusieurs offensives victorieuses dans le nord-est du pays et entre dans la province de Kunduz. Les taliban arrêtent 60 des partisans du général Tanai lors de la tentative de coup d'État à Djalalabad.
25 octobre	Les taliban interdisent les mines antipersonnelles. Massoud prend Imam Sahib, à la frontière du Tadjikistan.
7 novembre	L'ONU accuse les taliban d'avoir tué 4 000 personnes à Mazar. Omar

accuse l'ONU de partialité et déclare que 3 500 taliban ont été tués. Omar rejette la possibilité d'un gouvernement de coalition.

13 novembre Mohammed Akbari, dirigeant de l'Hezb e-Wahdat se rend aux taliban à Bamiyan.

23 novembre Le directeur de l'UNESCO, Frederico Mayor, demande que l'on fasse cesser les violations des droits de l'homme perpétrées par les taliban.

1er décembre Les taliban fusillent des étudiants devant l'université de Djalalabad. 4 morts, 6 blessés.

9 décembre L'assemblée générale de l'ONU vote une résolution sévère contre l'Afghanistan.

29 décembre L'UNICEF déclare que le système éducatif afghan s'est effondré.

1999

1er janvier La première délégation chinoise arrive à Kandahar pour rencontrer les dirigeants taliban.

11 mars Les pourparlers organisés entre les taliban et l'opposition par l'ONU à Achkhabad (Turkménistan) commencent. Les négociations échouent bientôt.

Avril-mai Combats intensifs pour obtenir le contrôle de Bamiyan, au Hazarajat.

Mai Soulèvement à Hérat contre les taliban : 100 morts parmi les civils ; 8 civils sont jugés et exécutés.

2 juin Le ministre des Affaires étrangères ouzbek, Aziz Kamilov, rencontre le mollah Omar.

8 juin Le FBI place Ben Laden en tête des dix personnes les plus recherchées et offre 5 millions de dollars pour sa capture.

6 juillet Les États-Unis imposent des sanctions économiques et commerciales contre les taliban pour avoir refusé de livrer Ben Laden.

19 juillet Les pays du groupe « Six plus deux » se réunissent à Tachkent ; les taliban restent déterminés à lancer une offensive.

28 juillet L'offensive d'été des taliban commence ; combats intensifs.

5 août Massoud lance une contre-offensive et reconquiert tout le terrain perdu autour de Kaboul. Plus de 2 000 victimes parmi les taliban.

25 août Une énorme bombe placée dans un camion explose devant la maison du mollah Omar à Kandahar ; elle fait 10 morts et 40 blessés, dont plusieurs collaborateurs et proches d'Omar.

2000

16 janvier La république tchétchène est reconnue par les taliban et ouvre une ambassade à Kaboul.

18 janvier Le diplomate espagnol Francesc Vendrell est nommé envoyé spécial en Afghanistan du secrétaire général de l'ONU.

6 février Un vol intérieur d'Ariana est détourné vers Londres ; les pirates de l'air demandent l'asile politique.

27 mars	L'ancien gouverneur de Hérat, Ismaël Khan, s'enfuit des prisons des taliban à Kandahar et arrive en Iran.
1re juillet	Les taliban lancent leur offensive d'été.
10 juillet	Les taliban ordonnent à toutes les organisations de secours étrangères de se séparer de leur personnel féminin afghan.
1er août	Le Mouvement islamique d'Ouzbékistan lance des attaques en Asie centrale depuis ses bases en Afghanistan. Le mollah Omar interdit la culture du pavot.

2001

8 janvier	Après avoir pris Yakowlang, les taliban massacrent 210 civils.
19 Janvier	Le conseil de sécurité de l'ONU adopte la résolution 1333, qui impose des sanctions et un embargo sur les armes exclusivement contre les taliban.
26 février	Le mollah Omar ordonne la destruction de deux gigantesques statues du Bouddha à Bamiyan.
1er mars	L'ONU déclare que les taliban ont interdit la culture du pavot et que la production d'opium est quasiment nulle cette année.
10 mars	Les deux Bouddhas sont détruits à coup de dynamite.
4 avril	Ahmad Shah Massoud arrive en Europe pour une tournée des capitales.
16 avril	Le mollah Mohammed Rabbani, le numéro deux taliban, meurt d'un cancer au Pakistan.
22 mai	Les taliban ordonnent à tous les hindouistes de porter un insigne jaune à des fins d'identification.
1er juin	L'offensive d'été des taliban commence.
31 juillet	Le Conseil de sécurité de l'ONU adopte la résolution 1363 pour veiller à l'application des sanctions contre les taliban.
5 août	Les taliban arrêtent 8 étrangers et 16 Afghans accusés de prosélytisme chrétien.
11 septembre	Les attentats terroristes à New York et à Washington provoquent une réaction militaire des États-Unis contre les taliban et Oussama ben Laden.

Biographie de l'auteur

Ahmed Rashid, journaliste pakistanais vivant à Lahore, est le correspondant de la *Far Eastern Economic Review* et du *Daily Telegraph* pour le Pakistan, l'Afghanistan et l'Asie centrale. Il écrit également dans les journaux pakistanais et les revues spécialisées en Occident.

Son dernier livre, *Les Taliban : islam, pétrole et nouveau Grand jeu en Asie centrale*, publié par I. B. Tauris (2000) en est à sa troisième édition et a été traduit en sept langues. Il paraîtra en allemand au printemps 2002.

Ahmed Rashid est aussi l'un des auteurs d'*Islam and Central Asia. An Enduring Legacy Or An Evolving Threat ?*, recueil d'articles dirigé par Roald Sagdeev et Susan Eisenhower (Centre for Political and Strategic Studies, Washington, septembre 2000). Il a écrit *The Resurgence of Central Asia : Islam or Nationalism ?* (Zed Books, Londres et New York, 1994).

Parmi ses articles les plus récents, citons « Talibanization » dans *Foreign Affairs*, novembre 1999 ; « Pakistan's Coup : Planting the Seeds of Democracy ? » dans *Current History*, décembre 1999 ; « The New Struggle in Central Asia » dans *World Policy Journal*, hiver 2000-2001 et « The Fires of Faith in Central Asia » dans le numéro du printemps 2001 ; et « Afghanistan : Ending the Policy Quagmire » dans *Journal of International Affairs*, Columbia University, 2001.

Table des matières